光文社文庫

ブルーマーダー

誉《ほん》田《だ》哲也

光　文　社

目次

序章

油でべたつく、ビニール製のテーブルカバー。

「そういやお前、あのあとどうした」

すでに空になったビール瓶が二本。まだ半分くらい入っているのが一本。コップは二つ。ツマミはチャーシューとメンマと、モヤシのラー油和《あ》え。

「それがよ、馬鹿な女でよ。送ってやるっつったら、本当に車に乗ってきやがんのよ。それじゃお前、姦《や》ってくれっていってんのも同じだろう。なあ？」

答えずにいたら、思いきり後頭部を叩《たた》かれた。勢いで五センチほど頭が前に飛び出し、図らずも頷いたようになる。一応笑ってはみせたが、すでに相手はこっちを見ていない。

「でなに、ホテルいったの」

「ああ」

「でもお前、昨日は全然、金持ってなかったじゃん」

「あっ、そうだよ。お前がちゃんと働かねえからだよ」

また同じところを、さっきよりも強く叩かれる。すみません、とはいってみたものの、それで相手の気が済むとも思っていない。

「あのよォ、いい加減、ちっとは仕事覚えてくんねえかなァ。こっちは親切で、お前に仕事振ってやってんだぜ。それをさァ、使いにいかせりゃモタモタ、電話させりゃボソボソ、畳みかけろっていってんのにグズグズ。そんなこったからいつまで経っても借金減らねえんじゃねえの？　おい、聞いてんのかよ」

今度は真横から拳骨《げんこつ》だ。思わず丸椅子から転げ落ちそうになる。

「……はい、お待ちどおさま」

頭にバンダナをかぶった太った女が、レバニラ炒めと餃子ふた皿を持ってきた。テーブルの真ん中に置くと、中華丼と担々麺はもう少しお待ちくださいといい、空き瓶を持って下がっていく。他に客がいないわりに、料理が出てくるのが遅いのはなぜだろう。

「お前、罰な。お前の今日の夕飯、こんだけな」

醬油《しょうゆ》を入れる小皿に、餃子を二個取り分けられる。

「……あ、これじゃ不公平か」

二個取って三個残っている皿と、まだ丸々五個載っている皿。一つ移すと、ちょうど四個ずつになる。よし、と自分一人で満足する奴。

「……だからさ。金もねえのにホテル、どうしたんだよ」

「ん？　ああ、そんなの、女に払わせたに決まってんじゃん」

「お前、そのツラで決まってんじゃんとか、よくいえるよな」

「バカ、顔は関係ねえんだよ。男はここ、ここだよ……なあ、役立たずクン。君はここも、役立たずなのかァい？」

いきなり股間を鷲摑《わしづか》みにされたが、ジーパンを穿《は》いているのでさほど痛くはなかった。だがなんの反応もしないと受け入れたことになってしまうので、形だけ嫌がる振りはしておく。

笑いながら割り箸を割り、レバニラを食べ始める奴。

「ん、これ美味《うめ》えぞ。ここ、汚《きたね》えけど味はいいよな。……オバちゃん、ここさァ、出前は遅《おせ》えし店は汚えけど、料理は美味いよ。合格ッ」

彼女は「オバちゃん」呼ばわりされるほどの年ではないように見えたが、わざわざ訂正してやるほどのこともない。

「俺には、ちょっと薄味だけどな……」

いいながら、自分の皿に取ったレバニラにソースをかける奴。ソースか、という疑問はあったが、むろん口には出さない。

「……はい、中華丼。お待ちどおさまでした」

お、きたきた、と嬉しそうな顔をする奴。

「あれ、俺の担々麺は？　まだなの？」

「ごめんなさい。いま急いで作ってるから」

「なんだよ、忘れてたんじゃねえのか？」

二人の言い合いをよそに、「いただきます」と自分の中華丼を食べ始める奴。

「んーん、忘れてないですよ。ただほら、一人で作ってるから。具が似たもんだといっぺんに作れるんだけど、担々麺はほら、ちょっと違うから。だから、順番で」

カウンターの中のオヤジも愛想笑いを浮かべ、すまなそうにしている。

「……つまり、俺の頼み方が悪かったってわけだ」

「んん、そうじゃないですよ。ただ、順番……順番だから。もう、ほんとにすぐできますから。ちょっと待っててください」

暴れられたら厄介だとでも思ったのだろう。女は適当に話を切り上げて下がっていった。

餃子二個とコップ一杯水を飲んで店を出た。ラーメン屋から事務所までは、歩いて五分くらいだ。

「お前の、そのショボくれた話し方よ。風邪ひいた芝居にゃ持ってこいなんだけどさ、事故設定のときはもうちょっと、緊張感持ってさ、切羽詰まった感じでやってくんねえと困んだよな。分かる？」

はい、とその場は頷いておく。それがすでに癖になっている。

「今すぐなら示談にできるんだ、向こうがそういってくれてるんだ、頼むよバアちゃん、四十万でいいんだ、俺の車はあとでどうにでもできるから、相手の分だけでも、早くしないとマズいんだよ……とかさ、もっとそれっぽくできねえかな。要は気持ちだよ。心を込めて仕事してくれよ」

お前、声でけえよ、と横からいう奴。

それとは関係なく、また思いきり後頭部を叩いてくる奴。

「聞いてんのかっつってんだよ。ムカつくんだよ、お前のその腑抜《ふぬ》けたツラ見てっとよ。もうちっとシャキッとしろよ。男だろう。おいよォ」

今度は腿《もも》に蹴りを入れられる。カクッと膝が折れたが、痛みはそうでもない。こっちもいい加減、この手の扱いには慣れた。

あっ、と何か思い出したように呟く奴。

「俺、イトウさんに、店に顔出せっていわれてたの、忘れてたわ」

「店ってどこ」

「アンバー。ほら、会員制の、あそこ」

「何時頃の話だよ」

「いわれたのは三時頃。八時にこいって……」

ラーメン屋を出たのが七時四十分頃だから、近所なら、まだダッシュでいけば間に合うだろう。

「急げよ」

「いや、お前も一緒にきてくれよ」

「なんでだよ。俺呼ばれてねえもん」

「頼むよ。イトウさん、お前には優しいじゃん」

「そんなことねえよ。去年ブッ飛ばされたよ。六本木の交差点のド真ん中で」

「あんときは、イトウさんも酔ってたんだよ。しかも、ほんとはカズキを殴ろうとしたのを、間違ってお前に当てちゃっただけなんだって、あとでいってたよ。いまさら謝れねえけど、悪かったと思ってるって」

「それと、今日俺がいくのと、なんも関係ねえじゃん」

「だから頼むって。アカネさんのこととか訊《き》かれたら俺、なんて答えていいか分かんねえもん。マジで、頼むからついてきて」

結局、二人は連れ立ってその「アンバー」とやらに向かった。別れ際に「逃げねえでちゃんと留守番しとけよ」といわれた。分かってる。逃げたりしない。逃げられるわけがない。

運転免許証、健康保険証、財布、通帳、印鑑、クレジットカード、キャッシュカード、携帯電話、アパートの鍵、スクーターの鍵。何もかも取り上げられ、持たされているのは事務所の鍵とトバシの携帯だけ。それで、一体どうやって逃げろというのだ。ここから十何キロも離れたアパートに徒歩で帰り、管理人を叩き起こして鍵を開けてもらうなんて、現実には不可能だ。だったら、あの事務所でいい。少なくともあそこに帰れば、座る場所はある。暖房器具もある。凍え死ぬことはない。

五階建てマンションの、四階。四〇七号室。鍵を開け、一人で中に入る。昼間は五人、多ければ七、八人がこの部屋に詰めて仕事をするが、夜は大体こんなふうにガランとしている。自分と、あの二人がいたり、いなかったり。そんな感じだ。

どうせなら一人の方が気は楽だ。KOできる殴り方の実験台にされることも、冗談半分に犬の糞を食わされることもない。意味もなく湯船に顔を浸《つ》けられて半殺しの目に遭うことも、過去に付き合った女の話を無理やりさせられ、名前も住所も白状させられ、よし今からレイプしにいこう、などとからかわれることもない。挙句、実家の妹はもう姦っちまったけどな、などといわれ、嘘か本当か分からない妹の体の話を聞かされることもない。初めてのくせに感じてやがった、とかなんとか。

力だ、と思った。力さえあれば、この状況から脱することができる。でも、一人じゃ絶対に無理だ。奴らの結束は固い。情報収集力も半端ではない。電話一本で、五十人でも百人でも集まってくる。実際、そういう現場に付き合わされたこともあった。そのときは結局、ヤクザの方が退《ひ》いた。警察がきていたからかもしれないが、それにしても、真っ向からヤクザと睨《にら》み合って、向こうを退かせた組織力と威圧感は相当なものだと思った。そして、諦《あきら》めた。だから今は、こうやって奴らの言いなりになっている。

八時二十分頃になって、ドアチャイムが鳴った。すぐに返事をしないとそれだけで殴られる。はい、と答えて、駆け足で玄関に向かった。

チェーンを掛けなかった自分の迂闊《うかつ》さを呪ったのは、開けたドアの向こうにいたのがいつもの二人ではなく、見たこともないスーツの男たちだと気づいた瞬間だった。

「……山口光弘《やまぐちみつひろ》さん、いらっしゃいますよね」

山口というのは、すぐ殴る奴のことだ。

「い、いません……けど」

すでにドアは全開にされている。ここから見えるだけで五人はいる。ドアの陰にももう何人かいそうだ。

正面の男が黒っぽいパスケースをポケットから取り出す。開くと、中には写真入りの身分証と大きな金色のバッジがあった。

「千住《せんじゅ》警察署の者です。山口光弘さん、それと浦田義彦《うらたよしひこ》さんも、いらっしゃいますね」

「いや、だから……」

「中、改めさせていただいてよろしいですか」

拒む間もなく男たちが室内に雪崩《なだれ》込んでくる。全部で八人。

部屋は二つ、押入れは一つ。あとは浴室とトイレ、ベランダ。自分以外、誰もいないことを確かめるのに一分もかかりはしない。

最初に身分証を提示した男が、こっちを振り返る。

「……お前が逃がしたのか」

すっかり、さっきと口調が変わっている。

「逃がしてなんていませんよ。もともといなかったんです。最初にそういったでしょう」

「じゃあ、山口と浦田はどこにいった」

アンバー、と答えるべきか、否か。前後、損得、借金、報復。瞬間的にいろいろ考えた。

でも、出た答えは考える前と一緒だった。

「さあ……分かりません」

そう答えると、男の目の色が変わった。血の塊《かたまり》のように黒いものが、ドロリと目の奥に流れたような。何か、そんなふうに見えた。

「そうか……じゃあ、署までご同行いただけますか。私たちは、どうしても奴らを捕まえなきゃならないんでね。ぜひ、ご協力いただきたい」

これがチャンスなのかピンチなのかも、自分ではよく分かっていなかった。

＊

土下座の体勢から動かずにいた。こういうときは、これが一番いい。体の頑丈さには自信があった。脇腹、背中、尻なら、ある程度は殴られても蹴られても我慢できる。後頭部に思いきり膝を落とされたら無事では済まないかもしれないが、こいつらの目的は殺しではない。どんなに話がこじれても、そこまではしない。

「……オッサンよぉ。もういい加減死んでくれよ。あんたが金返せる方法なんて、もう保険金しか残ってねえだろう」

確かに。仕事は誰からも声がかからなくなっていた。競馬も競艇もさっぱり勝てない。この状況から脱する方法の一つに、こいつらを違法な高利貸しとして訴える、という手もあるにはある。だが、もしそんなことで警察に駆け込んだら、助けてもらうより前に、たぶん私自身が捕まってしまうだろう。覚醒剤使用の容疑で。

「なあ、死んでくれよ。頼むからよォ」

散々怒鳴られた末、体重をかけて後頭部を踏みつけられた。重みで額が剝《む》き出しのコンクリートにこすれ、

「ひっ……ヒキャ……」

ゾリゾリと、音をたてて目の上の皮膚が削れた。しばらくすると血が滲み、やけに湿っぽく、温かくなった。でもその程度だった。額がズル剝けになったくらいで、人間は死なない。そもそも痛みも、あまりちゃんとは感じていない。

ただ、芝居は重要だ。

「勘弁、勘弁してくださいよぉ」

出せるものなら、金以外はなんでも出してやる。

「ん、なんか……うわっ、こいつ」

「くっせッ。このジジイ、糞漏《くそも》らしやがった」

ここまでやったらもう長くはかからない。男たちは以後私の体に触ろうともせず、結局私から何を得ることもなく帰っていった。

十分ほどしてから立ち上がった。漏らした糞と小便で、妙にズボンが重たくなっていた。洗面台の前まで歩いていき、そこで下着まで脱いだ。酒のせいか、予想以上にゆるかったので洗い流すのは簡単だったが、自分の股間と、コンクリートに垂れ流した分はどうしたものか。

「確かに……こりゃ臭《くせ》えや」

ガランとした置き場を見渡す。昔はここにトラックが停まっていた。足場に使う鉄パイプも、接続金具も山ほどあった。大工並みに器用な職人がベニヤで棚を作り、道具や脚立、細かな材料などを置けるようにしてくれていた。今はその棚も、ほとんど空っぽに近い。隅の方に錆びついたパイプカッターと、グラインダーやドライバー、玄翁《げんのう》の類《たぐい》が残っている程度だ。借金取りも持っていかないガラクタ。私と同じだ。

「うっ……寒《さみ》い」

股間まである程度綺麗にしたら、二階の住まいに上がる。昔は女房と娘がいた。私が、最初に覚醒剤で逮捕されたときに出ていってしまった。今はどこにいるのかも分からない。

それと比べたら、その後十何年も見捨てずに付き合ってくれた仕事仲間たちの方が、情に厚かったといえるかもしれない。仕事を回してくれ、現場に誘ってくれ、飲みに連れていってくれた。それについては今もありがたかったと思っているし、結果として裏切ったようになってしまったことは大変申し訳なく感じている。

風呂場の脱衣籠の中からパンツを出し、足を通す。洗濯はしておらず、ゴムも伸び、尻の辺りの生地もだいぶ薄くはなっていたが、まだ大丈夫。しばらく穿ける。パジャマ代わりにしているジャージのズボンを穿き、血の止まらない額には白タオルを巻き、再び階下に下りた。

どうしたことか、置き場はさっきより数段臭くなっていた。自分の排泄物のニオイはさほど気にならないものだが、時間が経ったからだろうか、もはや他人のニオイと変わらない。許し難い臭さだった。

急いで表のガラス戸を開ける。たまたま通りかかった人には申し訳ないが、しばらくはこうさせてもらう。

次に、コンクリートにホースで直接水を撒き、垂れ流した分を流し出した。デッキブラシがあったので、さらにこすって洗い流した。

そんなことをしているときだった。

「……おやっさん。外まで、だいぶ臭うぜ」

声がし、目を向けると、出入り口に大きな人影があった。一瞬、また借金取りかと身構えたが、その顔に見覚えはなかった。

「すいませんね……もうすぐ、終わりますから。そうしたら、閉めますから」

男は、コンクリートにできた汚い川を跨《また》ぎながらこっちに入ってきた。

「さっきのあれ、なに。借金の取り立て？」

なんだ、いきなり。

「……ひょっとして、見て、らしたんですか」

「いや、たまたま聞こえたんだよ。死ねや、とかいってるの。いまどき、そういう取り立てはねえだろ、とか思ってたら、まもなく奴らは逃げるようにここを出ていった。なんでだろうな、と思ってたら、ひどいニオイが流れてきた……やりやがったな、と思ったよ。借金取りだって人の子だ。糞塗《まみ》れになるのは嫌さ。でも、あんまり調子に乗って、何度も同じ手は使わない方がいいぜ。そんなに糞が好きならテメェが浸かりやがれって、今度はあんたが肥《こえ》溜《だ》めに沈められちまうよ。少なくとも、俺だったらそうするね」

不思議な男だった。鋭角的な目鼻立ちと、輪郭。肩幅が広く、均整のとれた体格をしている。身長は優に六尺以上はある。センチでいったら、百九十近いかもしれない。なのに、何かが柔らかい。物腰か。通りのいい低い声か。それとも言葉の選び方か。

男は道具棚の方に進んでいった。

「おやっさん。借金、どんくらいあんの」

嫌な切り出し方だな、と思った。

「そろそろ、五百万になるか、ひょっとしたら……」

「あんまり、返せてるようには見えないね」

いいながら、棚の中身を点検するように見て回る。

「ええ。ですから、ああいう連中が……」

「じゃあ、俺と取引しようか」

きたな、と思った。予想通りだ。

「やっぱり……あなたも、そうでしたか。親切そうな顔をして近づいてきて、でも裏ではあの連中と繋がっていて、内輪で借金を転がして膨らませ、骨の髄までしゃぶり尽くす……最後は生活保護まで搾り取ろうって、そういう魂胆でしょう。分かってますよ」

男は短く鼻息を噴き、小首を傾《かし》げた。

「やめてよ。あんな連中と一緒にしないでよ」

「でも、同じことでしょう。あの連中に返す代わりに、新たにあなたから借金をする。それで何割か利子は膨らみ……」

「分かった分かった」

男は手を叩き、無理やり私の話を中断させた。

「金の話はいいよ。金額を訊いた俺が悪かった。そういうことじゃないんだ。そうじゃなくてさ、俺はさ、ただここにある道具を、ちょっと借りたいだけなんだ。それか、おやっさんが手を貸してくれるっていうんなら、その方がなおいい……ちなみに、この機械は何に使うの」

置き場の隅にしゃがみ込み、指を差す。

「そりゃ、パイプカッターですよ。鉄パイプを、切断するんです」

「じゃ、これは？」

「それは、グラインダー。それも硬いものを切断したり、削ったりするもんです」

しゃがんだまま、さらに奥へと移動していく。

「じゃあ、これは」

「型は古いが、溶接機です。ワイヤーも切らしてるし、しばらく電源も入れてないんで、使えるかどうかは分かりませんが」

「おやっさん、溶接できるの」

「まあ、見よう見真似ですが、サッカーゴールを雲梯《うんてい》に作り替えるくらいはできますよ……

誰も、そんなことは頼まないでしょうが」

冗談のつもりだったが、男はクスリともしなかった。

立ち上がり、少し見下ろすようにこっちを見る。

「おやっさん。やっぱり俺と取引しろよ。おやっさんがちょっとだけ俺のコウサクを手伝ってくれたら、見返りとして、俺があの連中の借金、棒引きにしてやるよ」

そんなことができるのか、という疑問より、もっと分からないことがあった。

「コウサクって、なんですか」

男は、少し照れたように笑った。

「……ま、小学生の、夏休みの宿題みたいなもんさ。それさえやってくれたら、俺がおやっさんを自由にしてやる。俺がおやっさんの自由を、保証してやるよ」

最初はそんな話、まったく信じてはいなかった。

第一章

1

二月十四日水曜日、午後二時。

姫川玲子《ひめかわれいこ》は文京区大塚《おおつか》にある、東京都監察医務院の入り口前にいた。それまでは中にいたのだが、電話がかかってきたのでわざわざ出てきたのだ。

「……だからさァ、真っ昼間にかけてくるの、もうやめてくれない？」

電話の相手は井岡博満《いおかひろみつ》巡査部長。今は三鷹《みたか》署の刑組《けいそ》課（刑事組織犯罪対策課）強行犯捜査係にいるらしい。

『それはつまり、あれですか。ワシの声は夜に聞きたい、ゆうことですか』

「夜もやめてほしい。もちろん朝も遠慮してほしい。真っ昼間は言語道断」

『またそんな、遠回しな言い方して……素直に、直接会いにきてぇて、ゆうてくれたらエエのに。玲子ちゃんたら、相変わらず照れ屋さんなんやから』

この男からの電話を受けずに済むよう、何度携帯番号を変えようと思ったことか。

「あのさ、最近ものすっごく疑問に思ってんだけど。井岡くん、いつからあたしのこと平気で『ちゃん付け』で呼ぶようになったの？　そもそも名前で呼ぶのやめてって、何度もいってるよね」

『それは、玲子ちゃんが本部勤務やなくなって、「玲子主任」て呼べへんようになってもうたからやないですか』

そう。今現在、玲子は警視庁刑事部捜査第一課の所属ではない。池袋署刑事課強行犯捜査係に配属され、肩書きは担当係長になった。

「係長でいいじゃないの。姫川係長って呼びなさいよ。みんなそう呼んでるわよ」

『いやぁ……係長って、なんやオッサン臭いやないですか』

言うに事欠いて——。

「オッサン臭かろうが酒臭かろうが、あたしはここじゃ係長なのよ。呼び名で困るくらいなら電話してこないで。いい？　用がないならもう切るわよ」

『あっ、ちょっと待ってぇな玲子ちゃん。今日、なんの日か分かってます？　バレンタインデーでっせ』

それくらい、あんたにいわれなくたって分かってる。

「今日がバレンタインデーだろうが節分だろうが、あいにくあたしは井岡くんにチョコレートもでん六豆もあげる気ないのッ」

まだ井岡は何かゴチャゴチャいっていたが、玲子はかまわず切った。

すぐに、背後から声をかけられる。

「……姫。バレンタインが、なんだって？」

振り返ると、クリップボードを持った監察医の國奥定之助《くにおくさだのすけ》が、ニヤニヤしながらこっちを見ていた。

「ああ、先生……検案、終わりました？」

「たった今な。おたくの課長の見立て通り、直接の死亡原因は肺炎で間違いない。死後三日から四日、といったところか。行政解剖までは必要なかろう。身寄りのない七十七歳で、生活保護を受給、か……なんとも、寂しい最期じゃな」

ちなみに発見したのは豊島区の民生委員。冬場のため、遺体がほとんど腐敗していなかったのは不幸中の幸いといっていい。

「今の電話は、あれか。蒲田《かまた》署のチンパンくんか」

國奥は井岡のことを、以前から「チンパンくん」と呼んでいる。

「んーん。あれから方々異動して、今は三鷹にいるみたい」

「で、バレンタインがなんだって？」

いいながら、わざわざクリップボードを腋《わき》にはさみ、揃えた両手をこっちに差し出してくる。

まったく。男という生き物は、いくつになっても――。

「ねえ、明らかに義理だと分かってて、それでもチョコレートって欲しいもの？」

最近気に入っている緑のレザートートから、包みを出して手渡す。用意しておいたチョコレートの、最後の一個だ。

「ほほ、こいつぁありがたい……いやいや、姫からもらうチョコレートは格別で別格さ。義理だろうがなんだろうが、もう、とろけちまうほど甘い」

「今年はあえてビターにしてみましたけど」

「それでも甘く感じてしまうのが、恋というものじゃろう」

ここまで正面切っていわれると、もう笑うしかない。

「はいはい。こちらこそ、今後ともよろしくお願いします」

そこにまた電話がかかってきた。取り出してみると、ディスプレイには【井岡】ではなく【池袋署】と出ていた。

「……はい、姫川」

『ああ、大迫《おおさこ》です』

現在の直属上司。刑事課強行犯捜査係統括係長の、大迫隆也《たかや》警部補だ。

『検死、まだ終わりませんか』

大迫は非常に腰の低い男で、玲子にだけでなく、誰に対してもこういう言葉遣いをする。

「いえ、たった今終わったところです。病死で確定です」

『それはよかった。今し方、西池袋一丁目、△の□、ロサ会館の斜向《はす》かいのテナントビルなんですが、空き部屋に死体があるという通報がありましてね。回れますか』

　空き部屋に死体とは、穏やかでない。

「はい、十分か十五分でいけます。ちなみに事故ですか、他殺ですか」

　さっと片手で詫《わ》びると、國奥もうんうんと頷いてみせた。

『他殺っぽいですね。ボコボコだっていってましたから』

　殺しなら、なおさら他の刑事には任せたくない。

「了解しました。現場は徹底して保全するよう、いっておいてください」

『伝えます。じゃあよろしく』

　電話を切ると、殺しかい、と國奥が訊いてきた。

「うん、どうもそれっぽい」

「本当に姫は、殺しと聞くと嬉しそうな顔をするなぁ」

　ちょっと――。

「そんな、人聞きの悪い言い方しないでよ。別に、嬉しそうになんてしてないでしょ」

ただ自分の専門分野の仕事が回ってきて、自然と気合が入っているだけのことだ。

「先生。死体検案書の写し、あとで署に送っといてください」

「はいよ。姫川係長宛てに、な……承知した」

「それと、役所への連絡も」

「心得とる」

「よろしく。じゃ」

「うん。いっといで」

走り出しながら、なんとなく玲子は懐かしい気持ちになっていた。

これまでにも何度か、ここで國奥に見送られて現場に向かったことがあった。

刑事になってそろそろ九年。

玲子は今年の六月で、三十三歳になる。


警視庁本部と所轄署では、同じ刑事でも勤務形態がまったく違う。

本部の、特に玲子が去年まで所属していた刑事部捜査一課では、まず在庁という本部待機の係におおむね順番で事案が割り振られる。担当事案が決まったらその発生現場を管轄する警察署に出向き、そこに設置された特別捜査本部で一つの事案の捜査に専従する。解決まで捜査を継続するか、途中で引き揚げるかは上層部の判断によるが、一つ終わったらまた本部に戻って在庁に入る。基本的にはこの繰り返しだ。

一方、所轄署では六日に一度「本署当番」という宿直勤務がある。これに当たると、当番日の朝から翌日の同時刻まで、所属係の分掌如何《ぶんしょういかん》に拘わらず、発生した事案はすべて当番員が手分けして処理することになる。

例えば今日の玲子がそうだ。まず朝一番で担当したのはガソリン盗。池袋三丁目の月極駐車場に停めてあった普通乗用車三台が被害に遭った。鑑識係と現場に向かい、被害状況を確認、実況見分。この最中にも事務所荒らしだ、ひったくりだと事件発生の報《しら》せは入ってきたが、まだ動けませんとそのたびに断った。

ガソリン盗になんとか恰好《かっこう》がついて次に向かったのが、さっきの変死体事案だ。七十七歳男性の孤独死。署に搬送された遺体の検視は刑事課長の東尾《ひがしお》警視が、現場の実況見分と民生委員への事情聴取は玲子が受け持った。アパート管理人の聴取は盗犯係のデカ長（巡査部長刑事）に任せた。

ちょうど聴取を終えた頃に、孤独死男性の遺体は監察医務院に移送したとの報せを受け、その次に向かったのが池袋本町二丁目のひったくり事件の現場。四十七歳の主婦が自転車の前カゴからバッグを奪われた。その実況見分と被害女性からの聴取。これを終えて監察医務院に向かったのだが、死体検案書を確認する間もなくまた変死体事案が発生し、急遽《きゅうきょ》西池袋一丁目までやってきた、というわけだ。

「あ、運転手さん。そこの牛丼屋の先で停めて」

玲子は「ロマンス通り」の手前でタクシーを降りた。

西池袋一丁目繁華街は、最近急激にチャイナタウン化してきたエリアだ。一周一キロにも満たない小さな菱形の地区に、百軒近い本格中華料理店が営業している。経営者も中国人が多く、夜になると中国語を話す通行人の数がぐんと増す。だからといって、横浜中華街のような街並をイメージしてくると、ちょっと肩透かしを喰うかもしれない。

西池袋自体は雑多な街だ。パチンコ屋も風俗店も、ファストフードもコンビニもカラオケもある。薬局だって映画館だって、携帯キャリアごとの正規ショップだって揃っている。飲食店にあってはトンカツから手羽先、焼肉、寿司、割烹《かっぽう》、ラーメン、フレンチ、イタリアン、なんでもある。ただその中で、中華専門店の割合がとみに多くなってきている、ということだ。

エリアの入り口にはそれぞれ、通りの名を冠したアーチ状のゲートがある。池袋駅に近い東側から順番に、西一番街、エビス通り、ロマンス通り。そういった意味ではむしろ、新宿歌舞伎町に近い雰囲気かもしれない。

そのロマンス通りを進むと、右手に見えてくるピンクの建物がロサ会館だ。西池袋の象徴ともいうべき複合商業施設。飲食店はもとより、映画館、ボウリング場などのスポーツ施設、キャバクラやライヴハウスまで入っている。「ロサ」はたぶん「ローズ」の同義語だろう。

だから建物もピンクなのだと、玲子は勝手に解釈している。

今回の現場は、そのロサ会館の斜め向かい。六階建ての飲食店向けテナントビルのようだ。

すでにパンダ（白黒パトカー）が二台きて停まっている。入り口を固めているのは三人の制服警官。一人だけ知っている顔がいた。西口交番の、大竹《おおたけ》という名の巡査部長だ。

「姫川係長。お疲れさまです」

「ご苦労さま。どう、中、どんな感じ」

入り口からビルを見上げる。一階は回転寿司、二階が鉄板焼き、三階が火鍋を出す中華料理、四階の案内はなく、五階が大衆居酒屋。六階はよく分からないが、たぶん字面《じづら》からしてキャバクラか風俗店だろう。

「はい、現場は四階です。たった今、佐野《さの》係長と須山《すやま》チョウが入られました」

佐野は鑑識係の担当係長。須山も鑑識係、階級は巡査部長だ。

よかった。当番捜査員では玲子が一番乗りだ。

「発見者は」

「物件を見にきた不動産屋さんと、その連れのお客さんです。いまPC（パトカー）で聴取中です」

確かに。手前に停まっているPCの後部座席には、明らかに制服警官ではない人物が一人乗っている。おそらくもう一人の発見者は先の一台の方に乗せ、別々に聴取しているのだろう。

「分かった。詳しいことはあとであたしが訊くから、そのままPCで待たせておいて。とりあえず現場見てくるから」

「お願いします」

一歩進み、建物入り口を覗《のぞ》く。短い通路の正面にエレベーターがあり、その左手に階段がある。

「……大竹さん、階段はあそこだけ？」

「はい、階段はあの一ヶ所だけです」

「だったらあの階段も立入禁止にしといて。それから隣のビル」

一歩下がって、もう一度ビルを見上げる。白手袋をはめながら、玲子は隣の三階建てビルを指差した。

「次に誰か捜査員がきたら、隣の屋上を見にやらせて。で、こっちのビルに出入りできそうな場所があったら、念のためそこも保全するようにいって」

了解しました、と背筋を伸ばす大竹に頷いてみせ、玲子は現場建物に入った。

通路突き当たり。エレベーターは一階で待機する設定なのか、上ボタンを押すとすぐに扉が開いた。大人が五人も乗れば一杯の大きさ。重量制限は四百五十キロとなっている。

「四階、と……」

ゴロゴロと揺れが多くて、あまり乗り心地の好いエレベーターではなかった。四階で停まるのにも、ガクンと一度、大きく上下に揺れる。ビニール製の靴カバーを履いている途中だったので、危うく尻餅をつきそうになった。

右に開く扉の動きも、決してスムーズとは言い難い。

「……おう、姫川さんか。ご苦労さん」

扉のすぐ外に立っていたのは、活動服を着た佐野係長だった。

玲子も会釈しながら降りる。

「ご苦労さまです。どうですか」

見ると四階は改装中らしく、床も壁もコンクリート剝き出し、あちこちに切断された電気コードや配管が放置されていた。排水管の口をちゃんと閉じていないのか、ちょっと公衆便所のようなニオイも漂っている。広さは二十坪前後だろうか。飲食店にするならば決してせまい方ではない。

そんなフロアの右奥で、須山主任が写真を撮っている。

「……ホトケは、あちらですか」

窓のない壁際。コンクリートの床に、黒っぽいスーツを着た男が右側を下にして横たわっている。大迫が「ボコボコ」といったのも頷ける。遠目に見ても顔面は赤黒く膨れ上がり、もはや原形を留《とど》めていない。着衣も砂埃《すなぼこり》でだいぶ汚れている。

「ああ。死後、十数時間といったところだな」

「死因は」

「脱がせてみないとなんともいえんが、撲殺だろう。銃創《じゆうそう》も刺創《しそう》も見当たらない。致命傷になるような出血もない。内臓破裂か、頸椎《けいつい》をやられたか」

「身元は」

「それが……ちょいと問題でね」

佐野は手にしていたビニール袋の一つを玲子に差し出した。パスケースのようなものが一つ、開いた状態で入っている。一方が窓になっており、自動車運転免許証が収められている。

「河村《かわむら》、丈治《じようじ》……えっ？」

玲子は思わず、佐野の顔とパスケースを往復して見てしまった。

「河村って、庭田《にわた》組の？」

「そう。隅田《すみだ》組系三次団体、二代目庭田組組長の、河村丈治だ」

そんな馬鹿な。

「だって、河村丈治っていったら、まだ服役中のはずじゃ」

「いや、今し方署に確認したら、つい六日前に仮釈放されてた。むろん、顔がこんなだからな。免許証と……」

もう二つ、ビニール袋を玲子に向ける。

「財布、携帯電話だけじゃ断言はできんが、おそらく間違いないだろう。今さっき、高津《たかつ》課長にも連絡を入れといたよ。もうすぐ誰かしら飛んでくるはずだ」

高津警視は組織犯罪対策課の課長。飛んでくるのは暴力犯捜査係の誰か、いわゆるマルB（暴力団）担当だろう。

佐野が苦りきった表情で首を傾げる。

「参ったよな……鑑識の俺がこんなことといったらアレかもしれんけど、ひと波乱は避けられんぜ。この辺りじゃ、二代目藤田《ふじた》一家、古いところじゃ星野《ほしの》一家に庭田組、あとはなんだ、諸田《もろた》組、新しいところじゃ成和《せいわ》会か……大和《やまと》会系も白川《しらかわ》会系も隅田組系も、それぞれきっちりシマを持ってる。庭田の親分が仮釈六日でハジかれたとなっちゃ、まったく血を見ねえで手打ち、なんてわけには、いかねえだろう」

去年、玲子が警視庁本部で最後に手掛けた事案も、もとを糺《ただ》せば大和会系暴力団内部の跡目争いが原因だった。正直、この手のヤマには苦い思い出しかない。

佐野がマル害（被害者）の辺りを指差す。

「須山ァ、撮り終わったら、足痕を先に、重点的に採ってくれ。で、遺体搬出のあとでいいから、その壁の指紋も、一応採ってみてくれ……あんまり、出そうにはねえけど」

いや、これはまた別の事件だ。牧田《まきた》は、関係ない。

「……佐野さん、凶器はなんですか」

「それも、詳しく検視しないと分からんが、まあ、鉄パイプか何かだろうな。こう、先端部分の、三日月形の痕でも確認できれば、それで決まりだ」

仮釈放六日の組長が、鉄パイプで撲殺、か。

第一発見者となった不動産会社営業マン、北川智志《きたがわさとし》と、その客である中谷英輔《なかやえいすけ》に話を聞いたが、特に不審な点はなかった。

北川は今月初め頃、中谷に「池袋で名古屋料理の店をやりたい」と相談を受け、これまでにもいくつか物件を紹介していた。今回の現場となった物件もそういった一軒に過ぎなかった。実際、遺体発見の直前には東池袋の物件も見にいっているという。これに関しては、あとで会社側と物件の持ち主に確認をとることにする。

北川と中谷が現場に到着したのは午後二時頃。四階は普段、ビル管理人によってエレベーターが停まらないよう設定されていたが、今日は不動産屋がくるということで正午頃にその設定は解除されていた。

二人はエレベーターを降りてすぐ、右手の壁際に人が倒れているのに気づいたという。最初はホームレスが入り込んだのかと思ったが、近づいてみるとそうでないことはすぐに分かった。北川は、物件内で不測の事態に遭遇したら無闇に手を出さず、即警察に通報しろと社長にいわれていたことを思い出し、そのようにしたと供述した。別室で大迫が聴取した中谷の供述も、完全にこれと一致。裏取りを要する点はいくつか残されているものの、第一発見者二名の供述に疑わしい点は見受けられなかった。

では犯人は、犯行時刻と思われる昨日深夜から今日未明、不停止設定されていたエレベーターを使わずに、どこから現場に侵入したのか。当然、一つしかない階段からということになる。実際、階段室から現場に入る扉の鍵は壊れており、侵入は容易な状況だったが、これを壊したのが犯人かどうかは、鑑識結果の出ていない現時点ではなんともいえない。

第一発見者の聴取を終えて署の四階、刑事課の大部屋で待機していると、十分ほどして課長の東尾が上がってきた。

玲子と大迫、他三名の捜査員が一斉に立つ。

「お疲れさまです。いかがでしたか」

大迫が訊くと、東尾は口を尖《とが》らせて頷いた。

「指紋照合の結果、マル害は河村丈治と断定された。一応家族に連絡はしたが、果たして女房が真っ先にくるかどうか……若頭か、舎弟頭《しゃていがしら》辺りだと対応が面倒になるな。それと、本部検視官を呼んだ」

検視に関しては東尾もかなりの経験を有するが、手続としてはやはり、警視庁刑事部に属する検視官の判断が必要となる。

「詳しくは司法解剖の結果待ちになるが、正直、かなりひどい状況だ。あれじゃ、とてもじやないが関係者には見せられない……全身くまなくといっていいくらい、滅多打《めった》ちにされてる。俺が数えただけでも五十ヶ所以上の損傷、二十ヶ所近い骨折が見られる。特徴的なのが両鎖骨と脊柱《せきちゅう》の、生活反応のある骨折だ。おそらくマル害は、両腕両脚が動かない状態にされた上で、さらなる暴行を長時間受けたものと考えられる」

数日前まで服役中だったとはいえ、現役の暴力団組長を抵抗できない状態にし、長時間リンチを加えたというのか。

「直接の死因は、ここ」

東尾が自分の後頭部を示す。

「真後ろから延髄《えんずい》に、執拗に加えられた殴打だ。頸椎、脊髄《せきずい》、あれじゃ小脳までグチャグチャだろう。それでいて表皮剝脱《はくだつ》、割創《かっそう》はほとんど見られない。不思議なくらい外出血がない。つまり凶器が発見されても、血痕もなければルミノール反応も期待できないということだ」

玲子が「凶器は」と訊くと、東尾は小さく首を捻《ひね》った。

「これだけの滅多打ちだ。鉄パイプ状の何かだろうとは思うが、それにしては先端部分が当たった痕跡がない。遺体にも、遺体周辺にも……何か先端部分をカバーする樹脂製のパーツでも付けていたのか、あるいは、よほど注意深く殴打したのか」

鉄パイプで注意深く殴打、という状況そのものが、玲子には想像しづらいが。

続けて玲子が訊く。

「課長。本部への協力要請はどうされますか」

東尾は一度、低く唸《うな》った。

「……何しろ、マル害が現役の組長だからな。お前にしてみれば、殺しは古巣の捜一（捜査一課）といきたいところだろうが、今回は組対《そたい》四課を呼ぼうと思う。署長にも、その方向で話をした」

警視庁組織犯罪対策部第四課。暴力団犯罪捜査の専門部署だが、それには異論がある。

「しかし課長、現時点でホシが暴力団関係者かどうかは明らかではありません。四課の筋読みで初動捜査に当たるのは危険ではないでしょうか」

「むろん、それはある。だが逆に、素人が現役組長を池袋の街中にある空き物件に監禁し、長時間リンチを加えたとも考えづらい。常軌を逸した執拗な暴行も、証拠を残さない手口も、相当やり慣れた人間によるものだろう。やはり四課に、組関係者を当たらせるのが定石《じょうせき》と俺は考える。それに、一課と四課を同じ特捜本部に入れることは、できることならば避けたい。……姫川。お前なら、それくらいのことは説明されなくても分かるだろう」

確かに、捜査一課と組対四課を同時投入すると、特別捜査本部の円滑な運営などまず望めなくなる。捜一の基本は地取《じど》り（現場周辺地区の聞き込み）、敷鑑《しきかん》（被害者周辺人物への聞き込み）、証拠品割り。対して組対四課は組関係からの筋読み。同じ事件を扱う場合でも、両者はその捜査手法がまるで違うのだ。玲子の本部勤務最後の事件がそうだった。結果、捜査は混迷し、被害者を続出させ、玲子自身も多くのものを失った。殺人犯捜査十係姫川班の仲間たち、尊敬してやまなかった上司。そして、愛した人までも——。

これには、玲子も頷かざるを得ない。

「……分かりました。組関係への捜査は、四課に任せます。しかし、地取りと組関係以外への鑑はこっちで取らせてください。殺人事件としての初動捜査を省くことは、私には納得できません」

東尾も、渋々だが頷いてみせた。

「分かった。検討しておく。人選に関しては、幹部会議の結果を待て。高津課長ともすり合わせをする必要があるからな……大迫、ちょっときてくれ」

そのまま東尾は、大迫を伴って刑事課を出ていった。

それにしても、またしても四課との合同捜査になるとは——。

2

十二時を五分も過ぎていないのに、もう店は満席に近かった。運よく二人用のテーブルがまだ空いており、下井《しもい》はそこに広田《ひろた》をいざなった。

「……下井さん、奥、どうぞ」

「いいよ。お前が座れ。俺が誘ったんだから」

「いえ、でも」

「いいから早く座れ。年寄りに恥掻《か》かすなって」

広田は肩をすぼめ、頭《ず》を低くしながら奥の席に座った。

下井は、隣の席にざる蕎麦《そば》を持ってきた店員に声をかけた。

「おネエさん、俺、おかめ蕎麦ね。……お前、何にする」

「じゃあ、同じもので」

はい、と店員がいいかけたのを、下井は遮《さえぎ》った。

「駄目だよ、お前は力仕事してんだから。もっと精のつくもんにしねえと。カツ丼と力うどんとかよ、カレーライスと天ぷら蕎麦とかよ」

さすがに無茶な取り合わせと思ったのか、広田は苦笑いを浮かべ、かぶりを振った。もう三十をいくらか過ぎているが、そうやって笑うとまだ少年のようだ。

「……じゃあ、このカツ丼とたぬき蕎麦のセットで」

「それ、両方ともちっちぇえぞ。セットじゃなくして頼めよ」

「いえ、これで充分です。ミニでも、ここのはけっこう量があるんで」

「そうか……じゃあおネエさん、それで」

はい、おかめ蕎麦とカツ丼のセットで、と復唱し、店員は下がっていった。

客に肉体労働者が多い店だからか、昼時だというのに、周りを見ると禁煙ではないようだった。そういえば広田の手元にも灰皿がある。こういう店は近頃少ないので、非常にありがたい。

下井が一本銜《くわ》えると、広田が灰皿を差し出してきた。

「おう、すまねえな……お前、タバコは」

「やめました。金、溜めたいんで」

「なんか、欲しいもんでもあんのか」

「いえ、あの……実は、結婚、しようかと思いまして」

オオッ、と思わず声に出してしまった。だが周りもざわついているので、誰一人気に留めた様子はない。

「結婚か、そりゃよかったな。相手は」

「うちの会社の、事務の子です。テジマヨシミっていいます」

「ってこたぁ、お前の経歴も、分かってくれてるってわけか」

「はい。それは最初から……もう」

「そうか、そりゃよかったなァ」

広田は元暴力団員。貧しい生まれで育ちも決してよくはなかったが、根は真面目ないい男だと、下井は目をかけていた。

三年前、当時の広田の兄貴分が飲み屋で他所《よそ》の組員と喧嘩《けんか》になり、かなり手酷《てひど》くやられた。後日、広田はその報復に向かったが、事前に情報を得ていた下井は先回りし、銃刀法違反の現行犯で広田を逮捕した。実刑判決が下り、仮釈放になったのが約一年半前。その際、広田は刑務所内で「脱会届」を書いているが、実際に組長に話を通したのは下井だった。広田は真面目過ぎるくらい真面目な男だ。ちょっと面子《メンツ》を潰されただけで殺しも厭《いと》わないところがある。ヤクザとしては危険な一面があるが、教育し直せば表社会でも立派にやっていける。あとの面倒は俺が見るから、どうか広田に足を洗わせてやってくれ。そう下井が組長に頼み込んだ。その組長も話の分かる男で、下井さんがそこまでいうならと、なんの落とし前も求めずに広田を破門にしてくれた。約束通り、下井が今の建設会社を紹介し、広田もその期待に応えてくれた。

その広田が結婚するというのだ。嬉しくないはずがない。

「いやぁ、めでてえな……祝いに一杯やりたいところだが、あいにくこのあと人に会わなきゃならない。また近いうち誘うからよ。そんときに改めて乾杯しようぜ。そうだ、そんときは嫁さんも連れてくればいい」

広田は照れ笑いを浮かべ、こくんと小さく頷いた。

「それもこれも、全部下井さんのお陰です。俺みたいな半端者つかまえて、お前だったら堅《かた》気《ぎ》でも立派にやっていける、組長にも話つけてやる、だから足洗えって、わざわざムショまでいにきてくれるなんて……俺、嬉しかったっす。あんなふうに真剣に説教してもらったこと、生まれてから、一度もなかったんで。ほんと……嬉しかったっす」

ヤクザも犯罪者も中身は様々だ。何度服役しても病気のように犯行を繰り返す人間がいる一方で、この広田のように、根気よく話せばちゃんと更生してくれる人間も、決して多くはないが、でも確実にいる。そういう人間とそうでない人間とを一緒くたにせず、きちんとその性根《しょうね》を見極め、できることならば更生の手助けをする。それも警察官の仕事の一つではないかと、下井は思っている。

そうこういっているうちに、蕎麦とセットがきた。

「まあ、食えや。そうと分かってりゃ、もうちっとマシな店に連れてったんだが」

「いえ、嬉しいです。下井さんが、こうやって会いにきてくれて、一緒に飯が食えるだけで、俺……もうなんか……胸が一杯っていうか」

捜査も仕事。逮捕も取調べも、調書を書くのも仕事。それぞれに苦労はあるが、同じだけの喜びもある。だが、この喜びは格別だ。自分のやってきたことは間違っていなかったのだと、再確認させてくれる。警察官になってよかった、刑事をやってきてよかったと思わせてくれる。

「あれ、下井さん、なんすか。泣いてんすか」

「ば、馬鹿……あったけえもん食って、ちょっと、洟《はな》が出ただけだ。こんなとこで泣くか、馬鹿野郎」

もし自分に息子や娘がいたら、この何倍も嬉しいのだろうと思ったら、ちょっと、鼻の奥が痛くなっただけだ。

午後二時二十分。中野警察署二階の刑組課に戻ると、統括係長の新沼《にいぬま》に声をかけられた。

「下井さん。例の……もう、見えてますよ。会議室でお待ちです」

下井は担当係長。ポストでは新沼の下ということになるが、年は五十六歳。下井の方が七つかそれくらい上になる。

「分かりました……いってみます」

またすぐデカ部屋を出て、二つ隣の会議室のドアをノックする。

「どうぞ」

少しかすれた、低い声が応えた。

ドアを押し開けて一礼する。

「刑事組織犯罪対策課、下井正文《まさふみ》警部補です」

「警務部監察室、管理官の伊吹《いぶき》です。どうぞ、座ってください」

ロの字に並べられた会議テーブル。下井は入り口に一番近い椅子を引こうとしたが、伊吹は「もっと近くに」と、彼のすぐ隣の席を示した。仕方なく奥まで進む。

「失礼します」

それでも一つ角をはさんで座った。

あえて自分から切り出す。

「……今日のこれは、随時監察ですか。特別監察ですか」

本部からきているのだから、何か緊急性があっての特別監察か。あるいは方面本部を飛ばしての随時監察か。なんの事前説明も受けていないので判断のしようがない。

「それは、あなたの説明如何によります」

伊吹は組んだ両手をテーブルに置いた。階級は警視だろうが、わりと若く見える。まだ五十そこそこではないか。

「下井さん。あなたは最近の、管区以外の暴力団組織の動向を、どれくらい把握していますか」

管区、以外？

「……管区内に居住している構成員ならびに、拠点を持つ暴力団組織についてはほぼ把握しているつもりですが、それ以外となると、大まかにしか分かりません」

「もう四課時代とは違う、ということですか」

伊吹のいっているのは「組対四課」のことではない。警視庁に組織犯罪対策部が設置される前の、「刑事部捜査第四課」のことをいっているのだ。

「むろん、あの頃とは違います」

「当時繋がりのあった組織とも、もう付き合いはないということですか」

なんだ。挑発する気か。

「おかしな言い方はしないでいただきたい。当時も今も、私は暴力団と繋がってなどいないし、付き合ってもいない。捜査上必要と判断された場合の接触のみです」

無表情のまま、伊吹が続ける。

「食事を一緒にしたり、酒の席を共にしたりしたことはありませんか」

「情報を取るために、というのならむろんあります。しかし、接待を受けたという認識はありませんし、接待したこともありません」

「特定の団体と、特に緊密に接触してはいませんでしたか」

「どの団体とも万遍なく、というのが不可能である以上、一定の団体との頻度が増すのは当然のことでしょう」

一体、何を探っている。何を知りたい。

「下井さん。大和会系の藤田一家、長江《ながえ》組。白川会系の星野一家。隅田組系の鬼頭《きとう》組、庭田組、諸田組……これらの名前を聞いて、何か思い当たることはありませんか」

いずれも四課時代、下井が接触を試みた組織だ。中には、極めて深く喰い込んだ組もある。

「新宿、渋谷というより、強《し》いていえば池袋方面の色が濃いようには思いますが」

「それ以外に、何か」

「何かとはなんですか」

「並べて聞いてみて、ピンとくるものはありませんか」

過去に接触を試みたとはいっても、時期も頻度も深度もバラバラだ。一様にどう、というのはない。

「さあ……別に、ピンとくるほどのことは、何も」

「いま挙げた中で、現在でもチャンネルを持っている組はありますか」

チャンネルとはまた、おかしな言い回しをしたものだ。

「管理官もご存じでしょう。暴対法施行後、連中は警察官を簡単に事務所には入れなくなったし、組員構成も明かさなくなった。組対になってからは記者クラブと一緒ですよ。向こうが差し出したものを、はいそうですかと鵜《う》呑《の》みにするしかない」

なんだろう。伊吹が小さく頷いてみせる。

「そう……あなたは四課時代、組対設置に反対する派閥に属していたんでしたね」

ひょっとして、本題はそっちか。

「派閥だなんて、誇大表現にもほどがある。そんなもの、端《はな》からありゃしませんよ。確かに組対の設置には反対でした。意を同じくする仲間もいました。だが断じて派閥などではなかった。勉強会を開いたわけでも、デモ行進をしたわけでもないでしょう」

当時、組対部設置に反対する警察官なんて大勢いた。元捜査一課長の和田《わだ》も、組対部の設置に異を唱えた一人だった。当時の捜査四課長も、国際捜査課長もそうだった。生活安全部の幹部にも反対派はいた。今の組対四課長だって、もとはといえば反対派だ。下井のいた二係の平間《ひらま》係長、相棒だった中西《なかにし》、後輩の石渡《いしわた》。あの頃はみんな組対部設置には反対だった。

「なぜ当時、組対の設置に反対したのですか」

それを今、ここで蒸し返せというのか。

「その問題と、いま起こっている何が関係しているというんですか」

「参考までに伺っているだけです。私は警備畑が長かったので、今一つあなた方の拘《こだわ》りの根拠が、よく分からないんですよ」

この男、本気でいっているのか、一杯喰わせようとしているのか。それこそよく分からない。

下井はいったん姿勢を正した。

「じゃあ、参考までに……たとえば、うちみたいに刑事組織犯罪対策課でひと括《くく》りになっていればいいです。でも大きな署では現在、刑事課と組対課が分かれている。仮に組対が引いてきたヤマで、鑑識が必要になったらどうなります。一々、組対課長が刑事課長に断りを入れて、鑑識を借りてこなければならない。所轄だろうと本部だろうと、組対の下に鑑識はないんですよ」

「その程度のことは、弾力性を持った組織運営でなんとでもなるでしょう」

「だったら元の組織編成で、弾力性を持って運営すればよかったんじゃないですかね」

初めて伊吹が笑った。鼻先で、ほんの少しだけ。

「……組対設置に反対した根拠は、それだけですか」

「そんなわけないでしょう。じゃあ外国人犯罪についてはどうなんですか。奴らのやっている強盗は捜査一課、窃盗は三課の所掌だ。しかし組対では、一課の国際犯罪組織対策係になる。これを部として割る意味はなんですか。手口だけで外国人組織による犯行だと断定できるんですか。外国人の手口を真似た日本人の犯行である可能性は考えなくていいんですか。マル被（被疑者）の割り出しまでは刑事部で、外国人グループだったら逮捕は組対に譲れとでも？　クスリと銃器をマル暴（暴力団担当部署）にくっ付けたかったのは分かる。だがそれだって、四課はもともと自前でやってましたよ。だったら生安《せいあん》（生活安全部）の薬物銃器を四課に取り込めばよかったんだ。違いますか」

伊吹が首を傾げる。

「組織は、時代に即して作り変えていくべきでしょう。多少の異論はあるにせよ、新しい組織を効率的に運用し、育てていく。その方が私は、よほど建設的ではないかと思いますがね」

伊吹の警視という階級は確かに立派だが、それでも下井と同じノンキャリア警察官であることに違いはない。なのに、この見解の相違はどういうことだろう。いや、ノンキャリアにも拘わらずこういうキャリア官僚的発想を身につけたからこそ、ここまでの出世ができたということか。

「管理官、お言葉ですがね。私らは、官僚のパワーゲームの駒じゃないんですよ。他省庁では前例踏襲が当たり前らしいが、どうも警察官僚ってのは、前例踏襲を嫌う傾向がある。これは俺がやったんだ、俺が部長のときに変えたんだ……まるで田舎議員の自慢話だ。組対設置も、そんなお偉いさんの自慢話のネタにされただけなんじゃないですかね」

伊吹の表情が、微《かす》かに険しくなる。

「……誰の、自慢話ですって？」

「石川哲郎《いしかわてつろう》、元警視総監に決まってるじゃないですか。あれこそ組対設置の立役者だ。今頃、ブランデーでも飲みながらニュースを観て笑ってますよ。組織犯罪対策部ってのは、俺様が作ったんだ、ってね」

鼻で笑ってみせると、伊吹は目付きまで厳しくした。

「そんなに、組対が憎いですか」

「別に。私だって組対の人間だ。ただし、所轄のね。そういった意味じゃ、何一つ変わらない。私はマル暴デカですよ……今も昔もね」

「本部に戻りたいとは思いませんか」

「思いませんね。桜田門に尻尾を振るのはご免です」

「今度こそ、付き合い方が変わってしまうからですか」

ここまで話しても、どうも本題が見えてこない。

「管理官。しつこいようですが、付き合いとはなんのことですか。確かに私には、個人的に親しくしている人間だっています。ただし、そのほとんどは組織から抜けた人間だ。それこそ自慢話になりますが、私が組織から抜けさせて、面倒を見てきた人間たちだ。奴らはみんな立派にやってますよ。誰に後ろ指差されることもない。あんたにも、石川のハゲ野郎にもね」

そこで伊吹は、溜め息をつきながら天井を見上げた。

「そういうことじゃないんですよ、下井さん……私がいいたいのは」

「だから、いま起こってる何が問題なんだと、さっきから訊いてるでしょう」

しばしの沈黙。秒針の音だけが、過ぎゆく時間を刻んでいく。

伊吹が、喉仏《のどぼとけ》を一往復させ、唾を飲み込む。

「……先ほど挙げた、いくつかの組織ですが」

藤田一家、長江組、星野一家、鬼頭組、庭田組、諸田組か。

「それが、なんですか」

「急激に、活動が不活性化しています」

何を言い出すかと思えば。

「けっこうなことじゃないですか。警察の新しい組織運営が、軌道に乗ってきた証拠なんじゃないですか」

また一つ、伊吹が溜め息をはさむ。

「それなら、確かにけっこうなことです。だがもしそうではないとしたら、これは問題です」

ようやく話が見えてきたが、あえて自分からは何もいわなかった。伊吹に続けて喋らせる。

「……実際には不活性化しているのではなく、単に活動が地下にもぐっているだけなのだとしたら、これは由々《ゆゆ》しき問題です。活動が地下にもぐり、組対部に犯罪の実態が把握しきれなくなっているのだとしたら、これは怖ろしいことですよ」

「まあ、そうでしょうね」

だったらなんだというのだ。さっさといえばいい。

「仮に、ですよ……警視庁内部の者が、情報を組織側に流しているのだとしたら、我々は早急に手段を講じなければならない」

「そうですか。がんばってください」

どうした。言い辛いことをいわずに済ませるくらいなら、監察なんてあってもなくても同じだぞ。

「もちろん……下井さんにそんな心当たりは、ありませんね？」

「なんの心当たりですか」

「ですから……」

「昔頻繁に接触していたから、その縁で今でも付き合いがあり、内部情報を流しているんじゃないかと、そういいたいわけですか」

「そんなことはいっていない」

どういっていない。何が違う。

伊吹はもう一度唾を飲み込み、テーブルに出した両手を強く握り締めた。

「……奇《く》しくも、庭田組組長の河村丈治が一昨日、池袋で殺害された」

それなら下井も知っている。訓授《くんじゅ》でも聞いたし、ニュースでも観た。気にはなっていた。

まさか、それが本題なのか。

伊吹が続ける。

「仮釈放されて六日目。偶然街で見かけたからという可能性もなくはないが、それにしても六日というのは早過ぎる。河村だって、ある程度の用心はしていたはずだ。それならむしろ、仮釈後を狙い打ちされたと考えた方が自然でしょう。そうなると敵対する団体は、どこから河村の出所情報を得たのか……むろん、そうであってほしくはないが、警察関係者なら、そういった情報の入手も可能です」

なるほど、そう繋げてきたか。

「管理官。それで私を疑ってるんだとしたら、お門《かど》違いもいいところですよ。私は今、庭田とどこが反目しているのかも、なんとなく噂に聞く程度で、詳しくは知らない。池袋界隈《かいわい》の組同士の力関係も、あの頃のようには把握していない。よっぽど、池袋の組対の人間の方がきっちり摑んでますよ」

伊吹がかぶりを振る。

「ですから、決してあなたを疑っているわけではない。もしそういう、情報漏洩《ろうえい》の可能性であったり、兆しであったり、噂レベルでもかまわない、知っていることがあったら教えてほしい……そういうことです」

それにしては、ずいぶんと持って回った言い方をしたものだ。

「分かりました。何か分かったら、こちらからお知らせしますよ……もう、いいですか。だいぶ調書を溜め込んでるんで。そろそろ戻りたいんですが」

「ええ、もうけっこうです。戻ってください」

席を立ち、一礼してから出口に向かった。

しかし、河村丈治――。

なぜ今、奴が殺されなければならなかったのだろう。

河村丈治殺害事件に対する組対四課の動きは、玲子も驚くほど早かった。

まず捜索・差押え許可状を取り、南池袋二丁目にある庭田組事務所の家宅捜索を行った。名目上、対象となるのは組長殺害の動機に繋がるようなもの全般。書類やパソコンデータ、写真等の押収を目的としたガサ入れだが、四課がそれ以外のものも視野に入れていることは明らかだった。

庭田組は長らく、覚醒剤や拳銃の密輸、売買で目をつけられてきた組織。この際それに繋がる証拠もまとめて押さえてしまいたいというのが四課の本音だったろう。むろん、そのようなものが発見された場合は、改めて令状を取る必要があるが。

だが、結果は失敗に終わった。おそらく河村殺害の第一報を聞いた庭田組幹部が、組員を池袋署に向かわせる一方で、残った若衆に摘発に繋がる恐れのある物品を徹底的に処分または隠させたのだろう。捜索を終えた四課員は「ポンプ一本、シャブのパケ一個も出てこなかった」と悔しがっていた。

3

しかし、興味深い報告もあった。

「若頭の谷崎《たにざき》と、補佐の白井《しらい》の姿が見えないんで若いもんに訊いたんですが、連中も分からないっていうんです。谷崎を最後に見たのは、河村殺害前々日の十二日……昼頃まで事務所にいたらしいんですが、膝が痛いといって接骨院にいき、でもそれ以後は連絡がとれないというんです。接骨院に問い合わせたところ、谷崎は、その日はこなかったということでした。白井もここ三日くらい事務所に顔を出していないそうです。詳細は不明です」

若頭といえば組のナンバーツー。若頭補佐はそれに次ぐポスト。そんな二人が見えないというのは確かに気になる。

それに関する、ある四課員の見解はこうだった。

「谷崎と白井が共謀して河村を消し、飛んだという可能性も、考えられるのではないでしょうか」

奇しくも遺体周辺からは河村の革靴以外に、同じ型のスニーカー二人分の足痕が多く採取されている。いや、逆にこの鑑識結果が四課員の筋読みに先入観を与えてしまったのかもしれない。ちなみに河村以外の人間の指紋は、現場からも河村の着衣、所持品からも採取されなかった。

組対四課、暴力犯捜査四係の明石《あかし》係長が訊く。

「谷崎と白井が、河村を疎んじていたというような話は、どこからか出てきてるのか」

これに答えたのは、四課でもベテランのデカ長だった。

「河村が詐欺と恐喝で服役していた六年の間、組を支えてきたのは谷崎と白井です。シノギを減らすどころか、むしろ河村の服役前より増やしていたともいわれています。それを、留守中ご苦労だったのひと言で、全部自分のものみたいな顔をされたら、それは面白くないでしょう」

それで親分を殺すか、という疑問がまずある。そもそも、河村の服役前よりこの六年の方がシノギが増えたなど、どうやって四課は知ったのだ。末端の構成員数も把握できず、犯罪で上げた収益に至ってはおそらく推計、下手をしたら噂の域を出ない。その程度の情報で若頭と補佐が共謀して組長を撲殺した可能性があるなどと、よくいえたものだ。

一方、玲子たち池袋署員は地取りをしながら、現場周辺の防犯カメラ映像を集めて回った。遺体発見の翌々日。夜の捜査会議で、パチンコ屋とコンビニのカメラに河村らしき人物が映っていると報告したのは、盗犯係の担当係長だった。

「写真でもお分かりだと思いますが、河村は一人で歩いています。映像でもそう見えます。また後ろから尾けているような人物も見当たりません。このパチンコ屋とコンビニは五十メートルほど離れていまして、収録時間のズレは、おおむね河村が歩いてきたのであろう分数と一致します。死亡時刻から逆算すると、おそらく、このまま現場に向かったものと思われます」

映像を直接確かめてみないとなんともいえないが、もし一緒に歩く人物も、尾行している者もいないのだとしたら、河村は一人で、自らの意思であの場所にいったことになる。ホシと現場近くで出くわし、強引に連れ込まれた可能性も決してゼロではないが、だとしたら目撃証言が皆無なのはおかしい。司法解剖の結果、死亡時刻は十四日の午前一時から三時の間と判明している。その前に一時間ないし二時間暴行された時間があるとして、現場入りしたのは十三日の午後十一時から十四日午前二時頃。終電前後とはいえ、まだまだあの界隈は賑わっており、人の目も多い時間帯だ。

河村は誰かに呼び出されて、あの場所に向かったのだろうか。ならば事前に、河村に何かしら連絡が入っていた可能性がある。

同じことを考えたのか、明石係長が鑑識に訊いた。

「河村の携帯の中身は、どうなってる」

答えるのは、池袋署鑑識係の佐野係長だ。

「はい。実はメールを何通か消去した形跡がありますので、明日にでも本部の……」

その発言を途中で遮ったのは、組対四課長の安東《あんどう》警視正だった。

「それはいい。こちらで民間の会社に解析させる。あとで携帯電話を提出するように」

佐野は「しかし」と喰い下がったが、安東はかぶりを振った。

「刑事部より民間の方が早い。……次」

決して納得した顔ではなかったが、佐野は「了解しました」と低くいい、席に座った。

玲子も、思わず溜め息をついてしまった。

正直、またか、という思いが否めない。

安東課長の言い分も分からないではない。刑事部の附置機関に解析を任せ、仮に十日で結果が出たとしても、刑事部の仕事より後回しにされたのではないか、本当は一週間でできたのではないかという不信感は残る。実際、携帯電話のメモリー解析は慣れた者でも二週間やそこら、水没や損壊があれば数ヶ月、最悪復旧できない場合もあるという。そういった性質の解析を他部署の附置機関に任せるくらいなら、予算を割いてでも民間にやらせた方が、少なくともその仕事に対する不信感は持たなくて済む。そういうことだろう。

だが一方で、捜査系の各部が各々解析を行ったり、捜査支援機関をそれぞれ内部に設置することの弊害もある。情報は統合されず、ノウハウも共有されないからだ。いっそ捜査支援機関は各部から独立し、新たな「部」として運用された方がいいのではないかと、玲子はときどき思う。ただ、そうなったら真っ先に反対するのは刑事部の幹部だろう。今まで培ってきた鑑識ノウハウをタダで他部署に使わせてやることになるのだ。鑑識利権などという言葉はないが、刑事部がある種の特権を失うことになるのは間違いない。

元捜査一課長の和田がいみじくもいっていた。組織が同じ形のまま永続するのは望ましくない。むしろ壊れながら、削ぎ落としながら、新しいものを取り込んでいく必要があるのだと。

この話を和田にしたら、なんというだろう。少なくとも、鑑識利権を失いたくないから独立はさせない方がいいなどとは、決していわないと思うのだが。

会議終了後、席を立たずに資料を読み返していたら、声をかけられた。

「……君が、姫川君か」

見ると、目の前に安東課長が立っていた。

玲子も慌てて立ち、頭を下げる。

「はい。強行犯係担当係長の、姫川です」

組対四課との捜査は、捜一とのそれと様々な面で勝手が違う。動きの見えない捜査員が多く、実際会議の集まりも悪い。特捜本部入りした組対四課暴力犯捜査四係員は全部で十二名いるはずだが、いまだ顔も見ていない捜査員が四名ほどいる。この課長にしてもそうだ。事件発生から二日経って、ようやくここに顔を出した。玲子にしてみれば以前本部庁舎ですれ違ったことがある程度で、ほぼ初対面といっていい相手だ。

「なんの因縁だろう。君がいるところでは、よく組長が殺されるようだ」

モアイ像を思わせる長い顔、そのずっと下から響いてくるような低い声。背も、百六十九センチある玲子より、さらに十センチ以上高い。間近に立たれると、かなりの威圧感を覚える。

加えて、まったくの無表情。話の筋がまるで読めない。

「私がいようといまいと、ヤクザは殺されると思いますが」

「今のこのご時世、組長はそう簡単には殺されない。しかし君が本部で最後に担当した事件では、二人も殺されている」

三代目仁勇《じんゆう》会会長の藤元英也《ふじもとひでや》と、初代極清《きょくせい》会会長の、牧田勲《いさお》――。

ピリリと、胸の傷が痛む。

「……それが、何か今回の事案に関係あるのでしょうか」

「私には分からない。だから因縁かといってみた……むろん関係があっても、私はかまわない。それで捜査が上手《うま》く運ぶなら、願ってもない。女係長さんの、腕の見せどころか」

この男――。

知らぬ間に、玲子は奥歯を強く嚙《か》み締めていた。

警視庁本部の一部で、玲子と牧田の関係が噂になったのは事実だ。牧田は殺され、直後に玲子も本部を追われたので、その後どんなふうにいわれているかは、玲子自身よく知らなかった。でも、あれから一年。「人の噂も七十五日」という。知らん顔をしていれば、そのうち向こうから自然と忘れてくれる――そう、思おうとしていた。だがやはり、覚えている人間は何年経っても覚えているということか。

それでも、精一杯胸を張らなければと思う。そういう生き方しか自分にはできないし、許されない。こんなことで小さくまとまることも、絶対にしたくない。

「殺された人間が何者であろうと、ホシは必ず、私がこの手で挙げてみせます。それが……コロシの刑事の、仕事ですから。失礼いたします」

書類をまとめてバッグに押し込み、一礼してその場を離れた。

安東は結局、最後までその顔にいかなる感情も表わさなかった。


今回玲子が組むことになったのは、池袋署生活安全課保安係の、江田《えだ》という巡査部長だ。

「その子、明日はくるんだね？　店長、間違いないね？　分かった。じゃあまた明日くるからさ。そんとき、詳しく聞かせてもらうよ」

今日も江田と二人で、夜の池袋を歩いて回る。

「……何か思い出されたことがありましたら、池袋署の姫川までご連絡ください。よろしくお願いいたします」

一般的な店舗や会社は玲子が、風俗店やパチンコ屋、ゲームセンターなどは江田の方が顔が利くので彼が、主に話を聞いた。

渋めのショットバーを出たところで、江田が腕時計を見た。

「……あとは、明日にしましょうか」

もう午前二時を回っている。明日の日中は日中で回りたいところがある。聞き込みは夜中だけがんばればいいわけではない。

「そうですね。じゃあ、今日はこの辺で」

「私は署に泊まりますけど、姫川係長はタクシーですか」

「いえ、近くですから、歩いて帰ります」

所轄署勤務になったのを機に、玲子はさいたま市の実家を出て、豊島区要町《かなめちょう》に部屋を借りた。池袋から要町までは有楽町線でひと駅。最悪、終電を逃しても楽に歩いて帰れるというのが気に入っている。豊島区要町はお隣、同じ第五方面本部に属する目白署の管区。本来は第五方面もはずさなければならないのだが、そこは利便性を優先させてもらった。それくらいのわがままは、許されてしかるべきだと思う。

しかし、何度大丈夫だといっても、江田は納得した顔をしない。

「いや、それでも……もし何かあったら、私が困りますから。やっぱり、タクシーにしてください」

いいながら、要町通りの往来を指差す。確かに、タクシーはひっきりなしに通っている。

「いえ、ほんと、心配ないですから。これでもあたし、術科には自信あるんですよ」

警察官で剣道二段はなんの自慢にもならないが、こう見えて玲子は、逮捕術はけっこう得意なのだ。実際、徒手《としゅ》対徒手、徒手対短刀の試合では一度も負けたことがない。

「そう、ですか……でも、本当に気をつけてくださいね。何かあったら、いつでも連絡してください」

心配してくれるのは嬉しいが、本当に、ここからの帰り道は繁華街の続きみたいなものだから、さして暗くもないし危険でもないのだ。それに、もう自分は大丈夫なのだと、自分自身に確かめたいというのもある。

「ええ。何かあったら、ご相談します」

「ぜひ、そうしてください……では、お疲れさまでした。私はここで、失礼いたします」

「お疲れさま。また明日、よろしくお願いします」

ただ、良くも悪くも一人で歩いていると物思いに耽《ふけ》ってしまう、というのはあるかもしれない。ゆるいカーブの一本道。特に何か気になることがあり、いったんそこに思考がはまり込んでしまうと、なかなか抜け出せなくなってしまう。

今夜もそうだった。安東課長にいわれたことが、ずっと頭の隅に引っかかっている。通り過ぎていくテールランプに目を向けても、鈍色《にびいろ》の夜空を見上げても、いつのまにか、自分でも意識せぬまま、牧田のことを考えてしまう。それと、菊田《きくた》のこと——。

自分は、牧田がヤクザ者と知った上で、抱かれようとした。それは事実だし、後悔もしていない。死ぬ前に直接「好きだ」といえたことも、今となっては唯一の救いのように思っている。ただ、彼を最後まで信じきれなかったことは、強く悔いている。相手が何者であろうと、愛した人を疑った自分を、いまだ玲子は赦《ゆる》していない。牧田がヤクザでさえなかったらという憾《うら》みは、まるで意味がない。牧田がヤクザでなかったら、そもそも自分とは出会っていなかっただろうから。

また、苦手なものが一つ増えてしまったな、と思う。

玲子は十七歳の夏、連続婦女暴行事件の被害者になった。犯人は逮捕されたものの、今でも夏の夜は苦手だし、だいぶ少なくなったとはいえ、フラッシュバックも完全に克服したわけではない。

そして、冬の夜。大粒の雨が降ると、否が応でも牧田を思い出し、胸が押し潰されそうになる。濡れながら二人で駆け抜けた、あの街の煌《きらめ》きを想い、怖くなる。もうこの先、二度とあんな華やいだ気持ちになることは、自分にはないのかもしれないと思う。だとしたら、あとは闇だ。あの街の煌きを背負い、暗闇を一人、歩いていくしかない。

玲子も過去に一度だけ、男性と交際したことはある。警察官になってからのことだが、大学時代の友人に紹介され、三つ年上のサラリーマンと、半年だけ付き合った。期間は短かったが、決していい加減な気持ちではなかったし、相手も真摯《しんし》に接してくれた。優しい人で、玲子のことをとても大切にしてくれた。それもあって玲子自身、自分はこういう人と結ばれるのがいいのだと、思い込もうとしているところがあった。

だから、一大決心をし、一度だけ、体を許した。

でも、やっぱり駄目だった。

行為自体はなんとかやり過ごしたものの、案の定、それは喜びには程遠い苦痛でしかなかったし、何しろ恐怖を抑え込むのに必死だった。相手が気遣いで明かりを落としてくれたのは理解しているが、顔がぼやけてよく見えなくなると、途端に不安で堪《たま》らなくなった。深い闇に吸い込まれ、後ろ向きに落ちていくような感覚に見舞われた。目を閉じるのはさらに怖かった。次に目を開けたら、相手があの男にすり替わっているのではないか。そんな妄想が波の如く襲い、溺れそうになった。もう少し明るくして、あなたの顔を見ていたいから。そんなふうに、大人の女ぶっていってはみたものの、本当は叫び出さないようにするのが精一杯だった。実際、終わったあとにトイレで吐いた。シャワーを全開で流して、相手に聞こえないようにして。

誰かを好きになりたいという気持ちは、ある。相手によっては、自然とそういう気持ちが湧いてくることだってある。かつての部下、菊田和男《かずお》がそうだった。菊田が自分に好意を持ってくれていることは分かっていた。彼が好きだと、はっきり言葉にしてくれてさえいたら、自分はそれを一も二もなく受け入れていたのではないかと思う。でも、そうはしてくれないだろうことも、薄々は感じていた。階級差に気後《きおく》れを感じていたのか、こっちの雰囲気作りが下手だったのか、原因は定かでないが、結局菊田とは、冗談めかしたキス以上の関係にはならなかった。

自分からいえばいいのかな、と思ったこともある。だがそれを実行には移さぬまま月日は過ぎ、ある日、玲子は牧田と出会った。面と向かって欲しいといわれ、自分はそれを受け入れようとした。

　牧田とのことがあってから、玲子は菊田の目を、直《じか》には見られなくなった。目の前で刺された牧田を抱きしめ、その名を呼び続けた玲子の姿を、菊田は見て知っている。どう思われているのだろうという不安もあったが、自分は菊田を裏切ってしまった、ずっと菊田のことは好きだったのに、それでも、自分は牧田に体を許そうとした、そのことが、後ろめたくて仕方なかった。

　そう。牧田に対する気持ちに嘘はなかった。警察官としては処分されても仕方ない行動だったと思うが、それを恥じる気持ちは今もない。ただ、菊田に対しては違った。彼に、今までと違う目で見られるのは怖かった。だから、彼の目を見られなかった。やがて玲子は本部から池袋署に、菊田は千住署に異動になった。

　菊田にだけは、過去のことを包み隠さず話せばよかったのかもしれない、とも思う。十七歳のときの事件がきっかけで、自分は男性に対して臆病になっているところがある。普段は強がって見せているけれど、平気な顔をしているけれど、本当の意味では、まだ事件を乗り越えられてはいない。そればかりか、犯人をこの手で殺したいとすら思っているのだと。

　菊田なら、理解してくれたかもしれない。すべてを受け入れ、その大きな体で包み込んでくれたかもしれない。そういうチャンスだって、何回かはあったように思う。でも、そうはしなかった。玲子の中にも、主任警部補としての立場を守りたいという気持ちが少なからずあった。弱味は見せたくないという、ちっぽけなプライドだ。また、身近な人間に過去を知られたくないというのもあった。受け入れてくれたように見えても、心の底ではどう思われているか分からない。そんなふうに毎日、信じたり疑ったりを繰り返すのは精神的負担が大き過ぎる。ただでさえ捜査一課の主任は激務だ。個人的な感情の浮き沈みは、少ないに越したことはない。

元姫川班のメンバーとは、ときどき連絡をとっている。石倉《いしくら》は愛宕《あたご》署の刑組課盗犯係。久々のドロボウ刑事で勘が戻らないと嘆いていた。湯田《ゆだ》は亀有《かめあり》署の刑組課強行犯係。「ストロベリーナイト」事件の捜査本部に参加していたと自己紹介をすると、えらく歓迎されたと自慢げにいっていた。葉山《はやま》だけは本部に残り、殺人班十二係の所属になった。相変わらず昇任試験の勉強をがんばっているとのことだったが、果たして、この前の試験結果はどうだったのだろうか。

ただ、菊田にだけは直接連絡できないでいる。石倉から「菊田も元気にやってますよ」と聞いてはいる。でもどうしても、携帯番号をメモリーから読み出すところまでで、発信ボタンは押せずに終わってしまう。

「菊田……今頃、どうしてんだろう」

せいぜい、そんなことを一人、呟いてみる程度だ。

4

特に、違和感は感じていなかった。

菊田、最近どうしてんの——？

バーのカウンターで、隣り合わせで座っているのに、姫川玲子がそんなことを訊いてくる。

最近って、毎日一緒じゃないですか。

何いってるの。あたしたち、もう別々の配置じゃない。

そうか。そうだった。もうずいぶん前に、玲子とは違う係に配属されたのだった。別々——いや、どう別々だったか。玲子が本部に残って、自分だけ所轄署勤務になってしまったのか。警部補に昇任して。いや、それも違う。自分は警部補試験になど合格していない。では逆に、玲子だけ所轄に出されてしまったのか。例の、組長との噂が災いして。

主任、あの男とは——。

その質問は思うだけで、決して言葉にすることはなかった。言葉にすれば、玲子を傷つけることになるのは分かりきっている。答えを聞けば、自分も傷つくだろう。いいじゃないか、このままで。変わらぬ関係のまま、ずっと一緒にいられたら、それだけで——いや、だからもう、一緒にはいられなく——。

「……さん、もう起きて」

ジャッ、とカーテンを引く音がし、瞼《まぶた》の向こうが強烈に明るくなった。思わず、ギュッと目をつぶる。

「カズさん。ほら……もうパン焼いちゃったんだから」

小さな手に肩を揺すられる。薄目を開けると、水色の何かがぼんやりと視界を覆っていた。水色の、エプロンだ。

「ああ……」

「昨夜《ゆうべ》、だいぶ飲んだの？」

昨夜は、そうか。自分が帰ってきたとき、梓《あずさ》はもう寝ていたのか。

「うん……盗犯の、石川《いしかわ》さん……あの人、沖縄出身だろ。この泡盛は、他とは全然違う、絶対に美味いから飲めってさ、やたらと注《つ》がれて……参ったよ」

梓が笑いながら布団を剝《は》ぐ。暖房が利いているので、それでも寒くはない。

「だからいったじゃない。飲みにいっても、石川さんの隣に座っちゃ駄目だって。あの人に潰された人、私、何人も介抱させられてるんだから。ほら、起きて……よいしょっ、と」

背は小さいが、梓は案外力が強い。いつも寝ている菊田の手を握り、一気に起こしてくれる。むろん、菊田もある程度協力してはいるのだが。

「確かに……失敗だった。でも俺がいったとき、もう石川さんの隣しか空いてなくてさ。ほんと……参った」

軽く頭を振ってみたが、幸い痛みや重さはなかった。

ベッドから下り、隣のダイニングまでいく。トーストとサラダ、スクランブルエッグがすでにテーブルに用意されている。コーヒーのいい香りもする。

向かい合わせに座り、

「いただきます」

二人、声を揃えていう。菊田は食事前に手を合わせるが、梓はしない。だからといって申し合わせ、どちらかに寄せることはしない。互いに共通する部分は楽しみ、違う部分は無理して合わせない。それが菊田と梓の、暗黙のルールのようになっている。

梓がコーヒーをお揃いのマグカップに注ぐ。これも、たまたま「いいね」と二人の意見が合ったから買ったものだ。それ以前は、独身時代のものをそれぞれ使っていた。

「カズさん、今週は日曜が宿直だね」

内勤の警察官は六日に一度、必ず宿直がある。それは梓も同じだが、二人の当番日は二日ずれている。梓は菊田の二日後。だから、来週火曜の夜は梓が宿直でいないことになる。

「ああ。あの映画、来週でもまだやってるのかな」

「うん、やってると思うよ。そこそこヒットしてるみたいだし」

映画も、意見が合ったときだけ二人で観にいく。合わなければ別々に観にいくか、菊田の場合はＤＶＤが出るまで待つ。ただし、朝のニュースはＮＨＫ。これだけは菊田の意見を優先させてもらった。大事なことを最初に、簡潔に流してくれるからだ。梓も最近は慣れたようで、変にテンションが高くなくていいかもね、などというようになった。

《次です。一昨日、池袋の貸しビル内で男性が遺体となって発見された事件で、被害者男性の身元が判明したことが、警視庁への取材で分かりました》

マル害が二代目庭田組組長の河村丈治、四十歳であることは昨日の夕刊で見て知っていた。問題は場所が西池袋の繁華街だということだ。西池袋といえば、玲子が配属された池袋署の管轄。彼女なら当然、このヤマの捜査にも参加するだろう。必ず自分の手で挙げてみせると意気込み、率先して夜の街に切り込み、その隙間にわずかに生じた闇に、鋭く目を凝らしているに違いない。

「カズさん、急いで。あと十分しかないよ」

「ああ、うん……」

見ると、もう梓は食べ終え、コーヒーも飲み干していた。

自分も、急がなければ。

現在、梓は港区の高輪《たかなわ》署勤務。家族寮を出て阿佐ケ谷《あさがや》駅から中央線快速に乗るまでは一緒だが、梓は四ツ谷で降り、菊田は一つ先の御茶ノ水まで乗っていく。

「じゃあね」

「ああ。いってらっしゃい」

よって、玄関で「いってらっしゃい」と見送られるような、新婚家庭にありがちな状況にはまずならない。あるとすれば菊田が本署当番に当たった土日だろうが、そういう日は「寝てていいよ」といって自分一人で起きるので、結局はそうならない。なので、「いってらっしゃい」はもっぱら電車の中で、しかも見送るのは菊田の役目になっている。

電車のドアが閉まり、梓の後ろ姿も人波に埋もれ、見えなくなる――。

梓と初めて会ったのは、菊田が千住署に配属された去年の二月だった。小柄で、まだ二十五歳だった彼女を見て、こんな子が強行犯捜査をやるのかと少し意外に思ったのを覚えている。その後、軽微な暴力事件とコンビニ強盗の捜査を二人で担当し、案外体力も根性もあるのだなと感心した。頭の回転も、顔に似合わず速い。

結婚した今になっていうのは変だが、梓はああ見えて、署内ではなかなか人気のある女性刑事だった。まあ、顔は子狸みたいで可愛らしいし、愛想もいい方なので不思議はないのだが、あとから聞くところによると、それまでは男性の同僚や先輩から誘われてもすべて断っていたのだという。今でも同じ係の先輩刑事はいう。

「野崎《のざき》を、ふらっと入ってきたお前に持っていかれるとはな。思ってもみなかったよ」

それをいったら、菊田だって意外だった。出会って一年にもならないうちに、結婚することになろうとは。

最初の食事も、誘ってきたのは梓の方だった。

「菊田さんって、あの『ストロベリーナイト』事件の捜査に参加してたんですって？　なんでもっと早く教えてくれなかったんですか。……今度、こっそり聞かせてくださいよ」

断る理由もなかったので、その何日かあとに勤務を終えてから飲みにいった。確か、エスニック系の料理を出す居酒屋だったと思う。

結果からいうと、あの事件に関する話は、大して詳しくはしなかった。菊田にとっては後輩を殉職させてしまった苦い経験でもある。なので、ほんの概略だけ。姫川という女主任が溜め池に遺体が沈んでいることを言い当てた、という行《くだり》だけ少しドラマティックに話して、あとは何かよく分からないうちに解決してしまった、という程度に留めた。梓も、それで特に不満はないようだった。

驚かされたのは、その店を出て歩き始めたときだった。

「菊田さんって、付き合ってる人いるんですか？」

そんなこと、長らく訊かれたことはなかったので、一瞬返答に困った。

「……いない、よ……うん」

「じゃあ、私が立候補しちゃおうかな」

正直、何かの聞き間違いかと思った。だが、梓は曇りのない笑みを浮かべて菊田を見上げ、

「菊田さんのカノジョに」と付け加えた。どうやら、聞き間違いでも勘違いでもなさそうだった。

びっくりした。こんなにストレートに、しかも速攻で告白されるなんて、思ってもみなかった。

「えっ……だって俺、野崎の、十コも上だぜ」

「菊田さんから見たら、十コ下って子供ですか」

「いや、そういうわけじゃ……」

「じゃあ、年は関係ないですよね」

それは、そうだが。

「でも、なんで、俺なんか……」

「私、ほら、チビでしょ。大きいカレシ、夢だったんです」

確かに、梓の身長は警視庁の採用基準をわずかに超える程度。おそらく百五十五とか、せいぜいあっても百五十七センチくらい。対して菊田は百八十五センチ。約三十センチの身長差になる。

これについても断る理由は特に見当たらず、なんとなく交際がスタートしてしまった。

やがて知れば知るだけ、菊田は梓を好きになっていった。明るい性格で、一緒にいると元気になれた。世話女房タイプというのも、菊田には合っていたのかもしれない。何より、一緒にいると楽だった。捜査でどんなに根を詰めて疲れていても、梓といると気持ちが休まった。梓は決して「疲れた？」とは訊かない。ただ「お疲れさまでした」といって酌をしてくれたり、料理を取り分けてくれたりする。菊田は、梓に世話をされることが素直に嬉しかった。自分はこういう女性が好きだったのかと、初めて知ったような気がした。

梓には何度か「なんで俺だったの」と訊いたことがある。彼女だって、ただ大きいという理由だけで、自分と付き合おうとしたわけではないだろうと思ったからだ。

あるとき梓は、珍しく少し悲しげな顔をし、その問いに答えた。

「これいうと、なんかちょっと、私がズルイ感じになっちゃうからな……」

「なんだよそれ。いえよ」

「うん……あの頃のカズさんてね、私にはなんか、ちょっと寂しそうに見えたの。大きくて、優しそうで、ほんと、ひと目見て、わぁ、タイプだぁって思ったんだけど、でもなんか、どことなく悲しそうに見えて……失恋でもしたのかなって、ちょっと思ってて……だったら、お節介かもしれないけど、私が元気づけてあげたいな、っていうのと……これって、ある意味チャンスかなって、正直……打算も、ありました。ごめんなさい」

なんで謝るんだよ。そういって、菊田は梓を抱きしめた。結婚しよう。なんの迷いもなく、そう口にすることができた。

ただ振り返ってみると、すべては梓のペースだったのかな、彼女の方が一枚も二枚も上手《うわて》だったのかな、とは思う。傷心を見抜かれていたことも、その心の隙間に、いつのまにか彼女の居場所ができていたことも含めて。

でもそれを、心地好く思っている自分がいるのも確かだった。

いま菊田は自分のことを、素直に幸せだと思うことができる。


結婚を機に梓は高輪署へと異動になり、あとからきた菊田が逆に居残る恰好になった。千住署刑組課強行犯捜査係。周りはむしろ、菊田より前から梓のことを知っている者ばかりなので、何かと冷やかされることが多い。

中でもしつこいのが、先輩デカ長の永瀬《ながせ》だ。

「……あれか、今日も朝は野崎の手料理か」

ちなみに永瀬はバツイチ独身の四十五歳だ。

「ええ、まあ」

「甘いのか」

「え、何がですか」

「新妻の手料理は甘いのか」

「いいえ、普通にタマゴとかは、塩コショウですよ」

「嘘つけ。新妻の料理は甘いに決まってんだ。お前にはその味が分からんだけだッ」

そんなことをいっては、決まって永瀬は最後に首を絞めにくるが、抵抗しても仕方ないので、菊田はいつも甘んじて絞められることにしている。

そこに内線で電話が入り、向かいの席の保科《ほしな》デカ長が取った。

「はい、強行犯係です……ちょっとお待ちください。加山《かやま》統括、一番です」

代わって電話に出た統括係長の加山警部補は、はいはい、そうですかと何やらメモを取り始めた。

まもなく電話を切り、こっちにそのメモを向ける。

「菊田。目白署から、例の逃走犯の目撃情報だ。お前、担当だったろう。いってこい」

例の、逃走犯——。

「それって、あの横転事故の」

「らしい。本署までいって、話聞いてこい」

加山も簡単に聞いただけで、それ以上は分からないようだった。

「了解しました。いってきます」

菊田はコートを着、カバンを持ってすぐにデカ部屋を出た。

例の逃走犯とは、岩渕時生《いわぶちときお》という無職の、今年二十六歳になる男のことだ。約二年前、公務執行妨害で逮捕された岩渕は翌々日の朝、新検調べのため護送車に乗って検察庁へと向かった。だが護送車は次の南千住署に向かう途中、千住大橋付近の国道四号線で、居眠り運転をしていた大型トラックに真横から突っ込まれ、横転して大破した。奇跡的に死者こそ出なかったものの、運転をしていた警察官を始め、搭乗者の多くが重軽傷を負った。

そんな事故現場から、岩渕だけが忽然《こつぜん》と消えた。むろん即座に捜索は行ったが発見するには至らず、岩渕は第二種の指名手配を受けることになった。

菊田は、岩渕という男を直接は知らない。そもそもの罪状は公務執行妨害ということだが、逮捕したという刑事も菊田が配属される前に異動していたため、調書と手配写真以外に彼を知る術《すべ》はなかった。

目白署に着き、岩渕を目撃したという地域課の高橋《たかはし》巡査部長はどこにいるかと訊くと、日勤で南池袋交番に出ているということだったので、直接訪ねてみることにした。

しかし、よりによって南池袋とは——。

目白署と池袋署の管区は少々妙な割り振りになっている。池袋署はその名の通り、池袋駅を中心とした巨大繁華街をその管区に抱えている。凶悪事件も多く発生するし、経済事件も暴力団絡みのトラブルもひっきりなしに起こる。一方、目白署は豊島区の南西部、有名私立大学のキャンパスや高級住宅街を多くその管区に持っている。大雑把に地形でいうと、繁華街をはずした豊島区の西側半分ということになるだろうか。逆に東側を管轄しているのは巣鴨署である。

南池袋交番は、そんな目白署管内でも最も池袋駅に近い、ともすると警察官でも池袋署の交番かと勘違いするような場所にあった。実際、菊田も雑司《ぞうし》が谷《や》駅までいき、副都心線に乗ってひと駅、池袋駅で降りて歩いてきた。西武デパートの前を通り、信号を渡ってジュンク堂書店の前を右、びっくりガードに通ずる交差点の信号を渡ったら、もう南池袋交番だ。

「お疲れさまです。千住署の菊田と申しますが」

本署から連絡を受けていたのだろう。ひと声かけると、すぐに高橋巡査部長が奥から出てきてくれた。

「ご苦労さまです。どうぞ、こちらに」

奥の待機室に通され、話はそこで聞くことになった。

パイプ椅子を勧められ、一礼して腰を下ろす。

「早速ですが、どのような状況で岩渕を目撃されたのでしょうか」

見たところ、高橋は三十代半ば。年は菊田とさほど変わらないだろうと思われた。

「はい。もう四日前になりますが、十二日の、ちょうど昼時です。管区から出ることにはなるんですが、そこの、ジュンク堂書店の先にある、牛丼屋に昼飯を買いにいった帰りでした。場所はジュンク堂の隣の、コーヒーショップの前です。身長は百七十センチ台、痩せ型で、上衣《じょうい》は緑色のフライトジャケット、下衣《かい》は青色のジーンズでした。手荷物等は持っていませんでした。なんとなく見たことのある顔に思え、私も振り返って着衣を確認したので、それはよく覚えています。ただ……すれ違いざま、私と目が合ったにも拘わらず、特に逸《そ》らすでもなく、表情を変えるでもなく、そのまま通り過ぎていったので、まさか指名手配犯とまでは思わず……」

無理もない。警官の職務質問というのは、たいていは相手が何かしら態度の変化を見せたときにするものだ。目を逸らしたり、急に表情や歩き方を変えたりされると、何かあるのかなと思い、ちょっとすみません、と声をかけることになる。逆に、ごく自然な態度で堂々と前を通られると、凶悪な指名手配犯でも見逃してしまうことがある。実際、逮捕後に「よく交番の前も通っていたけど一度も声はかけられなかった」と供述した指名手配犯もいる。よほどバレないという自信があったのか、芝居が上手いのかは分からないが、しかしそういった手合いはごく少数だ。多くの犯罪者は警察官を見れば動揺するし、何かしらそれを態度に表わす。

今までそんなふうには思っていなかったが、ひょっとすると岩渕というのは、案外肚《はら》の据わった男なのかもしれない。それとも、自分が指名手配されていることすら知らない、呑気《のんき》な性格なのか。

高橋が続ける。

「ここに帰ってきて、どうしても気になったので、手配犯リストを確認したのですが、それでも一回ではピンときませんでした。というのも、髪型がまったく変わっておりまして」

手配写真の岩渕は、短い茶髪をしている。

「どう、変わっていましたか」

「真っ黒で、サイドは耳が隠れるくらい、後ろは襟にかかるくらい長くしていました。それだけで、かなり印象は違って見えます。でもこの、スッとした目鼻と、シャープな輪郭は、間違いないと思います。職質《しょくしつ》できなかったのは悔やまれますし、連絡が今日になってしまったことは申し訳ありませんでしたが、でもなんとか……逮捕に繋げてもらえたらと」

菊田は一度、深く頷いてみせた。

「了解しました。……で、今のお話ですと、岩渕はそこからサンシャイン方面に歩いていったことになると思うのですが、印象としては、どうでしたか。どこかから池袋に出かけてきた感じでしたか。それとも、この近所に住んでいて、ブラついている様子でしたか」

高橋も、短く頷いた。

「先ほども申し上げましたが、手荷物を何も持っておらず、上衣のポケットに両手を突っ込んで歩いていたので、印象としては、この街に慣れている感じはありました。池袋で働いているとか、遊びにきたというよりは、ふらっと歩きに出てきたような……そんな印象ではありました」

そう。東京で罪を犯した者は、必ずしも地方に逃げるとは限らない。「木は森に隠せ」という言葉もある。土地鑑があるなら下手に地方には逃げず、東京の人込みに紛れている方が安全だろうと考える犯罪者は少なくない。

岩渕の場合、三年逃げ切れば公務執行妨害も逃走も時効になる。

残りはあと、約一年だ。

5

河村の遺体発見から五日が経った、二月十九日月曜日。

玲子たちは引き続き、西池袋界隈での地取りを行っていた。

「すみません、ちょっとよろしいですか」

西池袋のような繁華街での聞き込みは、住宅街で行うそれとは大きく勝手が違う。夜と昼とで街の様相がまったく違うのは当然だが、だからといって昼にいた人間が常に昼だけか、夜いた人間は夜だけかというと、それも違う。勤務シフトによっては、ある日は昼でも別の日は夜だったり、配送関係は日によって時間帯が違ったりもする。なので、同じエリアでも何日もかけて回る必要が出てくる。

この風俗案内所の店員もそうだった。

「先週の、火曜の夜っすか……ああ、俺、ここにいましたよ」

ここは遺体発見現場から百メートルほどの距離。玲子たちの来店もすでに三回目になる。変わらず相方を務めている江田が、ポケットから写真を取り出して彼に向ける。

「この男、知ってるよね」

店員が、わずかに眉をひそめる。

「誰っすか」

「知らないわけないだろう。庭田組の組長だよ」

「ああ、この前殺されたっていう……いや、知らないっすよ。俺、ただのバイトですもん」

「この店の面倒見てたの、庭田でしょう」

「そういうお兄さんも、たまには様子見にきてましたけど、俺なんかにはなんにもないっすよ。せいぜい、元気かって声かけられるくらいで。俺も、ちーす、お世話になってまーす、みたいなノリで。ケツ持ちとかそういうのも、今ヤバいんでしょ？　あんまないっすよ。そういう付き合いとか」

それも一方の事実であろうが、裏では相変わらずミカジメ料の徴収や、半強制的な観葉植物のレンタル、印刷物やその他消耗品の納入、管理売春も行われているという。警察の締め付けが厳しくなれば、暴力団等の組織活動はより一層地下にもぐる。それだけのことだ。この店員が本当に知らないでいっているのか、警察に余計なことは喋るなと上から指導されているのか、その辺は定かでないが。

「じゃあ、その火曜の夜に、何か見なかった？　揉め事とか、何か、変な物持って歩いてた奴とか」

「いや、火曜は、十二時までここに座ってて、ここ閉めたら、サンシャインの方まで飲みにいっちゃったんで」

「じゃあ、十二時過ぎに一度はこの辺を歩いたわけでしょう。何かなかったかな。いつもと違ったこと」

「……何かあったかな。なかったと思うけどな……」

聞き込みに対する一般人の反応というのは、九割以上はこんな具合だ。

「そっか……うん、ありがと。またちょくちょく寄るからさ、仲間にもちょっと訊いてみてよ。で、なんか思い出したら、池袋署の江田まで連絡ちょうだい。頼むね」

店員は調子よく「了解しました」と敬礼してみせたが、何か分かったところで本当に連絡をくれるかは甚《はなは》だ疑問だ。

案内所を出て、階段を上って地上に出ると、すでに日は少し傾いていた。時計を見ると、三時半を回っている。

「江田さん。あとは夜まで、二丁目の方を回ってみましょうか。ホテル関係、チェックインで忙しくなる前の方がいいでしょう」

「そうですね。そうしましょう」

池袋署の捜査員で編成された地取り班は全部で十二名。玲子たちの担当は西池袋一丁目の北側半分と、池袋二丁目のふたブロック。他のペアも似たようなもので、繁華街とそれに繋がる住宅街やホテル街をそれぞれ受け持っている。

「しかし……新宿ほどではないにしろ、この池袋って街も、よく人が集まってくるもんですねぇ」

辺りを見回しながら江田が呟く。玲子も行き交う人々を見ながら、ほんとですよね、と頷いてしまった。

池袋の街から人がいなくなる時間帯というのは、曜日を問わずほとんどない。明け方の街を歩いているのは、夜通し飲んで始発電車を待っている人たちか、店を閉めて帰る人か、あるいは早出の勤労者か。犬の散歩をする近所の住人というのもけっこういる。実際、池袋署の周辺には高層マンションも多い。明るくなれば何万人もの人々が働きに出てきて、昼前には気ままな買い物客が通りに溢れる。ランチ時はまた一斉に周囲の会社から人が吐き出され、午後は午後の買い物客で賑わう。このくらいから学生も増えてくる。夕方からはもう、ほとんど毎晩がお祭りだ。特に西一番街は客引きも多く、あちこちで「いかがですか」「いい娘いますよ」という声が飛び交う。そんな誘いに乗って夜を楽しんだ人たちの何割かが、また次の朝の始発を待つことになる。

江田がふいに、あっ、と発してコンビニの方に進路を変えた。

「どうしました」

「あいつ、ちょっと話聞いてみましょう」

あいつ、といって江田が目で示したのは、コンビニの前に立っているBボーイ風の男だった。ニューヨーク・ヤンキースの黒いキャップに黒いブルゾン。大きな蜘蛛《くも》の絵柄が入ったパーカは白で、ダブダブのパンツはネイビー、スニーカーはまた白。薄く生やした顎《あご》ヒゲと重たそうなシルバーのネックレスはもはや定番か。今にもそこでブレイクダンスを始めそうな雰囲気だ。

「おい、コイケ」

相手もすぐ江田に気づいた。

「ああ……どうも」

いや、近くで見ると「ボーイ」という年ではなかった。二十代半ばか後半くらいだろう。目付きが尋常でなく悪い。

「どうだ。最近は」

「はあ……まあ、ぼちぼちっすよ」

いいながら、目の前を過ぎていく通行人をひと睨みする。見てんじゃねえぞ、という恫喝《どうかつ》を含んだ視線だ。

「どっちの商売がぼちぼちなんだ」

「勘弁してくださいよ。店だけですよ、俺がやってるのは」

店とはなんだろう。飲み屋か。それとも服屋の類か。

「お前さ、庭田の組長が殺《や》られたの、知ってるよな」

男が眉をひそめる。さらに二割増しで目付きが悪くなる。

「俺ら、関係ねえっすよ。ヤクザもんとは」

「分かってるよ。知ってるだろって、訊いただけじゃないか」

「そりゃ知ってますよ。これでも一応、テレビくらい観るんで」

「なんか聞いてねえか。その辺の話」

「だから、関係ねえっすから。関係なけりゃ、話も聞かないでしょう」

「そういわねえで、ちったぁ記憶くらいあされよ……殺ったのは、ひょっとしたら筋者《すじもの》じゃねえかもしれねえんだ」

そのひと言を、江田がどういうつもりでいったのかは分からない。だがそのコイケという男は、一瞬だけ斜め下を見た。その目の動きを玲子は見逃さなかった。直後に、コイケが取り繕うように口元を歪めたのも。

「……へえ。筋者でもねえのに、組長のタマとったんすか。そりゃいいや。街のダニ掃除だ。誰だか知らねえけど、パクったら、ご苦労さんって伝えといてくださいよ」

本当に犯人が誰か知らないのだろうか。この男の脳裏には、誰かしらの顔が浮かんだのではないだろうか。

「お前らの上の方には、庭田と反目する連中もいるんじゃないのか」

さらにそれを、コイケは鼻で笑った。

「そのさ、お前〝ら〟ってなんすか。お前ら、って。俺たちは組織じゃないし、みんな水平ですよ。別々に、好きにやってるだけです。俺の上には誰もいないし、俺の下には社員とバイトがいるだけっすから」

江田はなおも手を替え品を替え揺さぶったが、結局コイケは何も知らないの一点張りで通した。ときおり、通行人を睨みつけながら。

「ま、何かあったら連絡してくれよ。別に、何かある前に相談してくれてもいいけどな」

「ちっ……不気味なこといわないでくださいよ」

じゃあな、と江田はコイケの肩を叩き、玲子に「いきましょう」と促した。玲子も一応コイケに会釈だけはしておいた。

少し歩いてから、玲子は江田に訊いた。

「何者ですか、彼」

「奴はマル走（暴走族）グループの、新東京連合のＯＢです。マスコミのいうところの、半グレってやつですよ」

やはり、そういう手合いだったか。

「半グレ」という言葉自体は、まだ警察内部でも定着したものではない。「グレ」は灰色を意味する「グレー」でもあり、「愚連隊《ぐれんたい》」あるいは不良化の「ぐれる」にもかかっている。

「奴らは確かに、組織というのとは違う。先輩後輩はありますが、筋者の盃《さかずき》のような、面倒な約束事は一切ない。というか、そういうのが一番嫌いなんですよ。奴らは平気で組員を指差して、ああはなりたくないよね、と笑います。親だの兄弟だのというしがらみを馬鹿にします。そのくせ、クスリも管理売春も、恐喝だって詐欺だっていっぱしにやってのける。いや、むしろ指定暴力団より性質《たち》が悪い。横の連絡だけは密ですが、組織じゃないんでね、こっちとしても叩くべき頭が定められない。指定されてもいなければ、組の代紋も背負ってない。徒党を組んでいても暴対法で引っ張るわけにはいかない。おまけにIT世代っていうんですかね。ガキの頃からテレビゲームと携帯で育ってきてるから、そういうの扱いに長《た》けてるんですよ。振り込め詐欺がいい例です。あれは、昔ながらの極道に発明できるシノギじゃありません。奴ら世代の、新しいシノギです」

出会い系サイトの運営、クレジットカードの偽造、ネットを利用してのカジノやドラッグの販売、メールを介して行う野球賭博《とばく》。どれもこれも始めたのは暴力団ではなく、半グレ連中だといわれているのは、玲子も知っている。

「奴らは逃げ道まで考えた上で、シノギに手を出します。そもそも組織という枠組みがないから、足もつきにくい。ヤクザと違って、恰好や雰囲気で相手を脅す商売じゃないから、服装も自由で、一般人と見分けがつかない。それでいて横の連絡は密だから、誰かが『ヤバい』ってメールを打つと、ものの十分で綺麗に片づけてフケちまう……今のコイケだってそうです。振り込め詐欺をやってるのも、奴の店でコカインだのＭＤＭＡだのを売ってるのも、分かってはいるんです。でも、売り子を逃がすのが上手い。逃走を手引きする仲間がいるはずなんですが、それがこっちには見えづらい。……厄介な連中が出てきたもんです」

おまけに警視庁は、組織犯罪の捜査を刑事からも生安からも切り離してしまった。取り締まるべき対象の性質はまったく変わっていないにも拘わらず、だ。いや、むしろ警視庁がとった組織改変の方向とは逆向きに、犯罪の様態は進化していっているのかもしれない。

ふと、さっきのことを江田がどう思っているのか気になった。

「……そういえば、話してる途中で一回、コイケの目付きが変わりましたよね。あれって、どういう意味だったんでしょう」

江田が、眉を段違いにして玲子を見る。

「えっ、なんのときですか」

なんだ、気づいていなかったのか。

「確か江田さんが、殺ったのは筋者じゃないかもしれない、っていったときだったと思います」

今度は、顎を曲げて首を捻る。

「そんな、目付きなんて、変わりましたっけ」

「ちょっと、何かに思い当たったような、そんな目だったように、私には見えたんですけど」

そうですか、と江田がさらに眉をひそめる。

玲子は続けた。

「……もちろん、私の勘違いかもしれません。でももし、コイケに何か思い当たる節があるとしたら、江田さんはなんだと思いますか。私は、少なくともコイケは、仲間の仕業《しわざ》を疑ったわけではないと思うんです。ヤクザの組長を殺るとなったら、彼らにとっても一大事でしょう。しかも、界隈ではそれなりに噂にもなっている。仲間の仕業だったら、当然コイケの耳にも何かしら入っていたと思うんです。警察官に何か訊かれて、知らん振りをする心の準備もしたはずです。ところが、筋者の仕業じゃないと聞いて、コイケはそれを意外に感じた。てっきり暴力団同士の抗争だと思っていたのに、そうではないと聞かされて動揺した……ということは、ヤクザでも半グレでもない人間が河村を殺した、そんなふうに、コイケは連想したんじゃないですかね」

江田は唸《うな》るばかりで、具体的な見解は示さない。

「そもそも、江田さんはなんであんなことといったんですか」

「え、何が、ですか」

「河村を殺ったのは、筋者じゃないかもしれないなんて」

すると、ようやく表情を普通に戻す。

「それは、あれですよ。筋者が組長を殺るのに、鉄パイプなんか使うかなって、疑問に思ってたんで……それだけのことですけど。なんか、マズかったですかね」

いや、ちっともマズくはない。

むしろ重要な論点だと、玲子も思う。

西一番街の北、二車線の道路を隔てた向こう側が池袋二丁目だ。道を一本渡ると、それだけで街の様相は一変する。二丁目にも飲食店はあるが、それより圧倒的に多いのがホテルだ。ラブホテルも、ビジネスホテルも両方ある。

一軒一軒、フロントで話を聞いて回る。

「……ありがとうございました。何か思い出されましたら、お手数ですが池袋署まで、ご連絡くださいませ」

残念ながらこっち方面も、今日のところの収穫はないに等しかった。ホテルのフロントは夜通し人を置いているので、何かあったら見ているかもしれないと期待していたのだが。

ホテル街を過ぎると、少しずつマンションが多くなってくる。三、四階建てのオフィスビルや、ごくたまにだが一軒家も見られる。さすがにこの辺りまでくると、池袋といえども人通りは少ない。

腕時計を見ると、もう五時半を回っていた。通りに面した窓にはもうたいてい明かりが灯《とも》っており、かえって不在宅との見分けはつきやすい時間帯になった。

玲子が目を留めたのは、そんな中の一軒だった。

「……有限会社、中田《なかた》工業？」

四階建てのマンションとコインパーキングの間に建つ、妙に古ぼけた二階建て家屋。一階の道に面した部分は全面シャッターになっており、そのシャッターを収納するボックスに「有限会社　中田工業　足場施工　架設工事」と入っている。いわゆる鳶職《とびしょく》というやつだろうか。

「……姫川さん」

江田が、隣で低く発した。

「はい、なんですか」

「これ、見てください」

江田が示したのは、右隣のマンションとの境に立つコンクリート塀。いや、その塀と、中田工業の外壁の間だ。江田の足元には、丸い金属製の筒が重なって見えている。

「……鉄パイプじゃないですか」

「ええ。よくないな、こんなところに放置しやがって」

玲子はバッグから懐中電灯を出し、建物と塀との隙間を照らして見た。鉄パイプは全部で七本。だいぶ長い間ここに放置されているのか、枯れ草だかゴミだか分からないものがあちこちに絡み付いている。錆のような黒ずみや、塗料が付着したような白い汚れも見てとれる。

江田も背伸びをして奥を覗いた。

「……けっこう、長いもんですね」

「ええ」

一本一本のパイプはとても持って歩けるような長さではない。少なくとも四メートル、ひょっとしたらそれ以上あるかもしれない。

玲子は明かりの焦点を手前に戻した。

「これが奪われて、直接凶器になったとは考えづらいですけど、でもきっと、プロなら切断することもできると思うんですよ。ちょっと、訊いてみましょうか」

「はい……ただ、いますかね。暗いですよ」

江田と一緒に二階を見上げる。確かに、窓に明かりはない。

「まあ、念のためってことで」

シャッターの周りを見ると、左手にスチール製のポストと、インターホンがあった。試しに玲子が押してみたが、案の定応答はない。

「やっぱり、留守なのかな」

「でしょうな。この様子じゃ」

だが、三回ほど押したところで、ぼつっ、とスピーカーが鳴った。

《……はい、どちらさん》

そこから痰《たん》の絡んだような、年配者の低い声が聞こえた。

玲子が目で合図すると、江田は頷いて返した。そのまま玲子がインターホンに口を寄せる。

「恐れ入ります。池袋警察署の者ですが。ちょっとお話、よろしいでしょうか」

しばし、間が空く。

《……どういった、ご用ですか》

「ここに置いてある、鉄パイプのことなんですが」

次の応答まで、また数秒かかった。

《……ああ、うん……外のね》

「ええ。少しだけお話、お聞かせいただけますか」

《……どうぞ、いってみて、ください》

出てくるつもりはない、ということか。

「いえ、ご面倒かとは存じますが、直接見ていただきたいので、少しだけ、出てきてはいただけませんでしょうか」

ドタッ、と何かぶつかるような音がしたが、少し待つとまた応えがあった。

《……分かりました……ちょっと、待っててください》

たったこれだけのやり取りに一分以上かかった。出てくるのにもけっこうかかるのだろう、と思っていたが、予想通り五分以上待たされた。

最初はシャッターの隙間に明かりが射し、しばらくしてから鍵をはずす音と、引き戸を開ける音が聞こえた。それからガシャガシャとシャッターが揺れ始め、なんとも重そうに、二十センチくらい開いては止まり、また三十センチくらい開いては止まり、何回目かでようやく男の胸辺りが見えてきた。

待ちきれず、玲子は前屈《まえかが》みになって中を覗いた。

「あの……それくらいでけっこうです。申し訳ございません。池袋警察署の、姫川と申します」

「江田です」

しかし、その高さまでくると力が入りやすくなるのか、男は急に、放り投げるようにして真上に押し上げた。巻き上げられたシャッターは、ガッシャーンと、交通事故かと勘違いしそうな衝撃音を響かせて頭上のボックスに収まった。お陰で直後は辺りが静かになったのか、自分の耳が遠くなってしまったのか、よく分からなくなった。

「……はい。池袋警察ね……鉄パイプが、何か」

息が強烈に酒臭かった。襟や袖口の伸びきったジャージも、なんだか饐《す》えたような臭いを漂わせている。男の真後ろ、蛍光灯に照らされた室内には白い軽トラックが一台停めてある。

それもあって、シャッターが開けづらかったのかもしれない。

「ええ。そこに出してある鉄パイプなんですが、あれは、いつからああいう状態なのでしょうか」

「……ん？　ああ……いつからかな……だいぶ、もう、何年も前からだよ」

いいながら、無精ヒゲに覆われた頰をひと撫でする。肌の浅黒さは仕事柄か。それとも単なる酒焼けか。

「最近、盗まれたりということは」

「盗まれ……さあ。そもそも、何本、あったかな」

「いま数えた限りでは、七本ありますが」

「七本……まあ、そんなもんだったかな……分かんない……です」

「最近は、お仕事はされていないんですか」

ふらっ、と男が後ろによろける。でも、軽トラックに手をついただけで、転倒は免《まぬが》れた。

「……いや、ぼちぼち……手伝いとかは、いってるよ……いって、ます」

「あの、ちょっと教えていただきたいんですが。鉄パイプって、簡単に切ったりできるものなんですか」

男は、ふざけたように「むっ」と唸り、玲子を睨むような目で見た。

「……簡単……うん。切るのは、簡単だよ……おいで」

男はよろよろと室内に入っていった。玲子と江田も、一応「失礼します」と頭を下げてそれに続いた。

軽トラックの運転席を迂回《うかい》して、その荷台の方に回る。

男はふらつきながらも、荷台を覆っていた緑色のシートをまくり、中を見せてくれた。

「こういう、道具でさ……チーッて、切っちゃうんだよ。……簡単だよ。ちょちょいのちょい、だよ」

それは縦に回転する、巨大な丸形の電動ノコギリだった。ノコギリの刃自体が、シンバルを連想させるほど大きい。荷台には他にも、様々な形の金具やハンマー、工具が載せられている。

「すみません。できるだけ短い鉄パイプって、見せていただけますか」

すると男は、急に困ったように顔をしかめた。

「んん……俺さ、もうね、あんまり自分でさ、仕事とったりさ、材料持って、現場やったりさ、してないんだよ。……っていうか、全然……隣、駐車場になってたでしょ……あそこね、前はうちの土地だったの。でもさ、不景気でしょ……仕事も、パッとしないしさ……仕方なく、売っちゃってさ……前はさ、そっちに大っきなトラック停めてさ、パイプもさ、こう……縦に立ててさ、いーっぱい、置いてあったんだよ。でもさ、ほら、不景気でしょ……仕事も、パッとしなくてね……」

要するに今は、自分で材料を持っての仕事はしていないので、短いパイプも手元にはない、ということらしかった。

第二章

1

たびたび、あの男が家を訪ねてくるようになった。大柄で、鋭角的な顔立ちの、あの男だ。

「おやっさんさ、シャブはやめなよ。酒は飲んでもいいけど、シャブはよせよ。ほんと、なんにもできなくなっちまうぜ」

大きなお世話だ、あんたみたいな他人にいわれてやめられるくらいなら、女房子供が出ていく前にやめている——とは思ったものの、いいはしなかった。

「……もうどの道、私なんかにできることはありませんよ。あとは、借りられるだけ借りて、誰も貸してくれなくなったら、野垂れ死ぬだけです」

「そんなことねえって。いったろう。俺はおやっさんに力を借りたい。俺に力を貸してくれさえしたら、借金を棒引きにしてやれるんだって」

「そんな……私には、あんたに貸せるような力、ありませんから」

何度そういっても、男は懲りずに訪ねてきては、置き場の中を物色する。一つ気になったのは、男の両手の甲に、同じ形の傷があることだ。かなり大きなもので、引《ひ》き攣《つ》れのようになっている。

それと、名前か。

「そういやあんた……名前は、なんていうんですか」

男は「イチ」と言いかけ、でもすぐに「マサ」と言い直した。「イチ」は名字の一部だろうか。「市村《いちむら》」とか、「市川《いちかわ》」とか。すると「マサ」が名前か。「マサオ」とか、「マサヒコ」とか。

「そうか……マサさんか」

マサは「これは何に使うの」とか「これよりもっと硬いもんはないの」とかいう質問をよくした。

「これとこれはどうやったらくっ付けられる？　溶接？　それともボルトで固定か？」

どうやらマサは工業や建築には疎いようで、日曜大工程度の知識も技術もないようだった。

「溶接でも付けられますけどね。でも、すぐにポロッととれちゃいますよ。しっかり付けるなら、やっぱりボルトで固定しないと」

「ボルトで固定するんじゃ、穴開けなきゃなんないだろう」

「そうですね。加工に出さないと」

「それは面倒臭えな。もっと簡単にできる方がいいな」

しかしマサは、具体的に何をしたいのか、何を作りたいのかを一切説明しない。だからこっちも、相談に乗りようがない。

「手っ取り早く、図面か何か書いてくださいよ」

「そういうことじゃないんだ。そうじゃなくて……なんか、上手い方法ねえかな」

そんなやり取りをしているうちに、マサが何か思いつく。そしてその都度、私に訊く。

「おやっさん。これ、使っていい？」

「ああ、いいですよ」

「とりあえず、ここを切断してよ……これくらいで」

「こんなところで切ったら、使い物にならなくなりますよ」

「いいんだって」

どうせもう使い道のない道具だ。使い物にならなくなったところで、別に私はかまわなかった。要求通りの個所で切ってやると、マサは普通とは違う変な持ち方をし、空手家のようにそれを、ブンブンと振り回した。

「うん、いいね。……おやっさん、この面をもっと平らに磨いてさ。それとここに、輪っかとか付けられっかな」

「どれくらいの、輪っかですか」

「親指が入るくらい」

「握ったときに、通すってことですか」

「そう。ちょっとこっち向きに傾けて」

「材質は？　あと、輪の太さとか。ホームセンターにいけば、いろいろ売ってますけど」

「じゃあ、一緒にホームセンターいこうぜ。そこで選ぼう」

「いや、私は……いいですよ。一人でいって、いいのを見つけてきてください。そうしたら、私がなんとかしてくっ付けますから」

「一緒にこいって。こういう形だったらガッチリ付けられるとか、こういうのだとできないとか、あるだろう。そういうの、ちゃんと見てくれよ」

結局ホームセンターにも付き合わされ、どうってことないフックを買って戻ってきた。それを私が最初のガラクタに捻《ね》じ込んでくっ付け、またマサが空手家のように振り回しては調子を見る。

「ああ、いいな。……よし。これでいっちょ、使ってみるか」

「使うって、どうするんですか」

「こいよ。どうやって使うか、見せてやるから」

マサが向かったのは池袋の隣、大塚駅の近くにある、古いマンションだった。以前、この近くの現場をやったことはあったが、この建物自体は初めてくるところだった。

マサは、三階のとある部屋のチャイムを押した。

「すんません……満谷《みつたに》さん。金持ってきました」

名前を聞いて、私はゾッとした。満谷というのは、私が借金をしている高利貸しの親玉の名前だった。三十歳くらいの若造だが、暴力的な空気を色濃くまとった、ひと目見るだけで逆らう気の失せるような、そんな相手だ。

金を持ってきた、とはどういうことだ。やはり、マサは満谷の手下だったのか。私を満谷に引き渡して、内臓だの角膜だの骨髄だのを売り飛ばして、借金の埋め合わせをさせようというのか。

やや間があってから、分厚い鉄製のドアが開いた。

「……誰だよ。なんでこっちに」

いいながら出てきたのは、満谷ではなかった。もっと若い、まさに舎弟といったふうの男だった。

だがその男の右肩に、マサがいきなり例のものを振り下ろした。いや、大きなスタンプを押すように、叩きつけたというべきか。

「ガフッ……」

それだけで、がくりと男の上半身が斜めに傾《かし》ぐ。間を置かず、さらにマサは左肩にも見舞った。ポクッ、と妙な音がし、男の体の両側に、二本の腕がだらりと垂れ下がった。男は驚きに目を見開き、何事か抗議したそうに口も開いたが、マサはその顔面に、ぴたりと靴底をあてがった。

「……邪魔だ」

そのまま、思いきり玄関の中に蹴り入れる。上半身を仰《の》け反《ぞ》らせた男は、後ろにたたらを踏みながら廊下を逆戻りしていった。だが途中で、もんどり打って倒れる。すでに両腕が利かなくなっているのだろう。男は後ろ手をつくことも、かばい手を出すこともしなかった。

背中からドターンと、馬鹿がつくほど真正直に倒れ込む。

ようやく異変に気づいたか、満谷が廊下の先に顔を出した。

「……誰だ、テメェ」

「天敵だよ。あんたの」

マサは廊下に進んでしゃがみ、また例のスタンプを押した。今度は、仰向《あおむ》けに倒れた男の、股間に――。

グチャ、と、ゴツッ、が同時に鳴り響いた。若造は悲鳴をあげることもなく、ひゅう、と変な息を漏らして動かなくなった。股間に何か染み出し、ズボンの色が少しずつ濃くなっていく。

「な……何しやがる」

満谷が後退《あとずさ》りしていく。

「なんでもするよ。お前を潰すためなら」

「潰す、って……」

「潰すってのは、こういうことだよ」

廊下を進んでリビングに入る。そこにはソファがあり、テーブルがあり、金庫があり、大型の液晶テレビがあった。高級料理の値段を当てるバラエティ番組が流れていた。

マサはソファに載っていた、小さめのクッションを手にとった。それを倒れた男の顔にかぶせ、また思いきり、スタンプを落とす。顔の骨の砕ける音がした。男の体は激しく痙攣《けいれん》し始め、それでもマサは繰り返し繰り返し、スタンプを落とし続けた。

「や、やめろ……やめてくれ」

満谷は力なくそういうだけで、決してマサの行為を制止しようとはしなかった。二メートルくらい離れたところで、意味もなく両手をかざし、震えている。仕草だけならば、「まあまあ」とマサをなだめているようにも見える。

「やめてくれ？　そういうふうにいえば、人は何かをやめてくれるとでも思うのか。お前は過去、誰かに『やめてくれ』って頼まれたとき、一度でもやめてやったことがあったか。散々、女を慰み物にしたことがあっただろう。裏切ったとか弛《たる》んでるとか、難癖つけちゃあ後輩どもをボコボコに殴りつけたことがあっただろう。そのとき、お前は『やめてくれ』って、頼まれなかったか？」

もう、倒れた男の痙攣は治まっていた。というか、終わっていた。

満谷は、まだ「まあまあ」の姿勢のまま固まっている。

「あんた……誰かに、復讐を頼まれて、きたのか」

マサが、のっそりと立ち上がる。

「いや、違う。誰の復讐でもない。お前にレイプされた女が誰なのかも知らないし、ボコられた後輩の名前も知らない。もしかしたら、そんな事実はないのかもしれない。ただ、そういうこともあったんじゃないかと思って、適当にいってみただけだ……そもそも、そういう事実関係には興味がない」

満谷の顔が、見る見るうちに崩れ、壊れていく。

「なんだ、そりゃ……」

「だから、最初からいってるだろう。天敵だって。お前の天敵だって。俺は、お前を食い物にしにきたんだ。俺が、捕食者。そしてお前は、黙って食われるだけの、被捕食者。そのことを、まず自覚しろ……おやっさん、一番大きいバッグ広げて」

私は命じられるまま、あらかじめマサに持たされていたバッグの一つを広げた。丈夫なナイロン生地の、大きめの旅行バッグだ。私の手も、震えていた。

「……こ、こうかい」

「ああ。それでいい」

マサはまず、倒れた男をうつ伏せに返した。頭が、あり得ないくらい平べったく潰れている。でも不思議なことに、血はそれほど流れていなかった。横顔が内出血で変色し、大きく膨れ上がってはいるが、でもそれだけだった。血の溜まった水風船みたいなものだ。

「満谷。お前が持ってる、権利書を出せ。全部出せ。借用証書、その他もろもろ……早くしろ」

それでも満谷は、少なくとも私よりはこういった場面に慣れているのだろう。決してマサから目線をはずすことなく、冷静に、部屋の隅にある金庫の方に移動していった。そしてマサはマサで、その金庫に拳銃でも隠してあったらと警戒したに違いない。ぴたりと満谷の横につき、ダイヤルを回す手元を注視している。

「……頼む、殺さないでくれ」

「分かった、殺さない。絶対に殺さない。絶対、絶対、絶対に殺さない」

「冗談、よしてくれよ」

「ああ、冗談だ。殺す。絶対に殺す」

やがて番号が合ったのだろう。満谷はレバーを捻った。

ガチンッ、とロックが解除される音と、同時だった。

「ご苦労……」

またマサが、例のスタンプを振り下ろす。立て続けに二度。

「ガヒャッ」

満谷の手首が、あり得ない角度に折れ曲がる。長過ぎる袖をぶら下げているようにも見えるが、袖の先から出ているのは明らかに手だ。血の通った人間の手首だ。それこそ、悪い冗談にしか見えない。

「どけ。邪魔だ」

マサは満谷をどかし、金庫の中身をテーブルに並べ始めた。大量の書類に交じって、百万円の札束もいくつか出てくる。

「おやっさん。小さいバッグにこれ、全部詰めてくれ。持って帰るから」

「ああ……分かった」

私はいわれるまま、それを実行した。

マサはその間に、倒れている男のところに戻った。

「死体の処理って、難しいと思うだろう。でもそれは、人間の骨格が大きいから面倒だって、それだけなんだな。……こうやって」

またスタンプを振り下ろし、肩の骨を圧《へ》し折《お》る。

「……骨さえ砕いちまえば、いくらでも小さく畳めるわけ。腰だってさ、後ろには曲がらないと思うだろ。けどよ、実は背骨が邪魔してるだけなんだ」

確かに。マサが背骨を叩き折ると、男の体は難なく、後ろ向き二つに折り畳むことができた。両脚も同様。バッグに収まらない部分は叩き折り、適当に折り曲げては押し込んでいく。結果的にマサは、大の男を小さく小さく折り畳んで、旅行用バッグに見事収めてしまった。ジッパーも、ちゃんと閉まった。

「……どうだ、満谷」

満谷は、何も答えなかった。いや、答えられなかったのだろう。

「お前も、バッグに入ってみるか」

それには、激しくかぶりを振る。

「でも、俺がこいつ、殺して折り畳むの、見ちゃったろ？　あとで誰かにいったり、仕返しにきたりするだろ？」

満谷は、滑稽なほど真剣な表情で首を振り続ける。いわない。絶対に誰にもいわない。仕返しもしない。田舎に引っ込む。田舎で真面目に、地道に暮らす。

「ああ……そういうのも、いいかもしれないけど、俺は気に喰わないな。お前だけ悠々自適に、田舎暮らしをしようだなんて」

マサが一歩踏み出すと、満谷は怯《おび》えた目を残しながら、隣の部屋に逃げようとした。垂れ下がった両手を力なく揺らしながら、必死に、マサから距離をとろうとした。

だが無駄だった。結局、ドアの前まで移動しただけで止まってしまった。自力では開けられないドアの前に、追い詰められただけだった。

「た、頼むよ……勘弁してくれよ」

「何をさ。俺は別に、お前のことを勘弁ならねえなんて思ってないよ。だから逆に、勘弁することもできない」

「じゃあ、なんなんだよ。何が目的なんだ。金か。金だったら、いくらでも払う。あるだけ渡す。いや、もっと稼いで、な……月一で、上納する。約束する」

「ああ、そっちにいっちまったか。駄目だ、それじゃ」

マサが右手を振り上げる。それを見た満谷は、反射的に肩をすくめ、身を屈め、マサに背中を向けた。

しかし、それがかえってよくなかった。

「……お疲れ」

マサは、満谷の後頭部に、スタンプを押した。

たった一撃。それだけで満谷は崩れ落ち、二度と動かなくなった。

これ以上はないというくらい、明らかな即死だった。

置き場に戻ると、マサはこともなげにいった。

「明日の夜、どっかに埋めてくるよ」

むろん、死体のことをいっているのだろう。

「どっかって、どこに」

「おやっさんは、知らない方がいいだろう。いつかどっかで、ぽろっと喋られても困るしな。……それより、どっかに一斗缶《いっとかん》あったでしょ。あれ出してよ」

「何を、するんですか」

「燃やすんだよ。全部」

置き場の奥、かつて職人たちが灰皿代わりに使っていた一斗缶を引っ張り出してくると、マサは権利書の何枚かをくしゃくしゃにして放り込み、別の一枚にライターで火を点け、その中にくべた。

「ええと……ああ、これがおやっさんのだな。間違いないよね?」

マサがある一枚を私に向ける。

「……はい、間違いないです」

「燃やしちゃうよ。いいね?」

「え、ええ……お願いします」

殴られても、蹴られても、首を絞められても、糞を漏らしながら土下座をしても解くことのできなかった呪縛が今、しゅんと黄色い炎に呑まれ、頼りなく縮れ、オレンジ色の火の粉に弄《もてあそ》ばれながら、黒く捩《よじ》れ、煙も上げずに消えていく。

「……おやっさん。そこの換気扇回して」

「だったら、表の戸を開けましょうか」

「いや、風で火の粉が散ったら困るから。火事になったら洒落になんないだろう。それから、バケツに水も用意して」

「はい、分かりました」

なんと不思議な男だろう。たった一撃でヤクザ紛《まが》いの高利貸しを亡き者にしてしまう一方で、こんなボロ屋が火事になることを案ずる。細かいようでいて、大胆不敵。私とは人間の質が根本的に違うように思えるが、どこか親しみを覚えるのもまた確かだった。

あらかた証書を処分し終わったところで、マサはバッグの底から、いくつか札束を取り出した。

「……札ってさ、燃やすと臭いっていうよね」

正直、ぞっとした。

「まさか、それも、燃やすつもりですか」

「そのつもりだけど……なに。おやっさん、欲しいの？」

ますます、この男が何を考えているのか分からなくなった。

「そりゃ、欲しいですよ。だって、私はそもそも、金のために、こんな目に……」

「でもなあ。はいよって渡して、シャブ買いに走られてもなあ」

「いや、か、買いませんよ。シャブなんて」

「信用できねえな……やっぱあげない」

ぽいっ、と百万円の札束を一斗缶に放り込む。

「あっ、ああッ」

「……おい。でけえ声出すなって」

マサが、ふいに横目でこっちを睨む。

日本刀の切っ先を、いきなり突き付けられたような——。

そう。決して忘れていたわけではないのだが、この男は、人殺しなのだ。古新聞を片付けるかのように、少々面倒ではあるが、でもやらなければいけない仕事を淡々とこなすように、二人の人間を殺しておいて、なお平気でいられる人間なのだ。いや、あのときの落ち着きようからすると、今回の殺しが初めてであるはずがない。今までに何人も殺しているに違いない。そして今、私をここで殺すことも、同じようにこの男にとっては容易なはずだ。

続けて二つ、三つ。マサが札束を火にくべる。

「……別に、そんなに臭くねえよな。札束には、人間の手垢《てあか》がたくさん付いてるから、要は皮脂だから、燃やすと死体を焼いたのと同じニオイがするって、何かで聞いたことがあるけど……しねえよな。少なくとも、死体を焼くときのニオイってのは、こんなもんじゃない。

もっと、髪の毛は髪の毛、肉は肉、脂は脂、骨は骨のニオイがするもんさ」

もう二つ、バッグから札束を取り出す。

「でも……おやっさんも、がんばったからな。重たいもん運んだし、工作もやってくれたし。ちょっとくらいは、褒美《ほうび》もらったって罰は当たらねえよな」

札束の、厚みでいったら五分の一か、それくらいを引き抜いて、こっちに差し出す。

「ほい、今回の駄賃だ。シャブ以外のもんで、気晴らしでもしてきな。酒でも女でも博打《ばくち》でも、好きにやっといでよ。ただし……シャブ食ったら、ただじゃおかねえからな。それだけはよく覚えとけ」

私は震えながら、その二十万あるかないかの札を、受け取った。

「……はい……シャブは、もう、やりません」

本当に、今回だけは、やめられそうな気がした。

2

二月二十一日、水曜日。指定暴力団二代目庭田組組長、河村丈治の遺体発見から一週間が経過した。

現時点で、警視庁組対四課と玲子ら池袋署捜査員によって編成された特捜本部が摑んでいる情報は、お世辞にも多いとはいえない。殺害現場は西池袋一丁目、テナントビル内の空き部屋で間違いないのだが、それ以外はまだ何も分かっていないに等しい。河村はそこに無理やり連れ込まれたのか、それとも自身の意思でいったのか。そもそも計画的犯行なのか、否か。犯人の人数は。凶器の種類は。犯行動機は——何一つ、明らかにはなっていない。

玲子と江田の組は昨日から地取りを離れ、指定暴力団以外で、庭田組と関わりがあったと見られる組織や人物を当たり始めていた。

午後一番で、江田がいうところの「半グレ」、久松《ひさまつ》という若者に話を聞いた。場所は、高田馬場駅近くにある喫茶店だ。

「お前、庭田の早川《はやかわ》って若いの、フクロにしたことあったよな」

久松はふて腐れた様子で、さっきから窓の外ばかり眺めている。

「それについては裁判もやって、喧嘩両成敗ってことになってんでしょ。いまさらグチャグチャいわないでよ」

喧嘩両成敗というのは、当然のことながら判決内容ではない。単に刑事裁判では執行猶予付きになったというのと、民事では和解が成立したことを受けていっているに過ぎない。

「あったよなって、いっただけだろ……その後はどうだ。新宿よりこっち側にいると、何かと庭田の連中とも顔合わせるんじゃないのか」

「だから？　顔合わせたら何か？」

「面白くねえことも、いろいろあるだろうって」

「別に……関係ないね、ヤクザもんは。別次元の、平行線。この先も交わるこたぁないと思うよ」

「そんなはずないだろう。いろいろ商売の上でも、ぶつかるところがあるんじゃないのか？」

この男が過去に違法薬物の売買、詐欺、恐喝などを手掛けていたことは、玲子も江田から聞いて知っている。

ふと、久松が表情を曇らせる。

「……ほんと、勘弁してよ。正直こっちもさ、いつまでも新東京連合ＯＢって目で見られたくないんすよ。あんたらにとっちゃ、いつまで経っても俺らは犯罪者予備軍なのかもしんないけど、まともな商売やってる人間だって大勢いるんだよ。俺がいま何やってるか、ちゃんと知ってる？　分かっててきてる？」

「知ってるよ。携帯電話ショップだろ」

代表者に前科のない友人を立て、自身は一従業員ということにしているが、実際に商売を切り盛りしているのは久松だという。

「トバシとか、そういうんじゃないんだよ。ちゃんとメーカーから仕入れて、キャリアとの手続もちゃんとやってる合法的な店なの。……もうさ、やめたいんだ。そういう、危ない橋渡るの……正直、疲れたんだよ」

もうやめたい、疲れた——。

似たようなことを、昨日会ったガールズ・バーの代表者もいっていなかったか。

「あんたらは、あれでしょ。庭田の組長が殺られた件で、いろいろ聞き回ってるんでしょ。でも、だったらお門違いもいいところだよ。俺たち、連合OBは関係ないよ。何かトラブルがあったとしたって、庭田のアタマをとろうなんて考えないって。そこんとこさ、もっと常識で考えてよ。話作り過ぎなんだよ……ほんと、勘弁してほしいわ」

さらに、夕方に会った在日中国人三世、王勝義《おうかつよし》も似たようなことをいっていた。場所は池袋に戻って、東池袋一丁目の中華料理屋。

「……警察もマスコミも、俺たちのことをチャイニーズ・マフィアみたいにいうけど、ちょっとよ、週刊誌の読み過ぎなんじゃねえの？　何か起こると、すぐ『主華龍《スカル》』が裏で絡んでるみたいな話にしやがってよ。それ、はっきりいって全然違うぜ。主華龍はマフィアでも、ヤクザでもねえんだよ」

主華龍は、中国残留孤児二世や在日中国人が中心となって結成された暴走族だ。成人して卒業したのちは中国系犯罪グループに加わる者があとを絶たず、実際に強盗、恐喝、詐欺、暴行、殺人といった事件で多くの逮捕者を出している。

「確かに、現役の主華龍はそうじゃないかもしれない。でも、OBはそっちにいくだろう」

「だからなんだよ。俺だってOBだけど、俺が何やったっていうんだよ。なんか証拠でもあっていってんのか、あんた。じゃあ何か、警察辞めてヤクザの用心棒やってる奴だっているけど、それで警察もヤクザも同じってことになんのかよ。違うだろうが……ちょっと、頭悪過ぎなんじゃないの？　おたく」

さすがにこの程度のことで、玲子も江田も目くじらを立てたりはしない。

「悪かった。ちょっと、俺の言い方が悪かったな……でもさ、そういう繋がりの中で、何か見聞きしたりしないか？　知ってるだろ、最近、庭田組の組長が殺されたって話」

すると、にわかに表情を曇らせる。

「だからさ……そういうふうに、なんでもかんでも関わりがあるように思われたくねえんだよ。ヤクザだってよ、大和会がやったことで、隅田組にガサ入れたりしないだろ？　白川会を攻めたりしねえだろ？　やるときは、それなりに何か摑んでからいくだろう？　それと一緒だろって。俺は確かに、主華龍の元メンバーだよ。今でもそれには誇りを持ってるし、ヤクザもんなんかに舐められて堪るかって気持ちもある。でもさ、それは飲み屋ででけえツラされて、やるのかこの野郎、ってなったときのことであって、なんもねえのに……いや、何かあったとしても、庭田の親分のタマとるとか、そういうのはまったく。話も聞かないし、意味ないんだよ」

とにかくさ、と王は続ける。

「いま池袋で起こってることと、少なくとも俺は関係ないし、この先も主華龍は関わらないと思うよ。OBで、いわゆる東北系にいっちゃった人は知らないよ。それはほんと、知らないから。そういう関わり、俺はないし、持ちたくもないから」

いま池袋で起こってること――。

その言い回しに少し引っかかるものは感じたが、あえて問いただすまではしなかった。むしろ今は、こんなもんなのかな、という違和感の方が先に立つ。

彼らがどれくらい「本職」で「クロ」なのかは、玲子には分からない。でも、半グレや中国系犯罪グループがヤクザと競合する勢力であることは間違いない。だったら、庭田組組長の死を「ざまあミロ」くらい思ってもいいのではないか。悪《あ》しざまにこき下ろすくらいしてもいいのではないか。だが、それはしない。あくまでも関係ないと言い張る。

いま思えば、西池袋で会ったコイケという半グレだけは、河村が殺されたことを「街のダニ掃除」と表現した。だが彼は、その直前におかしな目付きをした。犯人は筋者ではないかもしれない。そう江田がいった瞬間に、コイケは何か思い当たったような顔をし、しかも直後にそれを取り繕おうとした。

あれは、結局なんだったのだろう。

もう一度、コイケに話を聞くことはできないだろうか。

中華料理屋を出て、少し歩いたところで声をかけた。

「……江田さん。ちょっと、こっちにいいですか」

「はい、なんでしょう」

玲子はすぐそこの角を指差し、江田をいざなった。

「ちょっとだけ、寄り道させてください」

「ええ。かまいませんが」

この界隈を歩くと、玲子は決まって、あの暑かった夏を思い出す。

「ストロベリーナイト」事件から、もうすぐ四年――。

玲子はあの事件で、初めて部下の殉職というものを経験した。その現場となったライヴハウス跡地が、このすぐ近くにある。いや、現在はすっかり綺麗に改装され、名前も「セヴンワンダー」と変わり、新たに営業を始めている。営業内容も昔とはまったく違うようだった。ロックバンド向けのライヴハウスではなく、DJなど、クラブイベント向けのスペースになっているように見受けられる。

「……姫川係長。こういうところ、持ってるんですか」

江田のいう「持ってる」とは、つまり「情報をもらえる間柄にある」という意味だろう。

「いえ、そういうわけじゃないんですけど」

別に玲子も、ここで手を合わせて拝んだり、花を手向《たむ》けたりしたいわけではない。ただ近くまできて、立ち寄らずにいるのが嫌なだけだ。自分はこの場所を、決して避けて通ってはいけない。何度でもここにきて、ただ一つの事件捜査に殉じた大塚真二《おおつかしんじ》という男の魂に、繰り返し向き合わなければならない。思えば、本部を離れて配属されたのがここ池袋というのも、何かの巡り合わせのように思える。

大塚。あたしは今日もこの街で、刑事として捜査をしているよ。あんたの分まで、靴底すり減らして、がんばってる。だから、見てて。このヤマも上手く解決できるよう、あたしを見守ってて——。

そう心の中で唱え終え、顔を上げたときだった。

江田の背後、数メートル先。コインパーキングの角を曲がってこっちに歩いてくる、やけに大きな人影が視界に入った。

「……あ」

そう玲子が漏らしたのと、ほぼ同時だった。向こうも気づいたのか、その場で足を止める。

数秒、その距離のまま互いを見合う。

「……菊田」

なんで、ここに——。

江田も気づいたのか、双方を見比べ、なんとなくといった体《てい》で菊田に頭を下げる。相手が警察官であることは雰囲気で悟っただろうが、彼がかつて玲子の部下だったことは、分かっていないかもしれない。

菊田も、会釈をしながらこっちに近づいてくる。声の届くところまできて、もう一度頭を下げる。

「お久しぶりです……姫川、さん」

何度も何度も想像し、覚悟もしていたけれど、でもその言葉を直に耳にすると、やはり、愕然《がくぜん》とする。自分は大きなものを失ってしまったのだと、改めて思い知らされる。

この人に「主任」と呼ばれないことが、こんなにも冷たく、心を締め付けるなんて――。

それでも自分は、平静を装わなければならない。

「うん……ほんと、久しぶり。でも……どうして」

いま菊田は千住署勤務のはず。何か事件絡みで聞き込みにでもきたのだろうか。一人のようだが、だとしたら本部捜査ではなく、所轄レベルの何かだろうか。

そこで、スッと江田が身を引く。

「……姫川係長。私、先に、署に戻ってますんで」

思わず、待って、といいそうになった。この人と二人きりにしないで――。会釈をした江田が玲子に背を向けても、まだ今なら間に合う、江田と一緒に帰れる、そんなふうに考えてしまう。でもさすがに、その背中が一つ先の角を曲がって見えなくなると、菊田と二人きりの、この状況を受け入れざるを得なくなった。

一つ、大きく息を吐く。

「……ほんと、久しぶりね」

また同じことをいっている。それは分かっているのに、違う言葉が思い浮かばない。

「ええ。大塚の墓参りも、日程合わなくて……すみませんでした」

「それは、別に……あたしに、謝んなくたって」

もう互いに所轄署員なのだ。六日に一度の宿直は、何があってもはずすことはできない。

「まあ、そう、ですけど……」

「こっちは、なに？　聞き込み？」

「ええ、まあ……」

「で、ついでに大塚の、ここ？」

「はい……まあ、そんなところです」

「……そっか」

そして、しばしの沈黙――。

逃げ出したくなるほど、次の話題が見つからない。

かつて自分たちは、おはようから始まり、待機の日などは一日中一緒にいて、勤務が終わったら居酒屋にも寄って、毎日毎日、一体何を喋っていたのだろう。捜査のことばかりではなかった。上司の悪口ばかりでもなかった。プライベートについては、そんなに話さなかった。玲子には、他人に喋りたくなるような趣味もない。たまにブランド物のバッグなどを買えば、これいくらすると思う？　と値段当てクイズを仕掛けることもあったが、むろんそんなのは何ヶ月かに一回だった。

思い出せない。四年と三ヶ月もの間、自分はこの人と、一体何を語り合ってきたのだろう――。

菊田が、すっと視線を店の方に向ける。

「……最近、やけに大塚のことを、思い出します」

そう、こういう場所だ。その話をすればいい。

「うん……あたしも。ここの配属になったのも、なんかの因縁かなって、思ってる」

菊田の頬に、悲しげな笑みが浮かぶ。そう。悲しそうなのに、でもなぜだか優しく感じられる表情。よく知っている、わりと好きだった顔。玲子を慰めようとするとき、決まって菊田が見せる、思いやりの横顔。

「……主任が池袋に配属されたのは、それまでの経歴を評価されたからです。大塚のことで、因縁とか、そういう考え方、もう……しないでください」

玲子が見上げると、それで菊田も気づいたようだった。

「あっ……主任って、呼んじゃいましたね。おかしいな。気をつけてたのに」

でも、そのお陰で玲子も、少し気持ちがほぐれた。

「いいの。あたしも、なんか……その方が嬉しいし……懐かしい」

菊田も表情を崩す。これは、リラックスしたときの顔だ。

「そういえば、池袋、また大変なことになってますね。庭田組ですか」

それにはわざと、顔をしかめてみせる。

「うん、また組対四課。連中、捜一と違って動きが見えなくて、なんだかんだ神経使うわ。だからここに、大塚、力貸して……って、頼みにきたわけ」

そうだ。あまり遅くなると、また四課の連中に何をいわれるか分からない。

「あたし、そろそろ戻るわ。……まあ、このヤマが片づいたら、また飲みにでもいこうよ」

思いきって、玲子から右手を差し出した。それくらいしないと、上手く別れられない気がしたからだ。

菊田が、慌てたようにカバンを、右から左に持ち替える。

その、一瞬のことだった。

ちらりと、左手の薬指に、光るものが見えた。

だがそれを打ち消すように、菊田が右手を合わせてくる。

「今回もとったぞ、って……自慢話聞くの、楽しみにしてます」

「うん。そうだね」

普通に受け答えをした自分を、むしろ薄ら寒く思う。

「じゃあ、自分、ここで。失礼します」

「うん。じゃ……気をつけて」

歩き出した菊田の背中を、いつまでなら見ていていいのか、分からなかった。菊田が振り返る前に、自分も彼に、背を向けなければならない。それは分かっているのに、どうしても、それができなかった。

結局、菊田は一度も振り返ることなく、もときた角を曲がっていった。

そうか、と一人、呟いてみる。

菊田、結婚したんだ——。


会議に集中など、できるはずがなかった。

「庭田組の谷崎、白井の行方は、いまだ分かっておりません。主要幹部には行確《こうかく》（行動確認）を付けていますが、接触している気配もありません。両名の自宅、立ち寄りそうな店、施設にも配置はしているのですが、まったく姿を現わしません」

本部から異動して、ちょうど一年。一年あれば、誰かと出会って、恋に落ちて、結婚することだって充分にあり得る。

「他の幹部は、それについてどういっている」

警視庁には「自警」という機関誌がある。毎月全警察官に配られるものだが、あいにく玲子は滅多に目を通さない。それには結婚報告のページがあり、籍を入れればたいていそこに名前が載るが、まったく興味がないので、そこは開いたこともない。

「心当たりはない、逆に、どこにいったのかこっちが知りたいくらいだと、そういった調子です。それも、どうも芝居ではないように思われます……これは、一部の幹部が漏らしたことですが……ひょっとして、谷崎と白井も、もう殺されているんじゃないかと……そういう噂も、組の中では囁《ささや》かれているようです」

なに。谷崎も白井も、すでに殺されているかも？　なんだそれは。

「だとしたら、内部抗争ではなく、外部ということだろう。庭田の幹部はどっちに目を向けてるんだ。どこの組か、目星もつけてないというのか」

しかし、たった一年で菊田が結婚を決める相手って、どんな人だろう。お嬢様タイプだろうか。それとも色っぽい系だろうか。仕事はなんだろう。水商売系だと、いろいろ探りが入って面倒なはずだから、普通のＯＬだろうか。まさか、同業者なんてことは——。

「それが、本当に、連中も皆目見当がつかないと」

「お前、そんなことが本当にあると思うのか。庭田には内外を問わず、抗争の火種が山ほどあるんだぞ」

そう、組対四課の明石係長が声を荒らげたときだった。

会議室上手《かみて》のドアがいきなり開いた。

顔を出したのは、池袋署副署長の相馬《そうま》警視だ。

「失礼いたします……三浦《みうら》管理官。ちょっと、よろしいですか」

今日は安東四課長がいないため、この会議の責任者は管理官である三浦警視ということになる。

「はい」

上座の席を立ち、三浦管理官が出入り口に向かう。相馬副署長がいったん身を引いたため、三浦も廊下に出ることになった。

静かにドアが閉まる。むろん、二人が外でなんの話をしているのかは聞こえてこない。

明石係長が、報告に立っていた捜査員を指差す。

「お前、ちょっと座ってろ」

会議の中断はその後、数分に及んだ。ここまでは上の空というか、片耳でしか玲子は報告を聞いていなかったが、むしろ中断されてからは、きっちりこの会議に集中している。

特捜本部の会議を中断させてまで、所轄署の副署長がしなければいけない話とはなんだろう。緊急を要する内容であることは間違いない。でなければ、管理官はすぐにでも戻ってきて会議を再開させるはずだ。何か、事故でも起こったのだろうか。会議に戻ってきていない捜査員が、どこかで——。考えたくはないが、つい大塚のときのことを思い返してしまう。

亀有署の大会議室。残っていたのは、玲子と菊田、石倉、湯田。それから井岡と——。

また急にドアが開いた。口を真一文字に結んだ三浦が入ってくる。背後に相馬の姿はもうない。

三浦は上座のテーブルにつくなり、立ったままマイクを握った。

「今し方、王子署管内で、全身を鈍器で滅多打ちにされた他殺体が発見されたとの報告が、警視庁本部からあった。河村丈治殺害とよく似た手口であり、まずは本件との関連を調べるため、情報を照合するよう求められた」

にわかに会議室がざわついたが、三浦はかまわず続けた。

「ただし……王子のマル害は、今のところ暴力団員ではないと見られている。所持していた運転免許証がマル害のもので間違いないとすると、これの身元は……イイジマタカユキ、三十二歳。マル走、新東京連合の元メンバー、ということになる」

元マル走メンバー。いわゆる、半グレ——。

3

五十代も半ばになると、日々の仕事がやけに体に応えるようになる。

下井は欠伸《あくび》を嚙み殺しながら、昨夜担当した事案の報告書を清書していた。

中野警察署刑組課暴力犯捜査係。「刑事組織犯罪対策課」とひと括りにされている以上、本署当番日に刑事事件が起これば内容の如何を問わず臨場《りんじょう》することになる。それが下着泥棒であろうと、コンビニ強盗であろうと、調べろといわれれば調べるし、調書も報告書も書く。だが自分が下着泥棒の実況見分で手が離せないときに、知能犯係の人間が暴力団員の絡む揉め事処理に向かったと聞いたりすると、なんだかな、とは思う。まあ、所轄署刑事の当番業務とはそもそもそういうものなので、いまさら文句をいっても始まらないのだが。

「下井さん。ちょっと休んでくださいよ」

ふいに後ろから、統括係長の新沼が缶コーヒーを差し出してきた。

「ああ、すんません。でもこれ、もうちょっとだから」

「下井さん、案外器用だよね。その、人差し指と親指だけでキーボード打つの。意外と速いよね」

悪かったな二本指でしか打てなくて、とはあえて言い返さない。しかも左手は人差し指しか使っていない。

「……ご馳走になります」

甘さ控えめの、今風のコーヒー。実をいうと、下井はこういう今風のより、昔ながらの、喉越しのとろっとした甘いやつの方が好きだった。でもそれを、体によくないからやめた方がいい、といってくれた男がいた。

下井さん。そんなに甘いのばっかり飲んでると、糖尿病になっちゃうよ——。

奴は今、どこで何をしているのだろう。

もう七年も前になる。あれは警視庁に組織犯罪対策部が設置される、少し前のことだ。下井は今でもよく、あの冷たい雨の夜のことを思い出す。

JR錦糸町《きんしちょう》駅に着いたのは午後二時頃だった。南口を出て、京葉道路を丸井側に渡る。ビニール傘越しに見る空は白く、辺りの建物は気だるく降り続ける雨に霞《かす》み、かつ歪んで見えたのを覚えている。

丸井の脇道を進み、場外馬券場、ウインズ錦糸町東館に入る。飲食コーナーや直通エレベーターのある七階が、いつもの待ち合わせ場所だった。人の出入りが多く、常にざわついてもいるため、密会には都合がよかった。

壁にはテレビモニターが、フロアには固定式の椅子がずらりと並んでいる。モニターは見えなくてもいいので、後ろの方に適当に座る。馬券は買わないが、駅で買ってきた競馬新聞は一応広げておく。下井自身、決して賭け事は嫌いではないので、見ていればそれなりに楽しかった。いい時間潰しだった。

隣の席に誰かが座ってしまうことも、もちろんある。レースの人気にもよるが、どっかり長居をされてしまったり、ひっきりなしに人が入れ替わったり、状況は様々だ。だが下井は、隣に誰がこようと、自分から顔を上げて見ることはしない。下井さん、とか、遅くなりました、と声をかけられるまでは、レースについて考えている振りをし続ける。

何十分でも。何時間でも。

しかしその日、待ち合わせの相手はウインズに現われなかった。人が多過ぎて下井を見つけられなかった、ということはないと思う。もっと混雑した日でも、あいつはちゃんと自分を見つけてくれた。さりげなく隣に、あるいは後ろの席に座り、何気ない体の芝居で声をかけてきた。

それまでにも、二度ほど奴が待ち合わせにこないことはあった。だが翌日の同じくらいの時間、同じ場所で待っていると、奴はちゃんときた。すみません、昨日は――。奴は事情を話そうとしたが、下井は、いいといって聞かなかった。昨日こられなかった理由は、いわなくていい。俺に話すべきことだけ、手短に話してくれ。そういって奴から情報を得て、その場で別れた。自分たちはそういう関係だったし、奴もそれで納得していると思っていた。

閉館時間になり、下井は建物を出た。暗くなってもまだ、雨は気だるく降り続いていた。

あとタバコ一本分だけ、待ってみようか。もしその間にきたら、奴は、すみません、火を貸してくれますか、そんなふうにいって下井の前に立ち、片手で詫びるだろう。よせよ。詫びたいのはこっちの方だ。すまないと思ってる。いつもいつも――。だが、それは禁句だった。それをいってしまったら、自分たちの関係は壊れてしまう。だから、黙って火を貸す。

そうしようと思っていた。

しかし、一本だけと決めたタバコが三本になっても、五本になっても、奴は現われなかった。もう、こない——。その日は下井も諦め、家路についた。

濡れてすっかり色の濃くなったトレンチコートの袖が、容赦なく両腕から体温を奪った。厚手のズボン下を穿いてはいるが、それでも腿や脹脛《ふくらはぎ》は寒気に強張《こわば》った。右膝も、ちょっと痛い。明日もう一度くればいいんだから、こんなに外で粘ることはなかった。そんな後悔も、少しだけ脳裏をよぎった。

ところが翌日は、とてもではないが錦糸町の場外馬券場になどいかれない事態になってしまった。大和会系山城《やましろ》組の幹部が白昼堂々、渋谷センター街で射殺され、下井もその捜査に駆り出されたのだ。

その後は二週間ほど、まったく身動きがとれなくなった。奴に連絡をとる方法がないわけではない。一応、奴の携帯番号は知っている。共通の、馴染《なじ》みの飲み屋に伝言を頼むこともできる。でもそれは、最後の最後の手段だと思っていた。今はまだ、そのときではないと考えた。

しかしその後、下井は七年にもわたって、このときの判断を悔やむことになる。

いまだに下井は、奴の行方も、安否も確認できないでいる。

下井は書類仕事をなんとか片づけ、夕方四時過ぎに中野署を出た。文京区本郷にある本富《もとふ》士《じ》署までは一時間とかからないはず。午後五時十五分の通常勤務終了には充分間に合うタイミングだった。

実際、下井が本富士署に着いたときはまだ五時にもなっていなかった。身分証を提示して受付を通り、刑事生活安全組織犯罪対策課のある二階に上がる。しかし、刑事に組対、さらに生安までくっついたら、署員はこの課をなんと略して呼ぶのだろう。下井はそういう署に配属されたことがないので、よく分からない。

「……邪魔するよ」

デカ部屋のドアを入り、勝手知ったるといった顔でフロアを進む。不思議なもので、警察官は警察官をなんとなく見分けられるものだ。今も、どこのどいつだ、という目を向ける者はいても、部外者は入っちゃ駄目だよ、などと馬鹿をいう者はいない。まあ、鼻の利かない若造ならそういうこともあるのかもしれないが、若いのは若いので、下井のような年配者に迂闊な口は利かない。それもまた、警察官の習性というものだろう。

いくつもの係を横切って進むと、「強行犯捜査係」とプレートのかかった机の島の向こうに、その席はあった。

真ん前までいき、一つ頭を下げる。

「お久しぶりです。平間さん」

報告書か何かに目を通していた相手は、メガネの上から覗くようにこっちを見上げた。

「……下井」

そう漏らし、メガネをはずす。現在はここの課長だが、下井が本部にいた頃は直属の上司、刑事部捜査第四課暴力犯捜査の第二係長だった、平間敏郎《としろう》警部だ。

「久しぶりだな、おい」

思わずといったふうに立ち上がり、机を迂回してこっちに出てくる。

「なんだ、脅かすなよ。用があるなら、電話の一本でもしてからこいって」

「すみません。どうも、そういう段取りは苦手でして」

「変わらんな。アポなしでどこでも、ズカズカ入っていっちまう。一番、部下に持ちたくないタイプだ」

下井はそこで、あえて壁の時計に目をやった。

「平間さん。このあと、ちょっといいですか。お話ししたいことがあるんですが」

「ああ。別に、かまわんが」

「どこか、近くに店はありますか」

「店か……そうだな」

相談の末、本郷三丁目駅近くの海鮮居酒屋に、下井が先にいって席を取っておくことになった。まだ時間も早かったため、席はどこでも好きに選べた。下井は半個室のような席を指定し、そこに入った。

平間がきたのは、それから二十分くらいしてからだった。

「……なんだ。先に飲んでろっていったのに」

「いや、大丈夫です」

とりあえずビールをジョッキで頼み、ついでにいくつか料理も頼んだ。

先にきたビールで、まずは乾杯。

「お疲れさまです」

「うん、お疲れさん……そういやお前、まだ中野にいるのか」

いってから、平間がぐっとひと口呷《あお》る。

「ええ。四年目なんで、もう来年ですね。まあ、最後の異動ってことになります」

「本部、上がらねえのか」

「冗談でしょ……私みたいなロートル、誰も引っ張りませんよ。もう、本部に知ってる人間も、ほとんどいませんしね」

「そうか……」

女の店員が、やけに威勢よくお通しの小鉢を置いていく。イカの塩辛だ。互いにひと口ずつ、それをつまむ。

「それに、私はもう、本部に上がりたいとも思いません。あそこは、私なんかがいくところじゃない」

平間が、微かに眉をひそめる。

「お前、まだあの頃のこと、根に持ってんのか」

「別に、根に持ってるわけじゃありませんが。……まあ、そうですかね。そういうことに、なりますかね」

あの頃のこと、とはつまり、警視庁組対部設置にまつわるゴタゴタ、のちの人事まで含むいざこざ全般、ということになるだろうか。

「そんなもん、いつまでも恨んでたって仕方ねえじゃねえか。組織だって法律だって、日々どんどん変わってくんだ。俺たちゃただの地方公務員。ある程度のところで、すっぱり割り切ってさ」

まるで、この前の監察官のような言い草だ。

「恨んでは、いませんよ。誰も……ただ、桜田門に尻尾は振りたくないってだけです」

平間が大きくかぶりを振る。

「それを恨んでるっていうんだよ。忘れろ忘れろ。なんもいいことねえぞ、そんなもん引きずったって」

確かに、いいことはないかもしれない。だがそれを忘れて生きられるほど、自分は器用ではない。

刺身の盛り合わせと、ちくわの天ぷらが運ばれてきた。さすがに開店早々なので、出てくるのも早ければ活きもよさそうだ。

早速、平間が鮪《まぐろ》の赤身に箸を伸ばす。

下井は、その手の動きをじっと見ていた。

「……私、最近、監察から呼び出しを受けましてね」

平間はあとから、小皿に醬油を垂らした。

ぺろりと、赤身を口に運ぶ。

「……本部に、呼びつけられたってことか」

「いえ。うちの署に、向こうからきました」

「へえ。なんでまた」

「私も、最初はなんの話だかさっぱり分からなかったんですが、藤田一家、星野一家、庭田組、鬼頭組、長江組、諸田組と挙げられまして。何か心当たりはないかと、訊かれました」

平間の箸が、次の甘エビをつまんだまま止まる。

「……へえ」

そして何事もなかったかのように、ちょんと醬油に浸けて口に入れる。

「へえ、って、それだけですか」

「何が」

「これだけ並べられて、何も思いませんか」

甘エビの後味を洗うように、また平間がビールをひと口呷る。

「……何を、思えばいいんだよ」

「他の誰でもない。この俺に、監察は訊いたんですよ。平間さんだって、覚えがないわけじゃないでしょう」

あの当時、直属上司だったのはこの平間なのだ。

「そりゃ、昔の話をしたら、アレだけど……そんなこと、いまさら監察は持ち出さんだろう」

「持ち出してるじゃないですか。現に俺に訊きにきた。今現在の話をしたら、俺だってなんの関わりもないですよ。藤田も星野も諸田も、まったく接触していない。この括りで関わりがあるとしたら過去、七年前です。特に、諸田と庭田……二代目道栄会《どうえい》ですよ」

諸田組と庭田組は、隅田組の二次団体である二代目道栄会の下部組織に当たる。

平間は、ジョッキの持ち手を握ったまま黙っている。

下井は続けた。

「もう一つ、監察が持ち出してきたことがあります。先週の、河村丈治殺しです。監察は、河村が仮釈六日で殺されたことに注目している。通常は身内にしか知らされない出所情報を、なぜホシは知っていたのか。そこで監察は、警視庁内部に情報提供者がいる可能性を疑い始めた……そういうことです」

まだ、平間は黙っている。

「確かに、そういう情報を組織側に流した時代もありました。情報交換のネタにしたり、恩を売って、別件の首を出させたりもした。持ちつ持たれつ……それをいい時代だったと懐かしむつもりはありませんが、暴対法やらなんやらで、良好だった信頼関係まで、ガラガラと崩れていったのは事実だ。今は、どうなんでしょうね。もうそういう、交換条件の交渉すら成り立たないんじゃないですかね。何せ組対部の人間でも、一度も組事務所に入ったことがない人間がいるって話ですから」

下井はひと呼吸置いて、ちくわの天ぷらに箸を伸ばした。

平間は、小鉢の塩辛をつまむ。

「……それで、監察はお前を疑ったってわけか」

「知りませんけどね。本命は他で、それに繋がる情報が欲しかったのか、それとも俺をつつくこと自体が揺さぶりになるとでも思ったのか、そこのところははっきりしませんが。でも俺はね、そんなことはどうだっていいんですよ。問題は七年前です。二代目道栄会です」

また、平間が黙り込む。

「なんですか。まさか、忘れたわけじゃないでしょう」

それにも、平間は答えない。

「……木野《きの》ですよ、木野。俺はね、いまだに腑に落ちない。七年前、俺たちは道栄会の肝っ玉を握り潰そうと、その懐深くに手を突っ込んだ。でも何もできないまま、その手を引き抜いた……いや、結果として、手を置き去りにした」

平間が内ポケットに手を入れる。タバコのパッケージを取り出し、ゆっくりと一本銜える。

「俺は急に木野と連絡がとれなくなり、あちこち奴を捜し回った。最後の最後は諸田組に、直に当たってもいいとさえ思っていた。でも平間さん、あんたがそれを止めた。大丈夫だ。あとのことはこっちでなんとかするからって、お前は手を引けって、あんたが止めたんだ。俺はそれを信じた。だから直後の配置換えだって受け入れた。大人しく四係に移った。平間さん、あんたが任せろって、木野のことは任せろっていうから、俺は黙って、あの件から手を引いたんだ。もうそろそろ、説明してくれてもいいんじゃないですかね。あの一件、結局どういうふうに落とし前をつけたんですか。木野は、どこにいっちまったんですか」

平たくいえば、木野は下井が諸田組に仕込んだS《エス》——スパイだった。公安風にいえば、下井が木野を工作員として運営した、ということになる。木野から諸田組、ひいては道栄会の情報を引き出し、壊滅の糸口を探ろうとしていた。

むろんこの七年の間にも、下井が平間と話す機会はあった。最初の三年ほどは、まだ時期じゃないといわれた。それ以後は、なんとなくはぐらかされてきた。でも、今日の平間は違った。わざわざ下井が待っている店まできて、こうやって席に着いた。今日こそ平間は何か話してくれる。そんな期待が下井の中に膨らんだ。

しかし、それさえも裏切るというのか。この男は。

「その、監察が挙げたいくつかの組は、このところやけに活動が不活性化してきているらしいです。実際に萎《しぼ》んできてるならいいが、実は動向が摑めなくなってるだけじゃないのかって、連中はそこのところを懸念してる。それと河村殺害を引っかけて、警察の内部情報漏洩を疑ってる……そこで俺が思い浮かべたのが、木野です。こんなこと、考えたかないですが……奴がまだ組織にもぐったままなら、警視庁とパイプを持ったままなら、それが逆に、ダブルになってる可能性もあるんじゃないか、って」

ダブル。つまり二重スパイだ。

あろうことか、平間はそれを鼻で笑った。

「そりゃ……お前、考え過ぎだよ」

「そうですか。だったら説明してください。結局、木野のことはどう落とし前をつけたんですか。奴はどうなったんですか」

平間は短くなったタバコを灰皿に潰し、いったん姿勢を正した。

「そう……お前には、いっておかなきゃならんと思ってた。あれからな、俺もいろいろ手は尽くしたんだ。だが結局、木野の行方は分からず終《じま》いだった。諸田組で何があったのかも、まったく摑めない。ひょっとしたら、何かヘマでもやらかして、追ん出されちまったのかもしれねえな」

下井は、テーブルにあるものすべてを払い落としたい衝動を、かろうじて堪《こら》えた。

「……俺はね、そんな下手な言い訳を聞きにきたんじゃないんですよ。そんな話なら、この七年の間にいつだってできたでしょう」

「仕方ないだろう、それが事実なんだから。……お前も、ここらで木野のことは忘れろよ。案外、どっかの田舎に引っ込んで、のんびりやってるのかもしれないぜ」

ふざけるな。

「だったら、奴は必ず俺に連絡してくる。木野はそういう奴です」

「おやまあ……またずいぶん、高く買ってるんだな」

下井はテーブルの下で、拳を固く握り締めた。

「俺の考えはこうです。木野は死んだか、そうでなけりゃ、俺の前にツラを出せないような、何かとんでもないことをやってる。だとしたら、もとを糺せば、そのように木野に仕向けたのはあんただ。俺をあの件からはずし、梯子をはずして木野を孤立させたのは、平間さん、あんたなんだよ」

ここまでいっても、平間はまったく真面目に取り合おうとしなかった。

そうかなあ、と漏らし、溜め息をついただけだった。

4

新東京連合の元メンバー、飯島崇之《いいじまたかゆき》が王子署管内で殺害された。それも河村丈治殺害とよく似た、全身を滅多打ちにした上での撲殺という手口で。

組対四課の三浦管理官、同課暴力犯捜査四係の明石係長、池袋署の東尾刑事課長、これに玲子を加えた四人で王子署に向かった。車は三浦の使用する公用車だ。玲子は助手席に座っている。

斜め後ろで三浦が訊いた。

「その飯島というのには、こっちでも誰か触ってたのか」

答えるのは明石だ。

「いえ。新東京連合OBには所轄捜査員が何人か当たりましたが、飯島崇之というのには、誰も触っていません。……だったな、東尾さん」

「はい。現時点では、ノーマークでした」

玲子も初めて聞く名前だった。むろん、江田の口から出たこともない。

「こっちのヤマに、そのマル害が絡んでるという感触はあるのか」

続けて東尾が答える。

「現時点では、なんともいえません。ただ多くの繁華街同様、池袋でもマルBの取締りを強化した結果、マル走OBや中国人グループの勢力が拡大するという逆転現象は起こっています。むろん組対はその構成員の割り出しを行っていましたが、何しろ歴史が浅いというのと、指定団体と違って構成が極めて流動的という事情もあり、全容の把握には至っていないというのが実情のようです」

「一応確認しておくが、連合OBというのは、六本木を主な拠点としているのではなかったか」

「はい。それは現在もそうなのですが、このところは池袋でも、かなり幅を利かせ始めていました。何しろ、新東京連合というくらいですから、東京全土のマル走グループを……むろんすべてではありませんが、かなりの数のグループを傘下に収め、統括しています。当然の結果といいますか、新宿、渋谷、池袋も、今や連中の主要ターゲットになりつつあります」

王子署には二十分弱で到着した。

刑組課のある二階に上がる。講堂は捜査本部設置の準備でごった返しているため、同じ階にある会議室で話を聞くことになった。

王子側の代表は南部《なんぶ》という刑組課長警部だ。他にも強行犯係長と鑑識係員が同席している。

「早速だが、事案の概要を聞かせてもらいたい」

三浦の求めに応じ、南部が資料を提示した。

「はい。マル害は、飯島崇之、三十二歳。新東京連合のOBで、もともとは王子烈風隊《れつぷうたい》というグループのアタマでした。これが飯島の時代に連合に加入、自身は数年前に引退していますが、現在も連合の幹部OBとして影響力を持ちつつ、王子、赤羽界隈を根城にしながら、近年は池袋にも活動の場を広げていたようです」

明石が東尾を横目で見る。その点は把握していたのか、と暗に責めているのだろうが、それはお門違いだ。連合OBの構成員割り出しは、それこそ組対課の仕事だ。

「遺体発見現場は」

「家具屋の屋外駐車場ですが、営業終了後は明かりもなく、人目につきにくい場所です。死亡時刻は、前日の深夜頃と思われます。今日が定休日だったため、発見が遅れました。第一発見者は夕方、犬の散歩をしていた近所の住人です」

「今現在、遺体は」

「霊安室で検視中ですので、写真で……おい」

南部のひと声で、鑑識係員が写真をテーブルに並べ始める。二十枚、いや三十枚近くある。

短い金髪、筋肉質な体。両腕と胸にタトゥーがある。暴力団員が入れるような、いわゆる和彫りではない。トライバルデザインの、非常に今風のものだ。

だがそれを打ち消そうとするように、顔面から上半身にかけて、くまなく重度の打撲痕が広がっている。

「特徴的なのは、ここです」

鑑識係員が示したのは、マル害の肩だ。

「鎖骨を、両方とも正面から叩き折られています」

それは、見るだけで分かるほどの明らかな骨折だった。肩のラインが変形している。

「どの段階で折られたのかは分かりませんが、これが暴行の早い段階であったのだとすれば、マル害はその後、ほとんど抵抗できなかったものと思われます。鎖骨が折れると、普通は腕が上げられなくなりますから」

同じだ。河村丈治殺害の手口と、そっくりだ。

「致命傷は」

「胸骨が肺に刺さっているので、呼吸もままならなかったとは思いますが、やはり、ここではないでしょうか」

次に鑑識係員が示したのは、またしても後頭部だった。

「頸椎を、完全に破壊されています。手で触ると、全体がぶわぶわしており、砕けた骨の感触も確認できます。極めて強烈な殴打が加えられたものと考えられます」

仰向けで死亡したのか、死斑は背面に色濃く出現している。河村の遺体は右側を下にしていたので、死斑もそちら側に寄っていた。しかしそれくらいしか、河村の遺体との相違点は見つからない。

差し出がましいとは思ったが、玲子が訊いた。

「凶器は、なんだと思いますか」

鑑識係員が首を捻る。

「元とはいえマル走なので、鉄パイプか金属バットといいたいところですが、バットにしては全体に創傷がせまい。鉄パイプにしては、先端部分が当たったような三日月形の裂創が見当たらない。なので、なんでしょうか……まあ、先端部分の丸い、鉄パイプ様の、もうちょっと金属の詰まった、何か重たい……そういうものでしょうか」

その見解も同じ、か。

逆に、南部が三浦に訊く。

「どうでしょう。そちらの遺体と、似てますか」

三浦は深々と頷いた。

「ほとんど同じといっていいくらい、似ています。今のところは、同一犯と見るのが合理的解釈と思われます。……姫川君」

「はい」

玲子は池袋から持参した遺体写真のファイルを開き、南部に向けて差し出した。

「これが、河村丈治の遺体です」

南部は、声も出ないほど驚いた顔をした。両側から覗き込んだ二人も、似たような表情になる。

三浦が南部に向き直る。

「とりあえず署長、副署長と話をしたい。今、おられますか」

南部は驚いた顔のまま、はい、と答えた。

当然、河村丈治殺害の捜査も早急にその方針を見直さなければならなくなった。

池袋の特捜本部に戻り、緊急幹部会議を開いた。本部側は三浦管理官、明石係長。池袋署側は相馬副署長、高津組対課長、東尾刑事課長。警部補では玲子の他に、組対四課の主任が二人、池袋署の組対から担当係長が二人参加し、総勢十人。よく見ると、刑事畑の人間は東尾と玲子だけだった。

喫緊の問題は、河村殺害と飯島のそれが同一犯であるとしたら、それをマスコミにどう発表するかということだった。

三浦の意見はこうだ。

「早めに同一犯であるという見解を公表しないと、庭田組が連合ＯＢに報復したという噂が流れかねない。そうなったら報復合戦だ。最悪、池袋が血の海になる。しかし万が一にも、一般市民が巻き込まれるような事態だけは避けなければならない」

玲子は、とっさに「しかし」と口をはさんでしまった。

「同一犯であるとの見解を示せば、根拠としてある程度、手口の公表も迫られます。……副署長、現段階では河村殺害に関して、鈍器による殴打としか発表していませんでしたね」

相馬が頷く。

「ああ。新聞やインターネット上でも、今のところ手口に関してそれ以上の情報は出回っていない」

「だとしたら、この段階で手口を明かすのは得策ではありません。特に、犯行の最初の段階で両鎖骨を叩き折り、無抵抗の状態にしてさらなる殴打を加えるという点は、マル被を確保するまで伏せておくべきです」

すると明石が、斜めに玲子を睨む。

「もうそんな、悠長に手の内を隠しておける状況じゃなくなったんだ。仲間が殺られたとなったら、連合側が何を思うかは明々白々だろう。庭田の人間が、組長をとられた報復に飯島を殺したと思うに決まってる。全身滅多打ちという手口も報復だからこそ、目には目を、そう受け取られるだろう。その、飯島という男が報復の標的として妥当だったかどうかは知らんが、そんなことを連中が冷静に、客観的に判断して行動してくれるとは限らん。電話一本で百人でも二百人でも集められるのが連合の強みなんだろう。集めるだけ集めたら、あとは勢いで突っ走るに決まってる。そうなったら暴徒だ。こんなちっぽけな特捜の人員だけでどうにかできる話ではなくなる。デカさんの、ケチなネタの囲い込みなんざクソの役にも立ちゃしないんだよ」

だがそれは、玲子にいわせればまったくの逆だ。

「お言葉ですが明石係長。手口を明かした途端、今度は模倣犯罪が発生する可能性が出てきます。実際、池袋における勢力図は庭田組対連合OBというような、単純なものではありません。藤田一家、鬼頭組、諸田組、指定団体以外でも中国系犯罪グループ、大小様々な半グレ集団、極めて複雑怪奇です。それぞれがそれぞれの思惑のまま、同じ手口で競合勢力を潰しにかかったらどうなりますか。さらに捜査が迷走することにはなりませんか」

けッ、と唾でも吐きそうな仕草で、明石がひと笑いする。

「何も、手口のすべてを明かさなきゃいいんだろう。特に不明な凶器、鉄パイプとは違う、三日月痕が残らない凶器という点さえ公表しなければ、模倣犯が出ようと検視で判別は容易につく」

「本件と判別できても、模倣犯罪が発生した時点で警察の負けです」

「ちょっと待て」

割って入ったのは三浦管理官だった。

「ある程度の情報公開は必要だが、姫川係長の言い分も一理ある。そこまでの大混戦にはならないにしても、模倣できると考えた便乗犯が出てくるのは好ましくない。どちらにせよ、会見の内容は本部と協議の結果如何による。その点は私と、安東課長に任せてもらいたい。

発表は早くても明朝になる。それまでは、管内の指定団体事務所、その他のグループ構成員の集まりそうな場所に捜査員を配置し、池袋署地域課にも警戒を強めるよう指示してもらいたい」

相馬副署長が「はい」と応じ、一応幹部会議はお開きとなった。

早速、特捜本部の捜査員は夜の池袋へと散っていった。

玲子たちが出るより早く通達が行き渡っていたのだろう。通りのあちこちに制服警官が立ち、あるいは巡回に歩き、一般人にもそれと分かるほど街の雰囲気が物々しくなっていた。

玲子の隣を歩く江田も、すれ違う通行人一人ひとりにくまなく目を配っている。

「江田さんは、飯島崇之という男を知っていましたか」

そう訊いても、いつものように玲子の方は向かない。正面から顔を逸らさない。

「ええ、名前だけは。たぶん飯島は、笠井《かさい》のちょっと上の世代になるんだと思います」

これから江田と会いにいくのが、その笠井重則《しげのり》という、やはり連合ＯＢだ。会いにというか、抑えにいくのだ。

「笠井は、本当に店にいるんでしょうか」

署で江田が電話した時点では、笠井は東池袋一丁目にある、会員制カラオケボックスにいるということだった。

「いてくれなきゃ困りますよね。いなかったとしたら、笠井が報復に動き出したと、判断せざるを得なくなる。そうなったら……戦争です」

二人して、なんとなく歩を速める。すでに午前一時。こんな時間のサンシャイン通りを、こんな早足で歩いている通行人は他にいない。しかも、男女の二人組で。

「そんなにすぐ動き出すくらい、笠井と飯島は関係が深いんですか」

「可能性は、五分五分でしょうか。笠井も地元は赤羽ですし、なんといいましたっけ、飯島がいた地元マル走グループは」

「王子烈風隊、ですか」

「ああ、それです。笠井がその、王子烈風隊そのものにいたのか、赤羽支部とか、そのまた下のグループにいたのかまでは失念しましたが、笠井が飯島の後輩であることは間違いないですね。笠井はまだ三十前ですんで、年齢的にも飯島より下です。個人的な付き合いがどうだったかは……まあ、会えたら訊いてみましょう」

目的の会員制カラオケボックスは雑居ビルの三階から五階。三階の受付で警察手帳を提示すると、四階のDルームにいると教えられた。

室内階段で一つ上がり、映画に出てくる秘密結社のアジトのような、黒一色で統一された通路を進む。その中ほど、飾り文字で「D」と入ったドアの呼び鈴を押す。

返事は特になかったので、江田がドアを押し開けた。

「邪魔するよ」

あえて「会員制」と謳《うた》うだけあって、中はなかなか豪勢な造りになっていた。

正面奥、大型モニターの前には一段高いステージがあり、そこにはスポットライトが当たっている。手前のフロア中央には彫刻ガラスのテーブル、それを囲うように並べられているのはベルベット調のソファ。壁にも似た素材の、ワインレッドのカーテンがかかっている。

玲子自身はまったく知らないが、バブル時代の遊び場というのはこんな感じだったのではないか。そんなことを思った。

だが、驚いたのはその内装ではない。二十人近い人数で遊べそうな広い部屋に、ダークスーツを着崩した男がたった一人でふんぞり返っている。そのことの方がよほど、玲子の目には異様に映った。

《……お久しぶり。江田さん》

男はわざわざ、エコーのかかったマイクを使っていった。

ガラステーブルの上は綺麗に片づいているが、部屋の空気には煙臭さが濃く残っている。マリファナでもやっていて、それを消すために慌ててみんなでタバコを吸い、換気扇を回した——そんな状況すら連想させる。少し室温が低いのもそのせいか。

「珍しいな、笠井。お前が一人なんて」

江田が勧めるので、玲子が先に入って笠井の正面に座った。笠井の両目は、さっきからずっと玲子を追ってきている。

《江田さんだって珍しいじゃない。女性同伴なんて》

「下らん軽口を叩くな。こちらは……」

玲子はあえて、途中で江田の発言を制した。

「池袋署強行犯捜査係の、姫川と申します。マイクは置いてくださってけっこうですよ。充分聞こえますから」

笠井はフッと笑い、馬鹿馬鹿しいとでもいいたげにマイクを放り投げた。一瞬だけ、ウォン、とハウリング音がしたが、ソファに転がって上手く向きが変わったのか、それもすぐに収まった。

続けて玲子が訊く。

「……お仲間は、王子に大集合ですか」

聞いているのかいないのか、笠井はポケットからタバコを出して一本銜えた。

「あなたは、いかなくていいの？」

「……何に」

「あら、知らないの？　あなたの先輩が、ボッコボコに叩きのめされた挙句、ひと晩駐車場にほったらかしにされてたのよ。まるで、空き缶かゴミくずみたいに」

途端、笠井の目に針の鋭さが宿る。

「……ネエさん。いくらなんでも、いって良い事と悪い事があるぜ」

「やって良い事と悪い事もね」

安いのか高いのかよく分からないターボライターで、笠井はタバコに火を点けた。

「もう一度訊くわね。あなたは、いかなくていいの？」

「……どこに」

一応、人のいない方に煙を吐くくらいのデリカシーはあるようだ。

「先輩の弔《とむら》いに」

「仕返しにいけって、警察がけしかけるのかい」

「送っていってあげてもいいわよ。行き先さえ教えてくれたら」

笠井は、煙混じりの溜め息を吐きながら身を屈め、テーブルの下から何やら取り出した。黒と銀の、よく分からない素材でできた灰皿だった。

「……いかねえよ、どこにも。誤解されるといけねえから、先にいっとく。さっきまでここにいた連中も、面倒なことになるといけねえから、先に帰しただけだ。仕返しなんて考えてねえから、安心しろよ」

本気か。

「ずいぶん諦めが早いのね。ヤクザじゃないにしたって、面子くらいあるでしょう。あなたたちにだって」

また、笠井が鼻で笑う。心なしか、玲子にはそれが寂しげに見えた。

「よっぽど、警察は俺たちに戦争を起こしてほしいらしいな。でも、あいにくだったな。……もう、そういう時代じゃねえんだよ」

時代、ときたか。

「じゃあ、今はどういう時代なの」

「なんもねえよ。なんにもない、空虚な時代さ」

「ヤクザと張り合って、肩で風切って街を練り歩いて、好き放題やってきたじゃない。今まであなたたちは」

「それが、もう終わりだっていってんだよ」

どういうことだ。

もうひと口吸い、笠井はタバコを灰皿に捻じり潰した。さも、憎々しげに。

「……ちょいと俺たちは、調子に乗り過ぎてたのかもしれねえな。実際、暴対法と面子、親子盃、喧嘩も発砲もご法度《はっと》、そんな、手足をもがれたヤクザもんなんか、怖くもなんともなかった。チャイニーズは、確かに俺たちより後先考えないブチキレが多いけど、その分あいつら、頭悪いからね。横の連携も悪いし。今になって、組織化を進めようとしてるみたいだけど、難しいと思うよ、あの気性じゃ。あいつら、すぐ自分が一番だとか言い出すからさ。馬鹿なんだよ、馬鹿。ヤクザも馬鹿、チャイニーズも馬鹿。そういう俺たちも、おんなじくらい馬鹿ってわけ」

同じだ。この熱のなさ。色濃く漂う倦怠感――。昨日話を聞いたガールズ・バーの代表者も、携帯ショップを始めたという久松も、在日中国人三世の王勝義もそうだった。それぞれバックボーンが違うのに、なぜか同じように意気を失くしている。

「ねえ、あなたたち、どうして……」

「警察は何やってんだよ」

「は？」

だが、すぐに笠井はかぶりを振り、うな垂れた。

「いや……もういいよ。しばらく大人しくしてっからさ。あとは、そっちでよろしくやってくれよ。俺たちもう、関係ねえから」

笠井が席を立とうとし、江田も玲子もそれを止めようとしたが、間の悪いことに携帯が震え始めてしまった。

「ちょっと、すみません」

笠井のことは江田に任せ、内ポケットに手を入れる。

ディスプレイを見ると、東尾課長からだった。

「……はい、姫川」

『お前いまどこにいる』

江田の制止を振り切り、笠井は部屋を出ていこうとしている。

「東池袋の、カラオケボックスですが」

『練馬区小竹町の住宅内で、また撲殺死体が発見された。死後数日経っているらしい。今度のマル害は中国人だ。それとたった今だが、西池袋二丁目の路上で、巡回中の地域課員が何者かに襲われて負傷した』

中国人、さらに、警察官まで――。

5

菊田は南池袋交番の高橋に協力をしてもらい、岩渕時生の似顔絵を作成した。描いたのは千住署少年係の女性巡査。入庁二年目の若手だが、美大卒という特性を活かし、すでに似顔絵技能講習も済ませている実力者だ。

「もっと頬がこけて、目付きが鋭い感じでした」

「こう、ですか」

「ああ、そんな感じです……で、髪はやや長めで」

お陰で、今まで菊田が目にした似顔絵の中でも、出色《しゅっしょく》の出来ではないかというものが描き上がった。

会ったのは。


「ありがとうございました。……尾崎《おざき》巡査も、ありがとう」

その似顔絵を手掛かりに、池袋駅周辺の聞き込み捜査を継続しているときだった。玲子に会ったのは。

正直、ショックだった。

もう一生会うことはない、などと思っていたわけではない。いつか会うことにはなるだろう。そう思っていた。だがそれが、大塚の最期の現場前だとは思わなかった。早い遅いではなく、あの場所というのが想定外だった。

彼女にだけは、結婚したことを知らせていなかった。

結納前、かつての上司である今泉《いまいずみ》警部の自宅に結婚報告にいったとき、彼に訊かれた。

「……姫川には、知らせたのか」

ちょうど夫人がキッチンにいて、梓が手洗いに立ったときだった。今泉なりに、タイミングを計って訊いたのだと思う。

「いえ。石倉さんには電話で、湯田と葉山には、メールをしました。でも、しゅ……姫川さんには、まだ」

ふん、と短く溜め息をつく。

「だろうな」

やはり、この人も気づいていたのだ。自分と、彼女のことを。

「まあ、個人的感情は抜きにしても、義理は欠かん方がいいと思うが……そんなことは、お前だって分かってるか」

はい、と頷くほかなかった。

「菊田。あいつはな……」

今泉は、そこまでいってしばし考え込んだ。

キッチンの方で固定電話が鳴り、はい今泉です、と夫人が高い声で応えるのが聞こえた。

今泉はぐっと奥歯を嚙み締め、何かを吞み込むようにしてから続けた。

「……姫川は、ちゃんと、喜んでくれると思うぞ」

たぶん、違うと思う。あのとき今泉は、本当は何をいおうとしたのだろう。それがこのところ、気になって仕方ない。


普段は寄り道をしなければ、大体六時半には家に帰れる。だがこのところは、どうしても聞き込みの都合で署に戻るのが遅くなってしまう。当然、帰宅時間もそれに伴って遅くなる。

それでも今日は、七時には帰ることができた。

「……ただいま」

「ああ、お帰りなさい。ちょうどよかった。今できたところ」

何か肉を焼いたのだろうか。そんな香ばしい匂いが玄関にまで届いてくる。

「ごめんな。ここんとこ、上がりが遅くて」

「いいよ。私は逆に、ここんとこ仕事軽めだから。特に面倒な事件もないし」

早く帰った方が夕飯を作る、両方遅くなったときは外食か、何か買いにいく。それが二人の間の、なんとなくの決まりになっていたが、数でいえばどうしても菊田の方が遅くなることが多い。でもそれに関しては、菊田もマメにフォローしているつもりではある。

「シュークリーム、買ってきた」

「あっ、サンキュー。嬉しい。私もこの前買おうと思ったんだけど、買い物したあとだったからパスしちゃったんだよね」

箱ごと冷蔵庫に入れ、梓の頭越しにフライパンを覗き込む。ハンバーグのようだった。梓の作るハンバーグは、外は焦げ目がつくくらいよく焼き、でも中身はふっくらと柔らかで、なかなか美味い。ちょっと濃い目のソースも、菊田のような男には嬉しい。

寝室にいき、コートとスーツを脱ぎ、部屋着を持ってリビングに戻る。テレビでは、七時のニュースがちょうど始まるところだった。

梓がこっちを振り返る。

「カズさん。本、届いてたよ。そこ、テレビの前」

「ああ、サンキュー。あとで開ける」

何日か前に通販で注文した、昇任試験用の参考書だ。一応これでも、警部補になる気はあるのだ。

ジャージの下を穿いて、フリースを羽織る。

「カズさん、何飲む？　ビール？　焼酎？」

「ハンバーグだろ。ビールかな」

「安くなってたから、ハイボールも買ってあるよ」

「あ、じゃそっちにするか……」

そんなことをいっているうちにテレビでは、国会絡みのニュースが終わって事件報道が始まった。

《次です。昨日夕方、東京都北区で、会社員男性が他殺と見られる遺体で発見された事件で、先週、同じく東京都豊島区で起こった暴力団組長が殺された事件と手口が似ているとして、警視庁などは詳しく調べを進めています》

北区で他殺体があがったというのは知っていたが、池袋の組長殺しと手口が似ているとは、どういうことだ。

《遺体となって発見されたのは北区の会社員、飯島崇之さん、三十二歳で、全身を鈍器のようなもので殴打され、死亡したと見られています。警視庁の調べによりますと……》

マル害の顔写真が画面に大きく出る。アナウンサーはそれについてなんともいわないが、この飯島という男はどう見ても堅気ではない。単純な印象をいえば、非常に不良っぽい。それが、暴力団組長と似た手口で撲殺されたというのか。それでいて「撲殺」という以上の言及はない。警視庁が詳細な説明を避けたようにも受け取れるが、果たして「鈍器で撲殺」を「似た手口」と判断した根拠はなんだったのか。マル被の人数か。あるいは凶器に何か特徴があったのか。

《さらに、これを受けて池袋駅周辺の警戒態勢を強めていた池袋警察署の警察官が今日未明、職務質問をした際、何者かに鈍器のようなもので殴打される事件も発生し、これについても警視庁は関連を調べています》

池袋の地域課警官が襲われたというのも、署で聞いて知ってはいたが、そうか。王子の件との関連を見込んでいるから、あんなに池袋周辺の警戒態勢が厳しかったのか。これらを受けての措置であろう。一定期間、私服警官にも拳銃の携帯命令が出ている。

そして玲子は、今もあの中にいる——。

「はい、お待ちどおさま」

そして自分は、何事もなかったように今、妻と食事をしようとしている。別件とはいえ、同じ池袋を捜査で歩き回っていたにも拘わらず。

「どうしたの、カズさん。そんな怖い顔して」

菊田はそれとなく、テレビの方を示した。

「……池袋の、組長殺し。なんか、話が大きくなってきたな」

「ああ、あれね。こっちでも話題になってた。あと、練馬でも変死体あがってるでしょう。さっき、七時前のニュースでちょこっとやってた。……なんか最近、異常だよね。内勤も拳銃携帯なんて命令出てるし。でも、凶器は基本的に鈍器なんでしょ？　だったら、全員拳銃携帯は必要ないいんじゃやないかな」

その瞬間、脳内から頭蓋骨を突き抜けるようにして、ある光景が飛び出してきた。棺の中の、大塚の最期の顔。左目を包帯で覆われ、それでもなお、大塚は穏やかに眠っていた。

拳銃——。「ストロベリーナイト」のときだって、それまでは拳銃なんて使われていなかった。だが犯人側は突如として、その引き鉄《がね》を引いた。たった一発で、大塚の命を奪った。

あのとき、もし大塚が拳銃を携帯していたなら——。

「……駄目なんだ。何か……何かあってからじゃ遅いんだッ」

思わず、テーブルに拳を落としてしまった。置かれていた皿が跳ね、箸も転がったが、幸いハンバーグが皿からこぼれるほどではなかった。山盛りに飯をよそった茶碗も、ぐらついただけで無事だった。

「カズさん」

呼ばれて我に返り、顔を向けると、梓の、まるで他人を見るような目と出くわした。

「……ごめん。ちょっと……違うんだ」

梓は強行班の刑事とはいっても、殺人事件の捜査は今まで一度も手掛けたことがない。むろん、仲間を殉職で亡くしたこともないはずだ。

だが自分は、そうではない。バラバラ死体も、轢断《れきだん》死体も、毒殺死体も腐乱死体も見てきた。そんな死と隣り合わせの現場で、大事な仲間まで失った。そういった意味では、自分も「ストロベリーナイト」の経験者なのかもしれない。誰かの死を基準にして、今の自分の生を計っている。大塚の死を心に、頭に刻みつけることによって、己が目に映る社会を、東京という街を再定義しようとしている。刑事という仕事の痛みを、忘れずにいようとしている。

でもそれを、梓には求めたくない。分かってくれなくていい。

梓は、玲子とは違うのだから――。

「……どうしたの」

目の前にきた梓が、菊田の顔に触れようとする。小さな親指が、菊田の目元を拭う。いつのまにかぼやけていた視界が、それで急に焦点を取り戻した。

黒目がちの瞳で見上げる梓を、菊田はただ、抱きしめた。

「なに……く、苦しいよ、カズさん」

「いいんだ。苦しくて」

いま自分は、ここにいる。このあたたかい場所に、梓といる。

「ねえ、冷めちゃうよ……食べようよ」

そのことが、やけに嬉しくて、悲しい。

そして自分がこうしている今も、あの人はきっと、死と隣り合わせの現場を歩いている——。

別件の処理で半日空いてしまったが、翌日の午後にはまた池袋に戻った。

駅周辺の警戒態勢は依然厳重だった。だが一般の通行人はそれをちらちら横目で見はするものの、さして気にする様子もなく、気ままに道沿いのウィンドウを覗いたり、同伴者と笑いながら話したりしている。

菊田の聞き込みも、飲食店を重点的に当たりながら、徐々にそのエリアを広げていた。ジュンク堂前を一人で歩いていたという岩渕。彼は何を考え、何を求め、腹が減ったときはどんなものを食べたいと思うのだろう。そんなことばかり考えている。

そもそも岩渕は、振り込め詐欺グループの一員だった男だ。

二年前の二月三日。岩渕は仲間と三人で、とある中華料理店で飲食をした。そこの店主は以前、千住署捜査員から「こういう男を知らないか」と詐欺事件の被疑者二名の写真を見せられており、それが岩渕の連れに似ていたため、千住署に通報した。担当捜査員八名が現《げん》着《ちゃく》したとき、すでに件《くだん》の男たちは店を出たあとだったが、店主は彼らの顔を見てあることを思い出していた。あれは二丁目のマンションにいる連中だ、出前にいったことがあるから間違いない——。

捜査員は店主から聞いたマンションに直行。一室に踏み込んだが、あいにく逮捕状の出ている二人は不在で、いたのは岩渕一人だった。捜査員は彼に任意同行を求めたが、そこで岩渕は何を思ったか、いきなり逃走を図った。むろん、八人も刑事がいてそう簡単に逃げられるものではない。岩渕は二人の捜査員に体当たりをしたとして、公務執行妨害の現行犯で逮捕。留置されることになった。

翌々日の朝。岩渕はもらい事故で横転した護送車から再び逃走を図り、今度こそ行方をくらますが、後日逮捕された振り込め詐欺グループメンバーを取調べると、どうも岩渕自身は詐欺の片棒を担いでいたというより、単に連中に利用されていただけらしいことが分かってきた。店主の証言でも、岩渕は飲食も碌《ろく》にさせてもらえず、仲間に始終小突かれていたということだった。

つまり岩渕は、ただの逃げ損。そのまま大人しく調べを受けていれば、岩渕自身は無罪放免になっていた可能性が高い。だが公務執行妨害、さらに逃走と罪を重ね、今に至っている。

「これ、置いていきますけど、見えるところには貼らないでくださいね。どこか、すぐ確認できる場所にしまっておいてください。それで、もし似たような男を見かけたら、ご一報くださいい。よろしくお願いします」

逮捕前、最後に食べたのが中華じゃいい思い出はないかな、と思う一方で、二年前のように気の利く店主が通報してきてくれることを願って、つい菊田は中華料理店に入ってしまう。

要は験担《げんかつ》ぎだ。

とはいえ、聞き込みに入るのは飲食店ばかりではない。もしかしたら犬猫が好きかもしれないので、あればペットショップも当たってみる。実をいうと、菊田自身は犬が苦手なのだが、ケージに入っている小型犬ならギリギリ我慢できる。岩渕に似た男がよくプードルを見にきていた、などという話が聞ける可能性もないではない。他には、花屋、衣料品店、コンビニエンスストア、ドラッグストア、スーパーマーケット——可能性がありそうな店なら、もう手当たり次第に当たった。

そんな中で、ようやく当たりが出たのが劇場通り沿いにある百円ショップだった。

「あ、知ってます知ってます、この人」

その女性店員の、あまりにも断定的な言い方には、むしろ疑念を覚えた。

「ずいぶん、はっきりと覚えていらっしゃるんですね」

「ええ。ほら、ちょっと……カッコいいじゃないですか」

なるほど、そういう理由か。まあ、確かに岩渕はブ男ではないが、かといってカッコいいというほどでもないだろうと、菊田は思う。

「このお店にきたことがある、ということですか」

「はい。三、四回、かな……ってことは、なんですか、この人、悪い人だったんですか」

「いや、そんなに悪い人、というのでもないです」

何しろ、罪は何も犯していないのに、ただ逃げ回っているだけなのだから。

「一番最近では、いつ頃きましたか」

「先週、かな……もうちょっと前だったかな」

「何時頃」

「この前は、夜だったかな。でも昼間のときもあるし、夕方のときもあったし」

「このお店は何時までやってるんですか」

「九時までです」

「何を買っていったか、覚えてますか」

「わりと、食べ物が多かったかな……お菓子とか、カップラーメンとか」

ということは、この近所に潜伏している可能性大、ということだ。

「どっちに帰っていくか、覚えてますか」

「そっちです。で、角を曲がっていくんじゃないかな。なんとなくですけど」

この店は角地《かどち》にある。店員の証言が確かならば、だいぶ潜伏先は絞られてくることになる。

他にも、来店時の服装や所持品の有無、小さなことでも印象に残っていることがあれば、と尋ねたが、それ以上彼女から新しい情報を引き出すことはできなかった。

「ありがとうございました。これ、置いていきますんで、どこか、すぐ確認できる場所にしまっておいてください。見えるところには、貼らないで……それと、他の店員さんにも話しておいてください。もしまたくるようだったら、この番号にご連絡ください。よろしくお願いします」

菊田は店を出て、店員のいった通り角を曲がってみた。劇場通り沿いは十階建てくらいのマンションが多いが、一本中に入ると三階、せいぜい四階建てのそれが多くなる。しかし、こういうちゃんとしたところに、岩渕が部屋を借りることなどできるだろうか。あとで、この一帯に詳しい不動産屋を当たってみた方がいいかもしれない。書類審査がゆるい、あるいはまったくしない賃貸物件があれば、それも虱潰《しらみつぶ》しに当たる必要があるだろう。

また小さなラーメン屋を見つけたので入ってみる。

だが、ここはまったく心当たりがないという。

「ありがとうございました……よろしくお願いします」

もうワンブロック進むと、また少し街の様子が変わった。急に高い建物が減り、瓦屋根の日本家屋があちこちに見受けられるようになった。コインパーキング、月極駐車場などもあり、やけに視界が開けたように感じる。住所を確認すると、池袋三丁目となっていた。ここは池袋署管内なのだろうか、目白署管内なのだろうか。微妙なところだ。

一軒、屋根も外壁も錆びついたトタンという古ボケたアパートを見つけた。一階は今も営業しているのかどうか怪しいおでん屋。色褪せたホッピーの短冊ポスターが、なんとも侘《わび》しい雰囲気を醸し出している。

こういうところなら、岩渕のような人間にも無条件で貸すかもしれない。そう思い、おでん屋、一階奥の二世帯、二階の三世帯をくまなく訪ねたが、あいにくどこも留守だった。そもそも古過ぎて、一世帯も入居していないのかもしれない。あとで、これも不動産屋に確認してみよう。

さらに北向き、駅から離れる方にエリアを移してみる。

いつのまにか住所は池袋四丁目になっていた。さすがにこの辺までくると、もう繁華街という感じはしない。小学校があったり、近所の子供を教えるのであろう、小さな学習塾があったりする。地元議員の事務所、なんの仕事かは分からないが、同じ型のワンボックスカーを並べて置いてある会社。石屋というのだろうか、塀に使うコンクリートブロックや、砂、砂利などを扱っている店もある。

これは、なんだろう。

「有限会社、茅場《かやば》組……」

腰上が曇りガラスになったアルミ引き戸に、そう入っている。隣家との間には鉄パイプで足場が組まれ、そこにまた鉄パイプが何本か載せられている。おそらく架設工事などを請け負う会社なのだろう。

だが気になったのは、その足場に載った鉄パイプだ。かなり長いもののようだが、持っていこうと思えば外部の者でも簡単に持ち去ることができる。こういうものを利用して殴打事件が起きるのだとすれば、持ち主にはもっと管理を徹底させる必要があるだろう。とりあえず、屋内に保管させるとか。

こういった状況を、池袋署はきちんと把握しているのだろうか。

第三章

1

マサの出現に法則はない。あったにしても、少なくとも私には分からない。

三日くらい毎日顔を出したかと思うと、半月、ひと月くらい間が空いたりもする。朝方、いきなり風呂を貸してくれとくることもあれば、夜、ふらりと一升瓶を抱えてくることもある。

酒は、滅法強かった。何もツマミがなくても、延々冷酒をコップで飲み続ける。柿の種やアタリメといったものも、出せば口にする。でもなくても欲しがらない。

そもそも食べ物にはあまり執着がないようだった。カップラーメンを食べても、出前で寿司をとっても、別に美味いとも不味《まず》いともいわない。ただ口に運び、酒で流し込む。それ以上でも以下でもないようだった。

あるとき、怖い目をして訊かれた。

「……あれから、シャブはやってねえよな」

「やってませんよ。なんですか、疑ってたんですか」

残っていた分をまとめて炙《あぶ》って吸ったが、それ以後は本当にやっていない。

「俺のやった薬、飲んでるか」

「ええ、飲んでます。あれ飲むと、けっこう落ち着きます」

それも本当だった。マサが持ってくる薬を飲むと、中毒症状が少し和《やわ》らいだ。ただ、具体的にそれがなんなのかは聞いたことがなかった。

「よし。じゃあ、そろそろ特訓を始めるか」

「特訓……なんのですか」

「警察官を見ても挙動不審にならない訓練だよ」

翌日、マサに強引に家から引っぱり出され、池袋の駅前まで連れてこられた。

「いいか。サツってのはな、相手の態度の変化を見てるんだ。視線、表情、声色、挙動、歩幅。確かに、中にはクソ真面目に手配写真を頭に叩き込んでる奴も、そういう捜査を専門にやってる連中もいるが、そんなのはごくごく一部だ。ほとんどいないと思っていい。問題はその場でとる態度だ。あんたはシャブ中だった。でも態度にさえ出さなきゃ、シャブ中だったことも前科もんだってことも分からない。そのことを頭に、体に染み込ませるんだ」

「そんなの……どうやって」

自慢ではないが、私は何か後ろめたいことがあると、すぐ態度に出してしまうタチだ。浮気をするとたちまち女房にバレた。路上で職務質問をされ、しどろもどろになってしまい、怪しまれて身体検査をされ、覚醒剤所持が発覚してしまった。

「簡単なことさ。練習すればいいんだ。いいか、あの交番にいって、サンシャイン60への行き方を訊いてこい。で、説明を受けている間は、そいつの説明が正しいか、一番分かりやすくて早いルートをいっているか、真剣に考えろ。些細《ささい》なことも聞き逃すな。……大丈夫。今はシャブやってねえんだから。だろう？　もし疑われたって平気だろう」

仕方なく、マサに命じられるまま交番に道を訊きにいった。

だが、不思議なくらいというか、拍子抜けというか、その警察官は実に一所懸命、私にサンシャイン60への行き方を説明してくれた。

「そこの角を、ずーっと右にいくとですね、細いのも入れると七本目、左の向かい角に青いテントのかかったお店がありますから、その角を左に曲がったら、もう正面に見えますよ。お父さん、サンシャインの形は分かる？」

「ええ……分かります」

どうやら、どこかの田舎から出てきたおとっつぁんと思われたらしい。

「じゃあ、見れば分かるよね。あとは真っ直ぐ、そこを目指して、信号を三回渡れば着きますよ」

「分かりました……ありがとうございました」

いわれた通り歩き始めると、あとからマサが追いついてきて横に並んだ。

「……どうだ。別に大丈夫だろう」

「ええ。なんとも、いわれませんでした」

「でもな、これはまだまだ初級編だから」

似たようなことを別の交番でも繰り返し、何回目かで中級にチャレンジすることになった。

「今日は、これをポケットに入れていけ」

渡されたのは、白い粉末入りのビニール包みだった。

「こ、これって……」

「安心しろ。中身は塩と旨み調味料だ。検査されても平気だから。堂々と持っていけ」

本当だった。これまで道を訊いたときと同じように、警察官は何を疑うでもなく道を教えてくれ、最後には「お気をつけて」とまでいってくれた。

だが驚いたのは、家に戻ってからだった。

「おやっさん。さっきのパケの中身、ちょっとだけ舐めてごらん」

「えっ……まさか」

その、まさかだった。舌先にチョンと付けただけだったが、それでも分かった。それは塩と旨み調味料などではなかった。正真正銘、本物の覚醒剤だった。

「な、いっただろう。警察官はな、根拠があって疑ってるわけじゃないんだ。態度が怪しいから、職質したり持ち物検査したりしてるだけなんだって。だから、肝心なのは態度。何も悪いことはしてませんよ。何も持ってませんよ。そう、自分を信じきることが大切なんだ……明日もやるぞ」

覚醒剤だけではない。アクション用のトレーニングナイフと、本物のバタフライナイフ。高級モデルガンと、本物のトカレフ。どちらか分からない状態で持たされ、あとで答えを聞くという訓練。私自身、もはやそれになんの意味があるのかもよく分からなくなり、ただ警察官は滅多に職質なんてしない、滅多にしないいんだと、そのことだけを繰り返し言い聞かされた。

そして忘れた頃に、実戦研修に連れていかれる。

「今日は、中国人だ」

向かったのは、都電雑司ケ谷駅近くの雑居ビルだ。

マサは薄暗い廊下を進み、一番奥のドア前に立っている男にひと声かけた。

「……どけ」

「ハァ？」

マサは、野球のピッチングフォームのように上半身を低くし、ブンと右手を高速で前に振り出した。男もポケットから何か取り出そうとしたが、まったく間に合わなかった。右肩に強烈なスタンプを喰らい、うっ、と呻《うめ》きながらその場に膝をつく。

ここで手をゆるめないのがマサの手口だ。跪《ひざまず》いた男の後頭部に、躊躇《ちゆうちよ》なくスタンプを打ち下ろす。

男の首が、がくりと力なく落ちる。

「おやっさん。こいつ、引きずってでもいいから中に入れといて」

「ああ、分かった」

堂々とドアを開け、倒れた男を跨いでマサは室内に入っていった。すぐに「あなた誰ッ」というヒステリックな女の声が聞こえたが、何度かスタンプの鈍い音がしたあとは静かになった。

私がようやく男の死体を玄関に引き入れ、中に入ったときには、もうあらかた仕事は終わっていた。

両手両脚をあり得ない角度に折り曲げた女が、白目を剥いて床に倒れていた。それとは別に、半べそをかいた男がブランド物のバッグに札束を詰めている。男は短髪で、大陸系特有の四角い顔をしていた。涙を流しながら、鼻水と涎《よだれ》も垂らしながら、せっせと手を動かしている。

「その小銭も、全部だ」

ここは贓品《ぞうひん》バッグの即売所のようだった。テーブルの上には様々なデザインのバッグが無造作に、ビニール袋に入れて並べられている。私に分かるのはシャネルだけだったが、おそらく他の品もそれクラスの高級なものなのだろう。

マサは、足元で呻き声を漏らしている女を見下ろし、

「……うるせえな」

その場にしゃがむように、膝を落とした。

マサの、全体重の乗った右膝が、女の薄い胸の真ん中にめり込む。枝の折れるような音が立て続けに鳴ったが、以後は何も聞こえなくなった。

ただ、金を詰めていた男は大騒ぎだ。

「ふ、ふわっ、ふわ……ひと、人殺し……あんたたち、ひと、人殺しだよッ」

「そうだよ。だから早く、金詰めろよ」

「私のこと、殺さないか。殺さない、約束するか」

「分かった。殺さないよ。約束する」

男はバッグのジッパーを閉め、中身が詰まって重そうなそれをマサに差し出してきた。完全に、腰が引けていた。だから、

「……キエアッ」

バッグの下に隠し持っていたナイフでマサを刺そうとしたところで、そんな切っ先が届く

はずもない。

「馬鹿か、お前」

マサはスタンプで、男の右頰を真横から打ち抜いた。その一発で顎関節が砕け散ったのだろう。顔そのものが折れたというか、裂け目の入った赤提灯というか、とにかく世にも奇妙なひん曲がり具合になった。

男は、声にならない悲鳴をあげながらその場に両膝をついた。危ないな、後頭部を見せたら殺されるぞ、と私は思ったが、マサは少し、その愚かな男をいたぶることに決めたようだった。

「ここ、痛いんだぜ」

次にマサが狙ったのは、男の尾骶骨《びていこつ》だった。子供が冗談で「カンチョー」とやるのと大差ない発想だ。小さな骨が欠ける音がし、男は「ンギャッ」と呻き、右手で顔を、左手で尻を押さえ、芋虫のように床を這い回った。

マサはその傍《かたわ》らにしゃがみ、男に語りかけた。聞いているかどうかは定かでなかったが。

「死ぬのはさ、どうやったって苦しいんだ。ただ、ここをね、脳幹を早い段階で破壊してやるってのは、わりと死ぬ方も楽だと思うんだ。俺は死んだことねえから分かんないけど。それに比べて、今までの奴らの苦しみ様からすると、折れた肋骨が肺に刺さるってのは、なかなかつらいみたいだぜ」

横たわった男の、右腋の下にスタンプを落とす。三、四本まとめて肋骨が折れる音がし、男は目玉を飛び出させんばかりに目を見開き、さらにのた打ち回った。そんなに苦しいなら、舌でも噛んで死んでしまえばいいのに、と思ったが、そもそも顎が破壊されているのだった。もはや、彼には舌を噛み切る自由すらない。

マサは、ここも痛いぞ、と予告しながら男の、体中の骨を折っていった。男はそのたびに苦しがったが、徐々に意識も薄れてきたのだろう。反応は次第に鈍くなっていった。

やがて、男は骨を折られても、折れた骨をさらに捻じ曲げられても、なんの反応もしなくなった。肺が機能しなくなって、窒息死したのかもしれない。あるいは痛みが強過ぎてのショック死か。

マサは三つの遺体を見下ろしながら、長い溜め息をついた。

「……ま、こんなもんか。問題は、死体の処理なんだよな。一々埋めにいったり、バラバラにして遺棄したりするの、けっこう面倒なんだよな……おやっさん。なんかいいアイデアないかね」

知るか、と思ったが、むろんいいはせず、私はただ首を傾げるに留めておいた。

やはりマサは、奪った金のほとんどを燃やしてしまう。私が手を出せば、十万や二十万なら気前よくくれた。百万もらったときもあった。だが、あまり欲をかくと痛い目を見る気がしたので、そこでやめておくことにした。

死体は、ひと晩くらい置き場に置いておくと、いつのまにかマサが車で運び出してなくなっていた。自分でいっている通り、どこかに埋めるか、切断して処理するのだろう。それを手伝えといわれないだけ、私は感謝しなければいけなかったのかもしれない。

ある夜。私が風呂から上がって二階の茶の間に戻ると、マサは一人で焼酎を飲みながらテレビを観ていた。Ｔシャツの背中に浮き出た筋肉の盛り上がりは、確かに立派だった。だがそれでも、後ろに目がついているわけではない。包丁か何かあれば、私でもこの男を殺すことはできる。そんなことを考えた。ただ実行に移したら、まったく逆の結果になるようにも思う。振り向きざまに一撃喰らい、倒れたところに膝を落とされる。あの中国人女ほど簡単に絶命しない自信はあるが、かといってマサに勝てる気はしない。マサの攻撃は躊躇がなく、的確で、なお一撃一撃が重い。ＫＯ率百パーセントのヘビー級ボクサー。いつのまにかそんなイメージを刷り込まれていた。いや、致死率百パーセントか。

マサが、ふいに「あっ」と声を漏らした。

「……どう、しました」

「そうか、そうだよ。なんだ、簡単なことじゃねえか。馬鹿だな、俺」

テレビには、どこか外国の祭りの様子が映っている。

「その、祭りが、どうかしましたか」

「そうだよ。こういうの買ってくればいいんじゃねえか。たぶん、東急ハンズとかで売ってるよ」

「ちょっと、なんの話ですか」

「お面だよ、お面」

確かに、その祭りに参加している人々はみな、煌《きら》びやかなお面をかぶっていた。顔全体を覆うものや、目だけを隠すタイプ、形も色も様々だ。ピエロ風のも、猫のように耳がついたものも、孔雀《くじゃく》のようにたくさん羽をつけたタイプも、烏《からす》のお化けのように鼻が長くなったものもある。

「あのお面が、どうかしましたか」

「だからよ、これからは顔を隠して仕事すりゃいいんだよ。一人か二人、見せしめに殺してさ、今まで同様、一人だけ危害を加えないで、金を出させる。……そもそも後ろ暗い金だ。奴らだって警察に訴えたりは端からでききゃしねえが、仕返しは厄介だからな。下手に犯人捜しされて寝込みでも襲われたら面倒だから、今までは皆殺しにしてきたけど……そうだよ。顔さえ見せなきゃ、何も皆殺しにしなくたっていいんだ。簡単なこっちゃねえか。死体だって、放って帰ったら連中が勝手に処理するぜ、きっと」

そう上手くいくだろうか、と思いもしたが、それ以前に、よく分からないことが多過ぎる。

「あの……ずっと不思議に思ってたんですが、あんたは、主に犯罪で儲けたお金などを狙って、奪ってきてますよね」

「ああ。……おやっさん、なんだよ今さら」

「でも、決してお金が欲しくてやってるわけじゃ、ありませんよね」

「いや、そんなこたぁねえよ。金は欲しいさ」

「でも、大体は燃やしてしまうじゃないですか。あんただって、百万くらいはポケットに入れてるだろうけど、でも、一千万でも二千万でも、あとは燃やしてしまうじゃないですか」

「ああ……確かに、そうだね」

テレビはもう、祭りの様子を映してはいない。天気予報になっている。

「なぜなんですか。そもそも、何が目的なんですか」

マサは座卓の端に置いてあったタバコの箱を取り、スッ、と一本飛び出させて銜えた。ちなみにそれは、私が買ったタバコだ。

一緒に置いてあった使い捨てライターで火を点ける。

「……目的なんて、別にねえけど」

「そんな馬鹿な。あんたは、わざわざ武器まで自作して」

「作ったのは俺じゃない。おやっさん、あんただ」

「実際はそうですけど、でもこっちを削ってくれ、もっとなめらかにしてくれって」

「ああ。じゃねえと、俺が痛《いて》えんだよ。手首とか、親指とか」

「そんなに一所懸命やってて、目的がないってことはないでしょう。何か、お金以外に目的があるでしょう」

マサは首を傾げ、苦笑いを浮かべた。

「別に……おやっさんはガキの頃、蛙のケツの穴に爆竹突っ込んで、破裂させたこととかなかった？」

なんだ、いきなり。

「ああ……友達は、やってたかもしれないけど、私は、なんでだろう。やったことなかったね」

「ジャムの瓶が一杯になるまで毛虫を集めて、水入れてシェイクして殺したりは」

「それは……聞いたことないな」

「トンボの羽を毟《むし》ったりは？　カタツムリの殻を割って剝がしたりは？　やるだろう、普通。一回や二回は、やってみるだろう」

だから、なんだというんだ。

「まさか、それと同じだなんて、いうんじゃ、ないだろうね」

「は？　同じだろう。殺されても文句いえないような連中を、殺す。殺したいから、殺す。虫ケラ同然にね……もちろん、俺だってていつ殺されるか分からない。だから顔を隠そうって、そう思いついたわけ」

この男、頭がおかしいのか。

「そう、か……じゃあ今まで、顔を隠すことは、一度も、考えなかったのかい」

「いや、考えたよ。でも、毛糸の目だし帽とか、カッコ悪いだろ。殺される方だって、あんなんじゃ笑っちまうよ。視界も悪そうだし、横からの攻撃とかに、対応できなくなりそうだし……でも、あのマスクはいいんじゃねえかな。こう、顔に上手くフィットしそうだ」

実際、その何日かあとに買いにいかされた。正式には「ベネチアンマスク」というものらしく、確かに東急ハンズなどにいくといろいろ、無地のものから完成品まで取り揃えられていた。ただ、池袋では買うなとマサにいわれていたため、わざわざ渋谷までいって買ってきた。それも、十枚まとめて。一枚きりだと、気に入らなかったとき文句をいわれるだろうと思ったからだ。

「だからってよ……十枚は買い過ぎだぜ。おやっさんみたいなのがこんなの十枚も買ったら、怪し過ぎるって」

とはいいながらも、マサはまんざらでもない様子でマスクを選び始めた。

「んん、これだな。これが一番視界がいいし、俺の顔にフィットする。俺、これにするよ

……おやっさんは？」

そうか、私も選ばなければならないのか。

「じゃあ、この、黒いので」

「地味だね」

「あんたのそれの方が、どうかと思うよ。ちょっと、色が派手過ぎないかい」

布製で、目を中心に顔の半分を覆うタイプで、デザインは極めてシンプル、特別な突起や飾りはない。ただ、色が鮮やかなブルーなのだ。ある意味、かなり印象深い。

しかし、マサはあくまでもその一枚が気に入ったようだった。

「いや、いいよ。印象的なら、それはそれでいい。そのうち、すべての面倒は、このマスクが引っかぶってくれるようになる……」

実際、その青いマスクはマサによく似合っていた。

これをかぶって、この男はまた人殺しをしようというのか。

子供がトンボの羽を毟るように、無邪気に笑いながら、人間の骨を圧し折るのか。

2

玲子は急遽、江田を連れて池袋署に戻った。デカ部屋ではなく、特捜の設置された会議室に直行する。

「ただいま戻りました」

一礼して入ると、上座にいた何人かがこっちを向いた。安東組対四課長、三浦管理官に明石暴力犯四係長。池袋署側は高津組対課長と東尾刑事課長だ。

玲子は東尾に訊いた。

「また撲殺死体って、どういうことですか。それと、うちの署員も襲われたって」

だが東尾は、「まあ待て」と手をかざして玲子を制した。幹部は幹部で何やら話していた途中らしい。

東尾が安東と三浦の方に向き直る。

「……飯島崇之の件しかり、今回の中国人しかり。どうもこの連続撲殺事件は、暴力団絡みの抗争事件とは、筋が違うように思われます。練馬署は早速、捜査一課に協力を要請したということです」

中国人の撲殺死体が発見されたのは練馬区小竹町、管轄は練馬署。果たして、あっちの特捜にはどこの係が入るのだろう。

明石係長が一歩前に出る。

「それはアレですか、この案件は四課の出る幕ではなかったと、そう東尾課長は仰《おつしや》りたいわけですか」

「四課への協力要請を決めたのは私だ。出る幕がどうだなんて話はしていない。ただ王子の飯島殺しも、今回の練馬の中国人殺しも、本部からは殺人班が出張《でば》るということです。今後、証拠が出揃ってくれれば共同捜査になることくらいは視野に入れておかなければならない。むろん我々も、そういう目でこの事案を見なければならない」

「じゃあ、ここまでこっちが集めてきた情報はいらないって話ですか」

「……よしなさい、明石係長」

足元から這い上がってくるような、低い声――。

安東課長が、東尾を斜めに見下ろす。

「では、東尾課長。あなたは今後、この特捜本部をどうしたいとお考えか」

東尾はサッと周囲を見回し、最後に視線を安東に戻した。池袋署の高津課長を含め、周りは組対畑の人間ばかり。ここで下手な対応をすると、冗談でなく今までの捜査がご破算になりかねない。

どうするつもりなのだろう――。

東尾は、小さく頷いてから口を開いた。

「……大変、申し上げにくいことですが、いったん捜査を、通常の殺人犯捜査の手法に戻したいと考えます」

さらに明石が前に出てくる。

「ハァ？　それじゃ四課は用なしだっていってるのも同じだろうがッ」

「君は黙っていなさい」

再び安東が抑える。背の高さだけではない、何か常人にはない威圧感が、この安東という男にはある。

「……東尾課長。今の話、しかと承《うけたまわ》った。ただし、我々も我々の捜査を無意味だったとは思っていない。今後また、我々の摑んでいる情報が捜査の役に立つ場面もあるやもしれない。よってこの特捜から、即時撤退することはしない。王子、練馬との共同、あるいは殺人班の追加投入の有無に拘わらず、我々は撤退しない。それでよろしいか」

東尾が、小さく頭を下げる。

「こちらは捜査協力をお願いしている身です。引き続きご協力いただければ心強い。……ああ、姫川」

ようやく東尾がこっちを向く。

「はい」

「今デスクで資料は作らせてるが、概要だけ伝えておく。小竹町のマル害はハヤシフミオ、森林のハヤシに文章のフミ、オットで、林文夫《はやしふみお》、三十三歳。練馬署組対係の話によると、主華龍《スカル》の元メンバーだそうだ」

玲子が話を聞いた、あの王勝義と同じということか。

「電話で聞いた限りでは、今回も手口はよく似ている。これから我々も練馬に確認にいこうかと思うが」

「はい、私も」

「いや、お前は病院にいってくれ。地域課一係の大竹巡査部長が、西池袋クリニックに入院している」

地域一係の大竹巡査部長といったら、河村丈治殺害現場の保全に当たっていた、あの西口交番の警官ではないか。

「……襲われた地域課警官って、大竹部長だったんですか」

「ああ。知ってるのか」

「ええ。現場保全とか、朝稽古で何度か話したことがあります」

「そうか。彼は今も加療中だが、おそらく命に別状はないだろうということだ。お前がいって、医師の許可が出次第、事情を聞いてくれ」

「了解しました」

すぐに江田を伴い、会議室を出ようとしたが、「それと」と東尾に呼び止められた。

「……はい、なんでしょう」

「お前、一課の勝俣《かつまた》と、何かあったのか」

今頃、ガンテツがなんだというのだ。

「何かって……まあ、以前に一度、同じ特捜本部に入ったことはありますが」

それ以外にも数回にわたって捜査妨害は受けているが。

東尾が「そうか」と頷く。

「練馬の特捜には、殺人班八係が入ることに決まったらしい。それでだろう、俺のところに、直接奴から探りが入った。河村殺しの特捜に、姫川という女係長はいるか、と……俺は、正直にいると答えておいたが、それでかまわなかったか」

嘘をついてどうなるものでもないが、できれば惚《とぼ》けておいてほしかった。まあ、お陰でこっちも練馬の特捜に勝俣がいると分かったわけだから、ここは差し引きゼロと考えておいた方がいいか。

「東尾課長、勝俣さんとお知り合いなんですか」

「ああ。二十年くらい前に、ほんのちょっと城東《じょうとう》署で一緒になっただけだが、ここ十年くらい、どういうわけか、ちょくちょく因縁をつけられるようになった。なんだろうな……別に、奴に睨まれるようなことをした覚えはないんだが」

十年前といったら、まだ勝俣は公安部の所属だったはず。そんな頃から、奴はわざわざ部外の人間に嫌がらせをしていたのか——。

非常に、納得のいく話ではある。

西池袋クリニックは、同町にある救急指定病院だ。

「失礼いたします。池袋警察署の姫川と申しますが、救急で搬送されました大竹慎吾《しんご》さんは、まだ治療中でしょうか」

受付で訊くと、制服制帽姿の警備員はすぐに内線で確認してくれた。

「はい、了解いたしました。……お待たせいたしました。つい今し方、三一六号室に入られたということです。ご家族の方もそちらにいらっしゃると思いますので」

「分かりました。ありがとうございます」

面倒だったので階段を駆け上ったが、午前二時過ぎという時間を考えたらエレベーターにすべきだったのかもしれない。特に玲子のパンプスの足音がうるさかった。

突き当たりにある緑色の非常口誘導灯と、トイレの前だけが仄《ほの》かに明るい廊下をゆく。三一四号、三一五号と一つひとつ確かめながら進み、だが角を曲がって一つ目の三一六号だけは他所と違い、煌々《こうこう》と照明が灯っていた。

「……失礼いたします」

ガタッ、と椅子が鳴り、窓ガラスに人の影が映った。白いカーテンの陰から顔を出したのは、グレーのニットチュニックを着た若い女性だった。細身の長身で、ちょっと見はモデルのような雰囲気がある。

「池袋警察署の姫川です。大竹巡査部長のお部屋は、こちらで間違いありませんか」

「はい、大竹はここに……あの、いつもお世話になっております。大竹の家内です」

二十代半ばのように見えるが、なかなかしっかりしている。夜中だからかもしれないが、化粧っ気がないところもなんとなく好感が持てた。

「どうぞ、こちらに、お入りになってください」

「大竹さん、お休みではないんですか」

「いえ、起きてます……いや、あの、目は覚ましている、というだけで。体は、起こせないんですが」

「失礼します」

勧められるまま江田と共に奥へと入る。夫人が空けてくれた窓辺に進むと、すぐさま包帯に覆われた大竹の姿が目に飛び込んできた。

左腕は肘から指先まで。左肩も何か当てているのだろう、大きく膨らんでいる。頭部は髪の毛のあるところ全部と、右目。右腕は無事だったようだ。胸から下は布団がかけてあるのでよく分からない。

「姫川係長、江田部長……面目ありません。こんな姿に、なってしまいました」

思わず、玲子は安堵《あんど》の息をついた。

「でも、よかった……ほんと、怪我で済んでよかった。うちの特捜本部以外でも、同様の手口による犯行で、すでに二人の犠牲者が出ています。犯人が同じなのだとしたら、大竹さんが助かったのはやっぱり、普段の訓練の賜物《たまもの》でしょう。じゃなかったら、奇跡としかいいようがないです……奥さん、お医者さんから詳しいことは」

「はい」

夫人はニットのポケットから何やら紙切れを出し、それを見ながら答え始めた。

「……左手小指と、薬指の中手骨《ちゅうしゅこつ》、が、折れています。それから、左前腕の尺骨《しゃっこつ》、手根骨《しゅこんこつ》から七センチのところが、折れています……って、これで、説明になってますでしょうか」

「はい、大丈夫です。分かります」

バカ、と大竹が小さく怒鳴りつける。

「姫川係長は、元、捜査一課なんだぞ。殺人事件捜査の、専門家だ。お前が心配しなくたって、そんなのは全部、お分かりになるに、決まってるだろう」

玲子は、この大竹という男を比較的温和で冷静なタイプだと思っていた。まあ、それも決して間違いではないのだろうが、夫人の前では少し違うように感じられた。若干、亭主関白の気があるのかもしれない。

「あ、あの……すみません、私、警察のことは、何も……」

うん。夫人は見るからに警察とは縁のなさそうなタイプだ。そうなると逆に、どういう出会いで大竹と結婚したのかという興味が湧いてくるが、今日はあいにくそれどころではない。

「いえ、いいんですよ。左手と左前腕尺骨と、その他は」

「はい。左の鎖骨にヒビが入っているのと、あと、右側頭骨《そくとうこつ》にも、線状骨折があるそうです。頭は、今日のところは固定してあるだけですが、明日もう少し詳しく検査をして、脳に異状がないようだったら、そのまま固定だけで治すみたいです。右目はちょっと、分からないんですけど、右耳は聞こえているので、先生も、そんなに心配はないみたいに、仰ってました」

「そうですか……よかった」

玲子は大竹に向き直った。

「大竹さん。そのときの様子、いま話せますか」

「はい……覚えている範囲でなら、お話しできます」

夫人が椅子を勧めてくれたので、江田と並んで腰を下ろした。

大竹は、咳払いをしたりすると頭や体のあちこちが痛むようだったが、それ以外は特に苦痛を訴えることもなく、落ち着いた様子で事件について語り始めた。

「午前零時過ぎ、西池袋二丁目、三十五付近の路上でした。特別警戒中というのもあり、警らをしていると、年齢二十代半ば、上衣はフライトジャケットタイプのジャンパー、色は緑色に見えましたが、ひょっとしたら茶系かもしれません……下衣は青色のジーパン、靴は白色のスニーカーでした。身長は、百七十五センチくらい。頭髪は黒色で、耳が隠れるくらいの長さでした。人通りの少ない住宅街で、手荷物はなく、また酔っているふうもない様子を不審に思い、声をかけると、男は『小便をする場所を探していただけだ』といい、立ち去ろうとしました。そこで立ち止まるよう説得し、職務質問をしながら、ポケットの中身について尋ねると、見せる必要はないと、明らかに態度が変わったので、これは何かあると思い、身分証の提示を求めたところ、いきなり……何かを持った右手で、殴られました」

何かで、ではなく、何かを持った手で、殴られたのか。

「どこを、殴られたんですか」

「とっさに左手でかばって、そうしたら、これです。一発で掌《てのひら》がイカレました。これは本気の本物だと思い、左腕で頭をかばいながら、右手を拳銃に持っていきましたが、構える前に左手首と、上からの一撃で左の鎖骨をやられました」

三発目で鎖骨を狙った、か。

「ようやく拳銃を構えたものの、それごと薙《な》ぎ払うようにまた一撃きまして、それでこの、こめかみの上をやられました。ですがそこで、すぐ近くの民家の窓が開きまして、何やってるの、と住人が声を出してくれたんで、マル被はその場から走り去りました」

その近隣住民には、明日改めて誰かに話を聞きにいかせよう。

「大竹さん。凶器は端的にいって、なんでしたか」

かぶりを振るのが難しいのだろう。大竹は代わりに溜め息をつき、口を尖らせた。

「……分かりません。でも一撃一撃は、非常に重かったです。凶器そのものは、非常に小さかったはずです。そもそも、ポケットに入っていたわけですから」

「鉄パイプや、そういう長物《ながもの》ではないということで、間違いないですか」

「はい、それはないです。棒状のものとは違います。もっと小さな、ポケットに入れておいて、簡単に取り出せるものです。なおかつ、取り扱いやすいものです。こう、握り込むようにして、パンチの要領で使えるものです」

軽くて小さくて、パンチのように使えるもの——。

「たとえば、メリケンサックとかではなかったですか」

「メリケン、ではないと思います。それよりもっと重くて、こう、皮膚が切れるより前に、骨が折れるような、直接骨に衝撃がくるような、そういう重みのある、鈍器です」

いつのまにか、向かいに回っていた夫人は歯を食い縛り、必死に涙を堪える表情になっていた。彼女は、何を思って泣けてきたのだろう。夫の職業が死と隣り合わせであることを、初めて痛感して身震いがきたか。それとも、暗い夜道で正体不明の凶器に襲われる場面を想像して怖くなったか。

その、どちらでもいいと、玲子は思う。

今夜だけは、夫が死なずに戻ってきたことを、心から喜べばいい。

「ありがとうございました。とりあえず今夜のところは、これで帰ります……といってももう今日ってことになってしまいますけど、また聴取に伺いますので、それまではゆっくりお休みになってください」

ありがとうございます、と大竹は、目だけを向けて玲子にいった。

玲子は帰り際、夫人の肩に手をかけた。

「……ほんと、よかったですね。お大事にしてあげてください」

夫人も繰り返し、ありがとうございますと頭を下げた。

片目を覆われた大竹を振り返り、玲子は一瞬だけ大塚のことを思い出したが、それは即座に打ち消した。

違う。生きていたのだ。

少なくとも、この件ではまだ、殉職者は出ていない。


西池袋クリニックと池袋署は歩いても十分とかからない距離にある。玲子は江田と二人、徒歩で戻ることにした。

途中、二人ひと組になった制服警官と何度もすれ違った。宿直の刑事や生安、組対、警備の人間も捜索に歩いているはずだ。

「江田さん。今夜のことを踏まえて、もう一度、王勝義や笠井重則に話を聞いてみた方がいいかもしれないですね。それと、なんていいましたっけ、あの、地取りをやってるときに、江田さんが声をかけた半グレ、ちょっとBボーイ風の」

しばし考え、江田が「ああ」と大きく頷く。

「小池《こいけ》ですね。小池隆仁《たかひと》」

「そう、その小池です。彼にも、もう一度話を聞いてみましょう」

しかし、と江田は首を捻った。

「もう一度聴取して、何か変わりますかね、連中」

「分かりません。ただあの時点では、少なくとも小池と王勝義にぶつけたネタは、河村殺害だけでした。でも今回は違います。飯島崇之も、林文夫も殺されている。つまり、庭田組の組長と、新東京連合のＯＢ、主華龍のＯＢが万遍なく殺されている」

「いや、林の件はまだ」

「ええ、同一犯と断定できる材料はまだありません。ですから、断定された場合、という話です」

劇場通りまで戻ってきたので、少し辺りを気にしながら話を続ける。

「仮に三つの犯行が同一犯によるものだとして、江田さんは、ホシの目的はなんだと思いますか」

大学生だろうか。互いに肩を抱き合う若い男性二人が、よろよろと歩道を歩いてくる。上から下まで手早く見たが、大竹の語った人着《にんちゃく》にはまったく当てはまらない。

「ホシの目的、ですか……池袋という街を、我がもの顔で歩いている奴らに対する、なんというんでしょう……見せしめというか、粛清《しゅくせい》みたいなものなんですかね」

遠くない。けっこういい線だと思う。

「うん。私も、方向性としては、そんな気はしてます。でも実際に、街を我がもの顔で歩いてる連中に思い知らせてやろうなんて、そんな理由で、ヤクザの組長やらを片っ端から殺していく人間なんているんでしょうか。私には、ちょっと想像がつかないんですが」

　また江田が首を捻る。

「これをいうと、さっきの東尾課長の案や、姫川係長の考えには反することになってしまうんですが」

「いいえ、かまいません。聞かせてください」

「はい……やはり私、指定団体の線ははずせないと思うんです。確かに、庭田組の河村は殺られました。連合ＯＢも、主華龍も標的になっている可能性がある。でも、庭田以外の標的は、ひょっとしたらカモフラージュかもしれない。だとすると、このまま放っておいて……むろん、現実にはそんなことできませんが、仮にですよ。とことんまでやらせたら、最後まで残っているグループが犯人なんじゃないか、なんて……考えはよぎります」

「それは、例えば」

「例えば……藤田一家かもしれないし、鬼頭組や、諸田組かもしれない。そこのところは私にも分かりませんが、ただ、半グレや中国系グループには、ここまでやるメリットがない気がするんですよ」

　一理あるかもしれない。池袋を中心とする街で、暴力を売り物にしてきた男たちを次々と惨殺していく。肩の骨を折り、無抵抗にした上で、全身の骨という骨を圧し折っていく。とどめは後頭部。脊髄、脳幹を完膚《かんぷ》なきまでに破壊する。でもそこまでやるメリットは、確かに半グレや中国人にはない。彼らには組織という枠組みも、縄張りという概念もない。彼らにあるのはただ、黒い利潤だけだ。それだけに、無益な殺しを続けるとは考えづらい。

とそこで、正面からミニスカートの女性が歩いてくるのが見えたので、玲子はいったん口をつぐんだ。金髪で背も高く、コートの上からでもそれと分かるほどスタイルがいい。おそらく日本人ではないだろう。なんというか、体の厚みが違う気がする。でも西洋系やロシア系ではない。それよりは、ちょっと肌が浅黒い。

近くまできて、ああ、フィリピン系が金髪にしてるのか、と気づいた瞬間だった。

「……あなた、刑事？」

ふいに玲子は右腕を摑まれ、とっさに相手の右腕を捻り返そうとしてしまったが、泣きそうに歪んだその顔を見て、慌てて力をゆるめた。

「ごめんなさい……ちょっと、いきなりだったんで、びっくりしちゃって。痛くなかった？」

彼女は玲子に向き直り、「大丈夫」とかぶりを振った。そしてまた「刑事？　あなた刑事？」と繰り返す。

「ええ。そうですけど、でもどうして、あなたが知ってるの？」

「見たよ。うちの店にきたとき、あなた見た。あなたとあなたも見た。そのとき、刑事だって分かった。今日は警察官、ストリートにいっぱいだから、誰かに相談しよう思ってたら、あなたがきた。だから、あなたに相談する……お願い、私を、保護して。もう、こんな国、いたくない。日本がこんな怖い国と、知らなかった。もう無理。駄目。こんな国、怖くていられない」

なんだ。一体、なんのことだ。

3

下井は、池袋の街を歩きながら考えていた。一度考え始めると、そこから容易には抜け出せなくなる。これも一つの、刑事の習性だろうと自分では諦めている。

木野。奴は一体、どこにいってしまったのだろう。それと今回の、河村殺しは関係しているのか。その後に発生した、新東京連合ＯＢの撲殺事件はどうなのだ。

確かめる方法は、本当は一つだ。下井が木野を仕込んだ初代諸田組、その組長である諸田勇造《ゆうぞう》に直接訊くのが一番いい。少なくとも、四課時代の下井だったら迷うことなくそうしていた。組事務所に単身乗り込み、殴ってでも蹴ってでも、拳銃を突きつけてでもネタを取ってきた。だが今、それはできない。むろん警視庁本部の人間ではないというのがある。捜査四課員ではなく、所轄の刑組課暴力犯係員という立場の弱さが、まず下井にそれをさせない。

それに加えて、時代というのがある。

下井が四課時代にやってきたような捜査は、今ではもう通用しない。飴と鞭。ときには脅しに近い行為でネタを取り、またあるときは裏取引でホシを出させる。風俗店の摘発情報を流す見返りに、拳銃を出させる。覚醒剤所持に目をつぶる代わりに、殺しのホシの名前を聞き出す。そういう捜査は暴対法施行後、特に敬遠されるようになった。何よりまず、組織側が取引に応じなくなった。

すべてを時代のせいにするつもりはないし、時代をもとに戻したいとも思わない。昔風の捜査の方が正しかったなどと主張するつもりはない。ただ、やってみろ、とは思う。暴対法を振りかざし、組対部を設置して古い四課体質を一掃し、手も足も汚さずにネタを取ろうとする今の連中に、やれるものならやってみろと、いいたい気持ちはある。今の自分にできることなど何もないが、そこだけは見届けてやろうと思っている。

あれは、下井にしてみれば一世一代の大勝負だった。

いうまでもないことだが、日本最大の広域指定暴力団は、奥山広重《おくやまひろしげ》を首領とする五代目大和会だ。日本の指定暴力団の約六割がこの系列に属するといわれている。これに次ぐ勢力を持つのが七代目隅田組であり、その次にくるのが四代目白川会である。割合でいったら、今は隅田組系が全体の二割くらいで、白川会系は一割五分くらいだろうか。残りの五分が独立系となるが、これは指定団体に限った話なので、非指定団体まで入れるとまた割合は変わってくる。

もう、九年も前になるか。

当時の大和会は、資金源の多くを握っていた若頭と補佐数名が逮捕され、一時的に組織が弱体化していた。警視庁はこの機に大和会を一気に叩こうと目論《もくろ》み、敵対関係にあった白川会は大和会に抗争を仕掛け、関東圏での勢力図を塗り替えようと躍起になった。だが、この大和会の危機に助け舟を出したものもいた。それが、隅田組だ。それまでも大和会とは友好関係にあった隅田組が、白川会に繋ぎをつけることによって抗争を沈静化させたのだ。

当時下井が所属していた刑事部捜査第四課は、この一連の動きをなんとか逆利用しようと案を練った。隅田組が間に入ったからといって、白川会がタダで引くはずがない。隅田組は、白川会が大和会に向けた鉾《ほこ》を収めるための交換条件を、何かしら提示したはずである。それが何かさえ摑めれば、大和会も隅田組も白川会も、一気に叩ける。完全解体は無理でも、業界全体を地盤沈下させることができる。四課はそれを狙っていた。

下井が手掛けたアレも、そういった作戦の一環だった。

隅田組系で一番勢力を持っているのは、今も当時も二代目道栄会だ。この道栄会の若頭が、初代諸田組組長の諸田勇造であり、筆頭若頭補佐が、先日殺された二代目庭田組組長の河村丈治だった。

下井はあらゆる手を尽くし、ようやく諸田組に木野を仕込んだ。その後二年間にわたって、下井は木野から情報を引き出し続けた。

しかし、それがあの雨の夜、急にぷっつりと途切れた。

なんで今さらと、下井自身も思わなくはない。ただ、河村丈治が殺されたことは間違いなく、一つの大きなきっかけになっている。当時を知る河村が殺され、その周辺団体の活動は不活性化しているという。これでさらに諸田が殺されでもしたら、もう完全に当時を知る者はいなくなる。誰一人として木野の消息が分かる人間はいなくなるだろう。

これが最後のチャンスかもしれない。そう思っている。

これこそが自分の、薄汚れた刑事人生への落とし前になると、そう下井は考えている。


下井は池袋の繁華街を出て、明治通りをそのまま西巣鴨方面に歩いた。真っ直ぐ通りを見通すと、まるで通り沿いには高層マンションしかないような眺めだが、実際に足を使って歩いてみると、そうでもないことが分かる。

昭和中期に建てられたのであろう古びた一軒家が、この一帯にはまだ数多く残っている。多くは何かしら商売をやっている。こんな時間なのでシャッターはもう閉まっているが、バイクの修理屋、昔ながらの床屋、小さな電器屋、職人相手に足袋《たび》や軍手を売る洋品店なんかもある。

下井が目指してきた店も、そんな昭和色の濃い家の一軒だった。

「……いらっしゃい」

かのう、と平仮名で入った暖簾《のれん》をくぐると、女将《おかみ》が落ち着いた声で迎えてくれた。カウンター席が七つあるだけの、小さな小さな飲み屋だ。

「あら、下井さん」

もう何年もきていなかったが、女将の狩野泰恵《かのうやすえ》は相変わらずの器量良しだった。

「よう、久しぶり……いいね。前と、ちっとも変わってない。店構えも、泰恵ちゃんも」

綺麗に結い上げた髪に少しだけ白いものが交じって見えたが、それはいわずにおく。

「やぁだ。下井さんもとうとう、お世辞をいう年になっちゃいましたか」

「何いってやがる。俺はもともと、口は上手い方だぜ」

入り口近くに一人、脇に杖を置いた老人が座っているだけで、奥の方の席は空いていた。泰恵の正面に、よっこらしょと腰を下ろす。

「何にします？　おビール、日本酒、焼酎」

「ビール、もらおうか」

「はい」

すぐにキリンの瓶ビールと、お通しの小鉢が出てきた。きくらげとキュウリの酢味噌和えか。

邪魔が入ってつまらなくなったか、杖の老人は十分もすると「お勘定」とぶっきら棒にいい、二千円ほど払って出ていった。少し足元が覚束《おぼつか》なく見えたが、それが酒のせいか年のせいかは分からない。

泰恵が戸口まで見送りに出る。

「毎度ありがとうございます。お気をつけて……」

しばらく泰恵は西巣鴨方面を見ていたが、やがて「寒い寒い」と手をこすり合わせながら戻ってきた。下井の後ろを通る際、「もう一本おビール？」と訊いたが、下井は「いや」とかぶりを振った。もう、これ以上飲んで体を冷やしたくはない。

カウンターに入った泰恵が、ぽんと手を叩く。

「……はい、下井さん。誰もいなくなりましたよ。なんなりと、遠慮なく訊いてくださいな」

ふざけたように小首を傾げる仕草も、泰恵がやるとなんだか妙に色っぽい。

「悪いね。たまにゃゆっくり、泰恵ちゃんの手料理を味わいにきたいんだが」

「そんなこと、今まで一度だってありゃしなかったでしょ。下井さんがここにくるのは、内緒で兄さんに連絡をとりたいときだけ。組を通すことも、警察の資料に載ることもない、裏の話をしたいときだけ」

そう。狩野泰恵は、諸田勇造の腹違いの妹だ。年は確か、諸田とひと回り違う。だから今年三十八とか、それくらいだと思う。

「申し訳ねえが、その通りだ。諸田に至急連絡をとりたいんだが、何しろ、池袋の事務所は他のデカ連中が張ってやがって、迂闊には近づけない」

「河村組長が殺されたから、ですか」

泰恵自身は極道の女になったこともなければ、違法な何かに手を出したこともないはずだ。店にも年にほんの一、二度、諸田が顔を出す程度で、組関係の人間が入り浸るようなことはない。いま河村の名前が出たのも、単に池袋界隈で商売をする人間の、一般知識から口にしただけだろう。

「ま、一概に河村の件だけでも、ないみたいだがな……それに俺は、もう奴の携帯番号すら知らない。ここ何年かは、碌に顔も見てねえんだ。……そんな事情なんで、泰恵ちゃん、頼むよ。奴に、繋ぎをつけてくれねえか。俺はどうしても、いま奴に訊いておかなきゃならねえことがあるんだ」

いつから用意していたのか、泰恵は切り身の煮魚を皿に盛り付け、はい、と下井に差し出してきた。指先で整えたおろし生姜《しょうが》の三角が、なんとも愛《いと》おしい。

「……分かりました。私専用の番号に、ちょっとかけてみます。それで会えるようだったら、場所と時間を私から下井さんにご連絡します。それで、よろしいかしら」

それでいい、と下井は頷き、再び箸を握った。

切り身は、箸の先で押さえただけで、ほくりと割れるくらいよく煮えていた。

でも口に入れると、なんだか寂しい味がした。

泰恵が指定してきたのは五日後、二月二十六日の夕方だった。

下井自身は、品川でも錦糸町でも、池袋から遠いところの方がいいと思っていた。だが当の諸田は、そうは考えなかったようだ。待ち合わせは池袋駅から要町通りを真っ直ぐ下りてきて、山手通りと交差するちょっと手前。わりと古くからある、赤煉瓦《あかれんが》の外装が印象的なシティホテルの一室だ。

泰恵からの指示はこうだった。

『下井さんは夕方四時くらいに、六〇七号室にチェックインしてください。そのまま、三時間ほど待ってください。兄さんは、七時くらいに伺うそうです』

下井の後ろに誰か尾いていないか、確認するための三時間なのだろう。やや用心が過剰ではないかと思ったが、それを泰恵にいっても仕方ない。下井は承知したと返し、礼をいって電話を切った。

その諸田と会うまでの五日の間に、また撲殺死体が発見された。正確にいうと発見されたのは、下井がちょうど泰恵の店を訪ねている辺りの時間だったが、下井がそれを知ったのは翌朝、テレビのニュースでだった。

そして同じ夜、池袋署の地域課警官が何者かに殴打されて重傷を負った。河村殺し、連合

OB殺し、中国人殺し、さらにこの警官殴打事件についても、捜査関係者は同一犯による犯行の可能性が高いと判断したようだった。それを受け、警視庁管内の全警察官は一定期間、受令機と拳銃を携帯することになった。本部も所轄も関係なく、署外活動をする際は携帯が義務付けられた。むろん、今は下井も持っている。S&W(スミス&ウェッソン)のM3913。ステンレスボディの、意外と今風の自動拳銃だ。

午後四時十分前。下井はフロントでチェックインの手続をした。部屋はちゃんと下井の名前で予約されていた。

カードキーの説明を受けたのち、

「ご案内いたします」

客室係員に六〇七号まで連れていってもらった。ホテル内に特に変わったところはなく、客室係の態度もごく自然なものだった。また六〇七号は廊下の突き当たりにあり、中に入ればドアスコープから廊下の様子が見渡せる位置にあった。下井に辺りの警戒をさせようという、諸田の意図が明確に読みとれた。

そのまま一人、シングルの部屋で三時間を過ごした。酒を飲むわけにも、シャワーを浴びるわけにもいかない。外の音が聞こえなくなるのでテレビも観られない。せいぜいできることといったら喫煙か、あとは冷蔵庫のソフトドリンクを飲むとか、その程度だ。

下井の見ていた限りで、下井が入室して以降、この廊下を誰かが通ることはなかった。月末の月曜。しかもこんな、繁華街から離れた古びたホテルに、明るいうちからいそいそとチェックインする物好きはそう滅多にいないということだろう。

午後七時、三分くらい前だったろうか。エレベーター乗り場の方から男が三人、角を曲がって廊下に入ってきた。ひと目で分かった。真ん中にいるのが諸田勇造だ。伴っている二人は諸田より明らかに若く、背が高かった。一人はその、エレベーター乗り場が見える角に留まり、諸田ともう一人が六〇七号の前まで進んできた。廊下はここからさらに右手に続いている。連れの男はしばらくそっちの方を気にしていたが、何事もないと納得できたのだろう。若衆が呼び鈴を押した。

「……はい」

下井は答え、ロックとドアガードを続けて解除した。引き開けると、表情を強張らせた諸田だけが中にすべり込んでくる。若衆はドアの外に置き去りだ。しかも、ドアを両手で押して閉めたのは諸田自身だ。下井は、考えていた再会の挨拶《あいさつ》も何も、呑み込まざるを得なくなった。

「諸田、お前……ちょいと、警戒し過ぎじゃねえのか」

ロックとドアガードを掛け直しながら、諸田が下井を睨む。下井と諸田はちょうど似たような背恰好をしている。目のある高さも、おそらく三センチと違わない。

「あの、丈治が殺されたんだぞ。用心にし過ぎなんてことがあるもんか」

「……にしたってよ。だからって、おメエまで狙われると決まったわけじゃねえだろう」

「ああ、決まったわけじゃねえ。でも逆に、俺たちの誰が狙われるか、そいつぁ見当もつかない」

諸田は、化粧鏡のあるデスクの方に自ら移動した。さっと見回してしゃがみ、すぐに冷蔵庫の扉を開ける。中からコーラのペットボトルを取り出し、キャップを捻る。

「狙われるって、そりゃおメエ、どういう意味だ」

「そのまんまの意味だよ。下井さん、あんたは丈治が殺される前に、谷崎と白井が消えてるのを知ってるか」

なんだそれは。

「いや、知らない。いま初めて聞いた」

「たぶん、もう二人は生きちゃいない。他にも言い出したらきりがない。ここ数年……それが、いつ始まったことなのか、どういう理由なのかも、なんにも分からない。でも、確実にいえることがある……俺たちは、狙われてる。俺たちは、もういつ、誰が殺されてもおかしくはない」

諸田は開けただけでコーラを飲みもせず、ただ手に持っていた。

「誰に、狙われてるんだ」

「そんなこと、分かってたらこっちからカチコミかけてら。相手が誰かも分からない。なぜかも分からない。でも確実に殺られるんだ。俺の知ってるだけでも、もう二十人以上が消えてる。いや、中には死体の処理は仲間がやったって話まである」

「なんだそりゃ」

ようやく諸田は、ひと口コーラを呷った。

「……例えば、中国人と組んで、強盗だの贓品売買だのを手広くやってた、大和会の元組員だ。アジトに帰ってみたら、リーダー格とナンバーツーが、もう、全身の骨を叩き折られて、丸められてたって……最初、人間だって分からなかったらしいぜ。腕も脚も首も、あり得ない方向にひん曲げられて……ちょうどそこにあった、筒形の丸椅子と同じ形に、ガムテープでぐるぐる巻きにされて、しかも本物の椅子と並べて四つ、冗談みたいに置かれてて……手の指と、顔が表に出てたから、それで初めて気づいたんだってよ……それが、死体だってことに」

人体が、折り曲げられて、丸椅子の形に？

「結局その二つの死体は、そいつらが金払って、うちの系列の掃除屋が処理したんだ。……そういう話がよ、ここんとこの池袋にゃ、ごろごろしてんだ。最近、成和会の誰々って若衆を見ねえとか、西口辺りでブイブイいわせてた連合ＯＢがふいにいなくなったとか、ビル丸ごと買い取って、料理屋からバカラからドラッグバーまで好き放題やってた中国人が、急に全部ほっぽり出していなくなっちまったとか、もう……近頃の池袋は、そんな話ばっかりだよ」

諸田は何かを追い払うように、繰り返し頭を振った。

「みんな、戦々恐々としてるよ。下手なシノギにゃ手も出せねえ。怖くてヤッパとチャカが手放せねえから、服も脱げねえ。変な話、風呂にも入れなきゃ女も抱けねえ。挙句、そんなもん持ち歩いててポリにバンかけられたら、銃刀で持ってかれる。……もうよ、ヤクザ辞めてえって、みんな辞めるっていってるよ。ヤクザだけじゃねえ。連合OBもこぼしてるぜ。こんなはずじゃなかったって」

まさか、これが池袋の、不活性化の原因なのか。

「でもよ、諸田……俺はそんな話、今、初めて聞いたぜ」

「当たりメエだ。たいていの連中は、警察になんかいえやしねえよ。いえねえような連中が、いえねえような場所で丸められるんだ。場合によっちゃ、書き置きみたいなもんがあるらしいぜ。きちんと掃除できたら、命だけは助けてやる、とかなんとかよ」

一体、なんのために――。

「諸田。その、なんだか分からねえ、丸められちまう話と、河村の殺しは、本当に同じ話なのか」

諸田は立ち上がり、改めてベッドに腰を下ろした。

「……下井さん、丈治の遺体、見た？」

「いや、見てない」

「俺は見たぜ。警察から帰ってきた、奴の遺体を。見た目はよ、肌の色こそ変になっちまってるけど、そんなにおかしな死体じゃなかったんだ。でもよ、死後硬直が解けたら、もう大変よ。人形《ひとがた》の餅みたいなもんでさ、全身の骨、バラバラだからよ、どこ持っても体のどっかが垂れ下がっちまうんだ。……もうさ、ぐにゃんぐにゃんに、とろけたみたいになっちまってんだ。それをさ、布団でも支えきれなくて、結局、奴を棺に入れるのにさ、俺たち、いったん丈治を、襖《ふすま》板に載せたんだからな。そうしねえとさ、ぐにゃぁんって、どろぉんって、死体がこぼれちまうんだ。丈治がさ……軟体動物みてえに、俺や若衆の手から、こぼれ落ちちまうんだよ」

いまだかつて、そんな殺し方が、あっただろうか。

諸田はペットボトルをデスクに置き、内ポケットからタバコを出して銜えた。

「……なんだよ、下井さん。そんな驚いた顔しちまって。俺は泰恵から連絡をもらったとき、てっきり下井さんは、丈治の件で俺からネタを取ろうとしてるんだとばかり思ってたが……なんだい、見込み違いだったかい」

確かに、それをいわれたら期待はずれと思われても仕方ない。

「そもそも、下井さんはなんで俺に連絡よこしたんだよ。わざわざ泰恵を使ったくらいだ。よっぽど重要な話があったんだろう。違うかい」

下井はあえて間を取り、デスクの椅子を引いて、そこに腰掛けた。

「……諸田。俺が今日、お前に会いにきたのは、実はちょいと、昔話を聞かせてほしいと思ったからなんだ」

諸田の、だいぶ薄くなった眉が左右段違いになる。

「昔話？」

「ああ。もう七、八年前になると思うんだがな。お前んところに、木野一政《かずまさ》って男がいただろ」

途端、諸田の目に釘《くぎ》のような尖りが生じる。

「……なんでいまさら、そんなことを俺に訊くんだい」

「いや、奴の親戚筋からな、奴の消息を知りたいって、相談が持ち込まれてな」

「……ってこたぁ、やっぱり、あの野郎が元警察官って噂は、嘘じゃなかったんだな」

そうか。そこは、バレていたのか。

4

玲子は、とりあえずそのフィリピン人女性を池袋署に保護した。

パスポートは取り上げられて今は持ってないが、名前は「ロクサーヌ・レイエス・サンチアゴ」、二十二歳だという。

事案の性質からいったら警備課に引き継ぐべきなのだが、あいにく係員が一人もフロアにいなかった。仕方なく、調室だけ借りて玲子が話を聞くことにした。ちなみに大竹巡査部長の聴取結果は、江田が特捜のある会議室に持って上がった。

早速、聴取を始める。

「パスポートを取り上げられたって、誰に？」

「マネージャー。でも本当に持ってるのは、マフィア。ヤクザ」

「それは日本人？　それとも中国人？」

「……分からない。でもたぶん日本人」

「お店はどこ？　さっき、私たちが話を聞きにいったお店だっていってたけど」

「ゴールド。西一番街」

確かに、その店には二回くらい聴取にいった。サービスの形態はヘルスだったと思う。ケツ持ちは、白川会系の星野一家ではなかったか。

「もうこんな国嫌だ、っていってたけど、何か怖い目にでも遭ったの？　暴力とか振るわれた？」

ロクサーヌは激しくかぶりを振り、それを否定した。

「怖いの、店じゃない。客じゃない。街。池袋の街。それがある日本。こんなの、他の国にはない」

一体、なんの話をしているのだ。

「ロクサーヌ、とにかく落ち着いて。街が怖いって、どういうこと？」

「Do you speak English?」

いきなり真顔で訊かれて面喰らったが、こう見えて、玲子の大学時代の専攻は英米文学だ。英検二級も持っている。英語は決して苦手ではない。

頭を切り替え、玲子も英語で答える。

「ええ、話せるわ。英語で大丈夫よ」

「よかった……とても、日本語じゃ上手く説明できそうにないの」

とはいえ、ロクサーヌの英語はだいぶ怪しい。フィリピン訛《なま》りかどうかは知らないが、イントネーションにかなり癖がある。

「話して。一体、何があったの？」

「あなた、『ブルーマーダー』を知ってる？」

確か「cry blue murder」とか「scream blue murder」で、「悲鳴をあげる」とか「金切り声をあげる」という意味になる慣用句だったと思う。

「大声で叫ぶ、ということ？」

「違うわ、何をいってるの。『ブルーマーダー』よ。この街を牛耳《ぎゅうじ》っている怪物のことよ」

「怪物?」

ロクサーヌは「monster」という単語を使ったので、それが人であるならば「怪人」の方がニュアンスとしては近いか。

「ちょっと、よく分からないんだけど、その『ブルーマーダー』というのは、怪人の名前なの?」

「やっぱり、リサがいってたのは本当だったのね。日本警察は、『ブルーマーダー』の話をしても全然信じてくれないって。私たちの周りで、こんなに大変なことが日々起こってるのに、全然相手にしてくれないって」

分からない。この娘がなんの話をしているのか、さっぱり分からない。むろん玲子はリサが誰なのかも知らない。

「ちょっと待って。まず、その『ブルーマーダー』について具体的に聞かせて。そいつは何者で、一体、何をするの?」

信じられない、とでもいいたげにロクサーヌが目を見開く。

「殺しに決まってるでしょう。『ブルーマーダー』なのよ?」

お言葉だが、「マーダー」は「殺人」という行為を意味する単語であって、それを行う「殺人者」といいたいのであれば、「マーダラー/murderer」を使うべきだろう。ただし、彼女たちの間ですでに「ブルーマーダー」が「青い殺人者」という意味で広がってしまっているのならば、それを今ここで訂正したところで意味はない。

ロクサーヌが続ける。

「あなた、ヤクザのボスが殺されたケースの捜査をしてるんでしょう？」

「ええ、河村組長の事件の捜査をしているわ。まさか」

「そうよ。そのボスを殺したのは、間違いなく『ブルーマーダー』よ」

嘘だろう――。

「……あなたは、それを目撃したの？」

「そのケースは見てないわ。でも、『ブルーマーダー』が殺しをする場面を見たって人の話なら、聞いたことがある」

この娘の話、どこまで信じていいものやら。

「それは誰？　あなたは誰から聞いたの？」

「だからリサよ。さっきいったでしょう」

そんなこと、ひと言も聞いてませんが。

「OK、リサね。リサはあなたの友達？　仕事仲間？」

「仕事仲間。ひと足先にタイに帰ったわ。もうこんな国にはいられないって。日本は安全だっていうからきたのに、全然安全なんかじゃないって、怒ってた」

「そのリサが、『ブルーマーダー』の犯行現場を見たのね？」

「違うわ。そういう話をリサが聞いてきて、私に教えてくれたの」

ますます信憑性《しんぴょうせい》薄だ。

「リサが聞いてきたのは、こうよ。ある男がギャングの隠れ家に忍び込んだの。彼はお金とクスリを盗むつもりだったんだけど、運悪く、そこにギャングのメンバーが帰ってきてしまった。彼は仕方なくクローゼットに隠れて、外の様子を見てた……そこに現われたのが、青いマスクをした男、『ブルーマーダー』だったの」

青いマスク、は初耳だ。

「『ブルーマーダー』は、いきなり男の肩を殴りつけた。すると、男の腕はだらんとしてしまって、もうなんの抵抗もできなくなった。彼はただ大声で悲鳴をあげるだけで、何もできなくなってしまったのよ」

ロクサーヌは今「scream loud」といったが、そこがもともとは「scream blue murder」だったのではないだろうか。それが人の口を経る間に、いつのまにかマスクの噂と相俟《あいま》って「青い殺人者」という意味で使われるようになってしまった。そういうことではないのか。

それにしても、最初に肩を殴りつけるという行《くだり》は軽視できない証言だ。

さらにロクサーヌは続けた。

「やがて『ブルーマーダー』は、絶命した男をさらに打ち据えて、全身のあらゆる骨を折って、バッグに詰めて持ち去ったそうよ。『ブルーマーダー』は神出鬼没。いつどこで、誰が殺されるか分からない。その場に居合わせたら、女でも平気で殺すといわれている。実際、今の目撃談を警察に話した男も、今では行方不明よ。『ブルーマーダー』に殺されて、どこかに捨てられちゃったんだわ」

かといって、すべて鵜呑みにできる話でもない。

翌朝、東尾にだけは一応、ロクサーヌの話を報告することにした。

特捜のある会議室では組対四課の誰に聞かれるか分からないので、念のため四階のデカ部屋に下りてきた。

「……全身の骨を折ってバッグに詰めるなんて、本当に、そんなことができるのか」

東尾は途中から顔をしかめっぱなしだ。

「分かりません。でも、死体処理で一番厄介なのが骨格であることは間違いないでしょう。それを自在に圧し折ることが可能であれば、あとはただの肉の塊です。バッグに詰めるのも決して難しくはないかと……むろん、かなり大きめのバッグは必要になるでしょうが」

東尾が、溜め息のように鼻息を噴く。

「お前、よくその顔で……人様の体を、ただの肉の塊だなんていえるな」

何をいうかと思えば。

ですか」

「顔はこの際関係ありません。それに、東尾課長だって検視の経験はだいぶおありじゃない

「それはそうだが、俺はそれが誰であれ、ご遺体を肉の塊だなんて思ったことはない。もう動くことはないかもしれないが、それでもやっぱり、それは人なんだと思う。そういう、尊厳みたいなものは、死んでいてもあると思う」

それも一つの、立派な考え方だとは思う。

「しかし、犯罪者はおそらくそうは思いません。骨も肉も内臓も、解体して並べてしまえばただの物体です。そう思うことができるからこそ、処理も可能になるんです。犯罪者にとって、死体はただのゴミです。むしろ……」

いっていて、玲子は途中で気づいていた。

以前、自分は勝俣にいわれたことがある。

——自分では無意識なんだろうが、お前はおそらく、ホシの意識に同調してるんだ。なんの根拠もなしにホシを言い当てたり、行動を読んだりできるのは、おそらく、お前がホシと極めて近い思考回路を持っているからだ。

こういうことか、と思った。これが勝俣のいう「犯罪者に近い発想」というやつか。

東尾が、怪訝《けげん》そうな目で玲子を見る。

「むしろ、なんだ」

まあ、それは今どうでもいいか。

「あ、ええ……むしろ、ホシは犯行現場で、どうやってそこまで自由自在に骨を折るのかという、その点の方が私には疑問です。しかも、河村や飯島の遺体には、ほとんど外出血が見られなかった。全身の皮膚が、血と肉と骨を包む袋の役割をしていた」

またそんな言い方を、と東尾が呆《あき》れ顔をする。だがもう、一々かまってはいられない。

「ホシは、相当暴力に通じた人間です。ロクサーヌの話でも、殺されたのはギャングでした。決して素人ではない。それがやはり、鎖骨の破壊から始まって、無抵抗なまま全身を滅多打ちにされ、最終的にはバッグ詰めにされる……そんな犯行を可能にする武器とは、一体なんなんだろうと」

東尾が腕を組む。

「鉄パイプでは、ないんだよな」

「はい。確かめましたが、そういうものではないと、ロクサーヌはいっていました。とはいっても、彼女自身は直接見たわけではないので、信憑性はまったくないんですが。その話をしてくれたリサという同僚女性は、すでにタイに帰国しています」

「今、そのロクサーヌはどうしてる」

「正直、どうしようか迷ったんですが……パスポートは取り上げられて持ってないといってまして、本人は、自分はオーバーステイだから強制送還してくれと主張しています。もう、こんな国には怖くていられないと……なんとも勝手な言い草ですが、不法残留が事実であれば捨て置くことはできないので、さきほど、西が丘分室への移送手続を取りました。あとは警備課に引き継ぎます」

「そうか」

東尾はデカ部屋をくるりと見回し、玲子に視線を戻した。

「……今の話、単なる都市伝説と片づけることはできんが、かといってロクサーヌの証言にはなんの証拠能力もない。リサにあってはもはや日本国内にいない。その、直接現場を見たという男は特定可能なのか」

「いえ。その男もすでに行方不明だそうです」

思わずといったふうに、東尾が溜め息をつく。

「……どうする、姫川。会議にかけるか、それとももう少し、単独で揉んでみるか」

「差し支えなければ、しばらく江田部長とやってみたいと思っています。ご許可、いただけますか」

東尾は口を尖らせ、しばらく返事を保留していたが、やがて「月曜まで時間をやる。その間に何か摑め」とだけいってデカ部屋を出ていった。

朝の会議では三人目の被害者、林文夫についての詳しい説明があった。報告書を読み上げたのは明石係長だ。

「マル害、林文夫、三十三歳。母親は中国残留孤児、林本人は二世になる。中学時代から、残留孤児二世を中心に結成されたマル走グループ『主華龍』に加わり、二十歳で引退してからは、いわゆる中国東北系マフィアと連携し、窃盗、強盗、贓品売買、違法薬物の密輸入、密売、暴行傷害、殺人などに関わったと見られている。十代の頃に補導十二回、鑑別所に三回入ったのみで、逮捕歴、前科はなく、組対部も要注意人物としてマークはしていたものの、検挙にまでは至っていなかった。……次。死亡は十八日夜から十九日未明。つまり、飯島崇之より前に殺されていたことになる。遺体には四十七ヶ所の骨折が見られ、直接の死因は肺に刺さった肋骨が呼吸困難を引き起こし、窒息死したものと見られている。また、左右の鎖骨が折られているのは河村丈治、飯島崇之の検死結果と共通する点であり、今後は本署並びに練馬署の特捜本部と連携、詳しい検死結果を待って、共同での捜査本部立ち上げになる」

さらに玲子が大竹巡査部長の聴取結果を報告し終えると、安東組対四課長から拳銃と無線の携帯に関する指示があった。

「大竹巡査部長の件まで含めると、すでに四件。同一の犯人によるものと思われる犯行が連続発生している。これを受け、警視庁管内の全警察官は一定期間、拳銃と無線を携帯することになった。諸君には、これ以上一般市民はもちろんのこと、警察官にも被害者が出ることのないよう、気を引き締めて捜査に当たってもらいたい」

私服警察官の拳銃携帯といったらかなりの大事《おおごと》だが、安東課長の口調は相変わらず淡々としたものだった。

以後の四日。玲子と江田は「ブルーマーダー」のネタを持って、これまでに聴取をした関係者に再度話を聞いて回った。

今は真面目に携帯ショップで働いているという、連合ＯＢの久松。

「……なんだよそれ。知らねえよ」

歩き出そうとしても顔を背けても、玲子はしつこく久松の正面に回った。

「そんなに怖いの？」

「何がだよ。だから、俺はなんも……」

「誰か消えた？　あなたの周りで、誰か急にいなくなったりした？」

「知らねえってッ。知らねえったら知らねえんだよッ」

最後は玲子を押し退《の》け、久松は走って逃げていった。

その後ろ姿を見ながら、江田が呟く。

「……明らかに、心当たりあり、って反応ですな」

「ええ。思いっきり知ってますよね、彼」

「いっそ、公妨《こうぼう》（公務執行妨害）で引っ張りますか」

「いえ、そこまでは必要ないでしょう。次、いきましょう」

王勝義とはなかなか連絡がとれず、ようやく電話が通じたと思ったら、今は福岡にいるということだった。

江田から受け取った携帯で話をする。

「……王さん。福岡は仕事ですか」

『んなこたァどうだっていいだろッ。そっちのことには関わりたくねえんだよ。ほっといてくれ』

「一つだけ、一つだけ質問させてください……王さんは、『ブルーマーダー』と呼ばれている男を、知っていますか」

すると、いきなりだ。王勝義は電話を切ってしまった。

玲子は肩をすくめ、江田に携帯電話を返すほかなかった。

以前、コンビニ前で話を聞いた小池隆仁とも改めて話した。彼に対しては、少しアプローチを変えてみた。

「あなたも、『ブルーマーダー』に狙われてるの?」

そう玲子が訊いたときの、小池の反応は予想を上回るものだった。

「な、なんでだよ……」

唇を震わせ、涙目になりながら玲子を見る。

「心当たりはない？」

「だから、なんでだって訊いてんじゃねえか。なんで、なんで俺が、奴に狙われなきゃなんないんだよ。俺が何したってんだよ。アア？　何をしたっていうんだよ」

妙だったのは、誰一人として「ブルーマーダー」という言葉を復唱しなかったことだ。そう口に出したら最後、それが呪文《じゅもん》となって次は自分が狙われる。そんなふうに思い込んでいるかのようだった。

だが、そうなると不可解なのは、ホシはなぜ河村、飯島、林の遺体を放置したのか、ということだ。ロクサーヌの証言が確かなら、「ブルーマーダー」は死体を折り畳んで簡単に運ぶことができる怪人だ。だったらなぜ、河村や飯島、林に対してもそれをしなかったのだろう。なぜ、いずれ露見するような場所に死体を遺棄したのだろう。

二月二十六日、月曜日。この日の朝で、東尾が玲子に与えた四日の期限は切れる。だが玲子は朝の会議をあえて欠席し、姑息《こそく》とは思ったが期限の引き延ばしを図った。夕方までに連合ＯＢの笠井重則に会い、何かしら証言を引き出せればと思ったからだ。

だが笠井もまた、「ブルーマーダー」については口をつぐんだ。

「……よそうぜ。前にもいっただろう。もうそういうことには、関わりたくねえんだって」

「なんでもいいの。『ブルーマーダー』について知ってることがあったら、なんでもいいから教えて」

場所は西池袋の喫茶店。笠井は少し、周りを気にするような仕草を見せた。

「……でけえ声出すなよ。みっともねえ」

「それであなたが話してくれるなら、私は何度でも大声を出すわ」

「好きにしろよ。俺は絶対にウタわねえけどな。……ありゃ、化けもんだよ。人間じゃねえ」

「知ってるんじゃない。話してよ。知ってることだけでいいから、教えてよ」

だがそれ以上、どんなに粘っても笠井が口を割ることはなかった。

玲子は夕方、少し早めに池袋署の特捜へと戻った。結局、「ブルーマーダー」に関する決定的な情報は得られませんでしたと、東尾に頭を下げるためだ。

だが、

「……東尾課長。ちょっとよろしいですかッ」

玲子の後ろから飛び込んできた組対部員のひと声で、そんなケチな話は吹き飛んでしまった。

「管理官、河村の携帯から、写真が出ましたッ」

その場にいた全員が、ざっと上座に寄り集まる。

飛び込んできた組対部員は、Ａ４判コピー紙を一枚、同じサイズの写真を二枚、上座のデスクに並べた。

三浦管理官が眉をひそめる。

「これは……」

コピー紙はメールの内容をプリントアウトしたもののようだった。

差出人も何もなく、いきなり本文がくる。

【写真は白井と谷崎だ。谷崎はまだ生きている。助けたかったら夜の十二時、ロサ会館斜め向かいの第二本郷ビル四階に一人で来い。】

玲子は、写真の方に目を移した。

まず一枚目。コンクリート剝き出しの壁と床を正面から撮影しており、そこに、全裸の男が両脚を投げ出して座っている。むろん、股間も丸出しだ。両腕、両肩から両の胸板にかけて和彫りが施されているが、距離が遠いので図柄までは分からない。ただし、肩が変形しているのははっきりと分かる。両鎖骨を破壊され、おそらく脊柱も折られているのだろう。よく見ると、座り方も心なしか不恰好だ。メールからするとこちらが若頭の谷崎ということになる。

もう一枚の方は、まったく違う構図だ。

ナイロン製だろうか、大きなバッグがジッパーを開けた状態で写っている。そのバッグの中には、背中がある。普通だったら頭があるだろう、尻があるだろう位置に、それらはない。まるで前後を切り落としてあるかのように、背中だけがバッグの口に覗いている。

こちらも見事な和彫りが入っている。赤い龍が、片手に梵字《ぼんじ》の入った珠《たま》を握り、カッと大きく口を開いている。その腹に、毛並みも美しい虎が食らいついている。「龍虎相打つ」の典型的な図柄だ。背景の黒々とした雲にも異様な迫力がある。河村はむろん、これが白井の背中であることを、ひと目で理解しただろう。そしてこの白井が、もう絶命していることも瞬時に悟っただろう。

玲子も今、ようやく理解した。いや、信じるに至った、といった方がいいかもしれない。死体を自在に折り畳み、バッグに収める「ブルーマーダー」という怪人は、実在する。

5

下井が木野の消息について訊くと、諸田はもうひと口、コーラを飲んでからかぶりを振った。

「……知らねえよ。知らねえ間に、フケちまった」

「何かあったのか。奴が、消えなきゃならねえようなことが」

諸田は迷っているようだった。それを下井にいうべきか、いわずに済ませるべきか。

だがしばらくして、ふいに、何も映っていないテレビの方に目をやった。黒く沈黙した画面を凝視する。まるでそこに、偶然幽霊でも見てしまったかのような目付きだ。

「まさか、奴じゃ……」

どういう意味だ。

「何が、奴なんだ」

「だから、その……一連の、神隠しっつーかよ、殺しだよ。まさか、全部、木野の仕業なんてこたぁ……」

「なんでお前、そんなふうに思うんだ。何か、奴がそんなことをする理由に、心当たりでもあるのか」

諸田は視線を足元に落とし、二度短く息を吐いてから、またかぶりを振った。

「いや、ない……ここまでのことをする理由なんて、それが木野だろうが誰だろうが、ありっこねえ」

下井は座ったまま、諸田の肩に手を伸ばした。摑むと、意外なほど骨の感触が小さい。微かに震えてもいる。これを折るのか、という想像が脳裏をよぎる。

「それでもいい。お前いま、何を考えた。なぜ木野だと思った。それを話してみろ」

諸田は目を伏せ、今度はやけに長く息を吐き出した。

「……下井さんは、どこまで木野のことを知ってんだい」

いろいろ知っている。連絡がとれなくなる以前のことなら、たいていは知っているつもりだ。

「いや、ほとんど知らない。奴が元警察官で、何年かしてお前んところに出入りするようになったって……それくらいだ」

力なく、諸田が頷く。

「俺も……最初はただの、喧嘩っ早いだけのゴロツキだと思ってた。うちの若いのとも揉めたし、成和会の三下《さんした》をタコ殴りにしたなんて話も耳にした。俺は、放っとけっていったんだ。下手な仕返しなんかして、大事な組員をパクられてもつまらねえ。サツに目ぇつけられて、こっちまでトバッチリを喰っても馬鹿らしい。でも若いもんは、それじゃ収まらなかった。必ず捜し出して、示しつけてやるなんて息巻いてた。……ところがある日、どういうわけか、木野の方から詫びを入れてきた。奴は、自分の間違いでおたくの若いもんに怪我をさせちまった、すまなかった、って。……ま、奴なりに、事が大きくなるのを避けようと思ったんだろうな」

その件なら聞いている。おそらく今から十二、三年前の話だ。それから三年ほどして、木野は下井と再会することになる。

「だが聞いてみると、話の筋は木野の方が通ってるんだ。奴は、うちの前川《まえかわ》ってのがケツ持ってた、東池袋のバーで飲んでた。そのとき木野が座ってたのが、たまたまその前川の気に入りの席だった。そこに前川本人がいったもんだから、店のもんが気ぃ利かせて、木野にどいてくれるよう頼んだらしいんだな。木野は大人しく、それに従って別の席に移ろうとした。でもそのとき、ちょっと木野が前川の爪先を踏んだとか、そんなことで小競り合いになった。それで、木野はいったらしいんだ。素人を綺麗に遊ばせて、初めてシノギは上がるんじゃないのか、って。……ごもっとも。風俗だろうが飲み屋だろうが、素人さんに遊んでもらって、初めて俺たちゃ上がりがいただける。ただ、その正論が気に喰わなかったんだな。前川から突っかけた。それで、返り討ちにあった。……きっかけは、そんなことさ」

細部はやや違う気がするが、大筋は下井の聞いていた話と変わらない。

「なんだ、いい男じゃねえかってんで、少し俺が目をかけるようになった。当時は髪を金髪にしてたんで、少々イカレた感じは気に喰わなかったが、空手か何かやってたんだろうな、素手喧嘩《ステゴロ》が滅法強かった。前川も、パパパンッ、と二、三発で伸されたらしい。その後もいくつか揉め事はあったが、どれもさして大事にはならなかった。前川なんざ、いつのまにか兄弟分気取りでよ。街で見かけると、イチマサ、なんてよ、テメェから声かけるような、そんな間柄になってた。俺も、いつでもうちにこいって、そういってた。ところが奴は、なかなか首を縦に振らなかった。組織は苦手ですから、って、やんわり断られてた。……でもあれは、何がきっかけだったんだろうな。あるときふいに、木野の方からいってきたんだ。諸田さんのところで、面倒見てもらえますかね、って」

それが、今から九年前――。

「何しろ腕っ節が強かったからな。俺のボディガードみたいなことをよくさせてた。お前はシノギなんてしなくていいから、とにかく俺のそばにいろ、ってな。口も堅かったし、義理もよく分かってた。それまでどんな仕事をしてたのか、訊いたこともあったが、あんまり喋りたがらなかった。その日暮らしのチンピラですよ、とか、そんなふうに……それが、ある日突然だ。丈治が、俺に話があるって、事務所に飛び込んできた。どうしても二人で話がしたいって。だから、二人で社長室に入った。そのとき初めて聞いたんだ。木野は、元警察官だろうって」

冷たい痺《しび》れが、下井の背中一杯に広がっていく。だが今は、無表情でやり過ごすしかない。

「そこそこ可愛がってたからな。そんなはずねえと思ったし、もしそうだったとしても、今が違えばそれでいいじゃねえかって、俺はいった。ところが、それだけじゃねえと丈治はいった……木野は、今も警察と繋がってる。奴は、サツの犬だって」

なぜ、バレた。

「……河村は、なんでそんなことを、急に」

「知らねえよ。誰か、知った顔のマル暴と会ってるのでも見たんじゃねえのか。丈治は、いいからすぐに確かめろっていう。吐かなきゃフクロにしてでも吐かせろっていう。でも俺は、まだそこまでは肚を括れなかった。もう少し様子を見ようって、その場は丈治をなだめて帰した。……だが、その直後だ。絶対にバレるはずのないアジトに、ガサが入った。チャカをだいぶ持っていかれたし、若いのが五人もパクられた」

思い当たる節がないではなかったが、しかしそれは、木野とも下井とも関係のないガサ入れだったのではないか。そもそも主導したのは、当時の生活安全部だったはずだ。

「さすがに俺も、おかしいと思い始めた。丈治に至っては、そら見たことかと、絶対に木野だと、奴が怪しいと、今すぐ奴を切れと、俺に迫った。できねえんなら俺がやるとまで丈治はいった。俺ももう、それを止められなくなってた」

続きを促す言葉が、上手く出てこない。

木野に何をした。たったそれだけの言葉が、瘤《こぶ》となって喉を塞《ふさ》いでしまっている。

しかし、急《せ》かさずとも諸田は続けた。

「……木野を呼び出して、訊いたよ。むろん、奴は否定したさ。だが俺より、丈治の方がよっぽど頭に血が昇ってた。奴は、妙に兄弟想いのところがあったからな。そりゃもう、尋常じゃなかったぜ。よほどネタ元に自信があったんだろう。殴る蹴るで吐かないと見ると、動けないように、こう、両手をさ、コンクリートに……そう、だから、キリストみたいにだよ。掌に、太いコンクリート釘を打ち込んでさ。壁に磔《はりつけ》にして、さらに若いのと三人がかりで、鉄パイプで滅多打ちさ。そうこうしてるうちに、今度は丈治のところにガサが入ったって連絡がきてよ。俺たちは、木野をそのままにしてその場を離れた。どうせ、逃げられやしねえと高を括ってた……だが、二日経って戻ってみると、もうそこに木野はいなかった。壁には、血塗れのコンクリート釘が二本、ちゃんと残ってた。……以来、俺は一度も木野を見てない」

なぜバレた。なぜ――。

その疑問が、下井の脳裏で渦を巻き続ける。

「もしあのときの仕返しで、奴がこんなことをやってるんだとしたら、温情なんかかけねえで、いっそひと思いに、あの場で殺っちまえばよかったぜ」

「……なぜ、そうしなかった」

ちらりと、諸田が横目を向ける。

「誰に仕込まれたスパイか、それを吐かせねえで楽になんかさせるもんか。そうだろう……下井さんよ」

そうだろうか。諸田もまた、木野に惚《ほ》れ込んでいたからこそ、最後の一手が打てなかったのではないのか。思わず「温情」といったことの方が、この男の偽らざる気持ちなのではないのか。

それとも、こんな考えすらただの感傷なのか。相手を信じたいという、自分の甘さなのか――。

ヤクザと付き合っていると、ときおり自分の立場というものを見失いそうになる。相手が犯罪集団に属する身であることは承知の上で、しかしそれにある種の情を抱《いだ》いてしまう。一人ひとりとじっくり向き合えば、義理も人情も、家族に対する愛情も持った人間が案外多い。少なくとも、外国人マフィアやマル走上がりの半グレ連中より話が通じるのは確かだ。それを以《もっ》て「負のセーフティネット」などと正当化することも、必要悪と許容することも許されはしないのだが、ただ叩き潰せばいいという昨今の風潮も、また違うように思う。闇雲に取り締まるだけではヤクザをマフィア化させるだけで、最低限存在した「任俠《にんきょう》」という名の箍《たが》すらはずすことになってしまう。

では、どうしたらいいのか。今はもう、下井もどうしていいのか分からない。それには時代背景や世論の動向、下井自身の年齢や立場の変化も大きく関わってくる。今の自分に何ができる。結局、何もできはしない。そんな諦めにも似た気分が胸の内を占めている。

ただ、組織側にも一定の理解を示してきたからこそ、自分はこれまでマル暴デカとしてやってこられた、という自負はある。厳密に法に照らせば、処分の対象となることも山ほどしてきた。しかし、それで正義にまで反したとは、下井は思っていない。警察官がいうべきことでないのは百も承知だが、法がすべてではないと、下井は思う。

諸田が目を閉じる。

「……木野は、最後まで口を割らなかった。そして黙って、俺の前から消えた。それがすべてだよ。下井さん」

話を終えると、下井から先に部屋を出るよういわれた。諸田はここに残り、またしばらく周囲の安全を確認してから出るのだろう。

部屋を出る間際に、諸田はいった。

「一連の殺しが木野の仕業でも、そうでないとしても、もう、極道はお終いかもしれねえな。そうなったら、下井さんの仕事もなくなっちまうな」

下井は、小さくかぶりを振ってみせた。

「……それより前に、俺は定年退職だよ」

ドアを開け、自分でも少々キザかと思ったが、肩越しに手を振ってみせた。

廊下には変わらず二人の見張りが立っていた。彼らは「ご苦労さまです」と丁寧に頭を下げ、下井を見送った。


木野との出会いは、今から二十年近く前にさかのぼる。

当時下井は警部補に昇任し、本部の捜査一課から品川の荏原《えばら》署に異動してきたばかりだった。地域課二係の係長を拝命し、そこに卒配で入ってきたのが木野だった。

十九歳。ニキビ痕の残る顔は、まだ少年そのものだった。

「本日から、地域課第二係の配置となりました、木野一政巡査です。よろしくお願いいたします」

大きく逞《たくま》しい逆三角形の上半身は、小柄な下井にしたら羨《うらや》ましい限りだった。聞けば子供の頃から空手をやっていたのだという。警察学校での選択は柔道だったが、むしろ拳での突きや蹴りが使える逮捕術の方が得意だとも話していた。

下井が直接仕事を教えることはなかったが、同じ交番の巡査部長らの評判はなかなかよかったように記憶している。体力もあるし、仕事も真面目にこなしている。柔道の上達も早く、下井も一度朝稽古で綺麗に投げられ、ちょっとは手加減してくれよと、冗談でいったのを覚えている。

下井はその後、一年ほどして本部の捜査四課に異動になり、木野とはそれっきりになってしまった。そもそも、何十人もいる係員のうちの一人。体が大きいという特徴はあったものの、当時は正直、それほど印象に残っていたわけでもなかった。

そんな木野と再会したのが九年前。諸田の話に照らしていうなら、木野が前川を伸して、諸田のところに詫びを入れにいった三、四年あとということになる。

当時、下井は隅田組の内偵をしている真っ最中だった。大和会と白川会の抗争を、隅田組がいかにして収めたのか。その舞台裏を暴くため、夜を徹して組員らの動向を探り、見張り、ときには関係者に袖の下を握らせて情報を集めた。

そんな中で見かけたのが、木野だった。

最初は恰好も違ったし、何しろ髪を金髪にしていたので、木野とは気づかなかった。諸田組や庭田組の連中と親しげに話していたり、ときには酒を酌み交わしたりしているが、どうも組員ではないらしい。何者だろう。その程度にしか思っていなかった。だが、何度も見かけるうちに、誰かに似ていないかと思うようになった。

決定的だったのは、どこかのチンピラと小競り合いになったのを目撃したときだった。左のジャブを一発顔面に叩き込み、ちょうど下井が喰らったのと同じ払い腰で相手を地面に叩きつけた。下井は自分がやられたときだけでなく、他の係員が投げられるのも何度か見ていたので、ピンときた。

あれ、木野じゃないか——。

そう思って注意深く見ると、まさにそうだった。鋭角的な目鼻立ち、顔の輪郭。広い肩幅、長い四肢。間違いない、あれは木野一政だ。しかし、なぜこんなところでチンピラと喧嘩なんかしている。諸田や庭田の若衆とつるんだりしている。ひょっとして、潜入捜査でもしているのか。

下井は本部に戻り、当時の上司だった平間係長の許可を得て木野について調べた。すると、まもなく意外な事実に行き当たった。木野はその時点から、すでに六年も前に警視庁を退職していたのだ。だが、本部にある資料では「依願退職」ということとしか分からない。それと、最終任地が荏原署であるということ。どうやら木野は、一度も異動しないうちに警察官人生を終えたようだった。

むろん下井は荏原署に出向き、木野が退職した具体的な理由を調べた。だが、下井が異動してから八年、木野が退職してから六年。多少の資料は残っていたものの、下井の顔見知りも、木野を知る者も一人としていない。結局下井は事情を知っていそうな元署員を訪ねて、いくつかの所轄署を回ることになった。

六、七人に話を聞き、下井が頭の中でまとめた木野退職にまつわる出来事というのはこうだった。

当時、木野は荏原署戸越《とごし》交番に勤務しており、管内のとあるマンションで無店舗型風俗が違法営業している事実を摑んだ。だが、すでにその違法店舗については生安課の井手《いで》という巡査部長が内偵を進めており、特に木野に出番はなく、また手柄にもならなかった。

しかし事件はその後、思わぬ展開を見せた。木野がその井手巡査部長と風俗店責任者の両方を殴打し、病院送りにしたのだ。どうやら井手は、違法営業を見逃す見返りとして、店舗から金品と女性のサービスを受けていたらしい。そんな裏事情もあり、木野が起こした傷害事件は立件されることなく揉み消されたが、木野はその後依願退職することになった。そう仕向けられたのか、あるいはそんな警察が嫌になったのかははっきりしなかったが、一人だけ、木野の言い分を個人的に聞いたという警官がいた。

「サツカンがヤクザの真似事をし、ヤクザもまたそれを黙認する。どっちも原理原則の分からねえクズ野郎だから、俺がそれを教えてやったまでだ、とか……そんな意味のことを、奴はいってました」

　そんな木野が、今では諸田組や庭田組の連中とつるんでいる。下井はこれを一つの好機と捉《とら》え、平間係長に相談した。木野と接触し、情報提供者として運営できないか探ってみたいというと、平間は「やってみろ」と後押ししてくれた。

　数日後、下井は木野が一人のときを狙って声をかけた。

　西池袋にある、とんこつラーメン屋のテーブル席だった。

「あれ……お前、木野じゃねえか？　なあ、木野だよな……なんだよ、久しぶりだな、おい」

　木野は、ほんの一瞬だけ刺すような目で下井を見たが、すぐにそれは驚きに丸くなり、あの頃の、十九か二十歳《はたち》頃の表情に逆戻りした。

「し……下井係長、ですか」

「ああ。覚えててくれたか」

「あ、はい、あの……ご無沙汰してます」

　そのときの態度で分かった。木野という男は、人間は、根本的にはそう大きく変わっていないと。

「元気そうだな。……しかし、どう見てもサツカンって感じじゃねえが、お前いま何やってんだ」

　木野はすまなそうに頭を下げ、肩をすぼめて答えた。

「実は、自分、警視庁を、退職しまして……」

「まあ、そうだろうな。その恰好でサツカンってのは、普通ならあり得ねえ」

金髪に、派手な刺繡《ししゅう》が入った黒のフライトジャケット。潜入捜査にしても目立ち過ぎる。

「今は……まあ、友達の、古着屋を、ちょっと手伝ったり、してます……」

それは嘘だった。木野はその頃、限りなくホームレスに近い生活をしていた。

「そうかい。まあ、ここで会ったのも何かの縁だ。一杯やろうぜ。もう、成人したんだろう？　ビールくらい飲めるんだろう？」

下井が木野にした行為は、マル暴デカが暴力団員を懐柔するときのそれとなんら変わらなかった。酒を飲ませ、とにかく多くの会話を交わし、こっちの身の上を晒《さら》す代わりに、相手のことも聞き出す。ときには風俗に連れていくことも、競輪や競馬に付き合わせることもした。むろん、木野の周りにいる人間に悟られないよう注意をしながら、ではあったが。

電話はたいてい下井から。

「おう、俺だ、下井だ。お前いまどこにいる。ちょっと、新宿まで出てこねえか」

「よう、俺いま新橋なんだけどよ、お前どこだ。……じゃあ、上野でどうだ。……分かった、じゃあ八時にな」

本当に、いろんなことを話した。下井が子供の頃にした悪戯《いたずら》のこと。初めて先輩警官に風俗に連れていかれたときのこと。昔の初任科講習のこと。そうとは知らず通っていた飲み屋の二階が、実は左翼ゲリラのアジトになっており、あとで死ぬほど驚いたこと。

木野もいろいろ話してくれた。出身が茨城県であることは知っていたが、実家が農家というのは知らなかった。兄弟は兄が二人。今は二人とも父親と一緒に農業を営んでいるという。

「俺は、早く家を出て、独立したかったんで。何せ、体がこうですから。もう、中学の頃から、いずれは自衛隊員か警察官って、決めてました」

「それなのに、どうして五年足らずで辞めることになっちまったんだ」

それについては何度か訊いたが、木野はあまり詳しく語りたがらなかった。

「なんででしょうね……なんというか、俺が思っていた正義が、あそこにはなかったんですよね。俺、サツカンと素人、両方殴ってクビになったんですけど、だったら俺を、きっちり送検しろって話ですよ。俺が二人を病院送りにしたのは、紛れもない事実なんですから……あ、下井係長がいらっしゃったら、どうなってたか、分かりませんけど」

そう聞いて、ようやく木野が警察を辞めるとき口にした「原理原則」の意味が分かった気がした。極道はあくまでも極道らしく、警察と馴《な》れ合うべきではないし、片や警察も警察らしく、罰すべきは身内だろうが厳しく罰すべし、ということなのだろう。

正直、Sとして運営するのは難しいタイプのように思った。考え方が短絡的過ぎるし、裏と表を使い分ける器用さもない気がした。ただし、この真っ直ぐな正義感は期待できるとも思った。

あるとき下井は、思いきって切り出した。

「木野よ……折り入って俺から、お前に頼みたいことがあるんだけどな」

木野は特に表情を変えることもなく、はい、と応えた。

「お前……諸田んところにいって、盃もらってくれねえか」

諸田組長に何度も誘われていることは、木野から直に聞いて知っていた。それを下井が頼むということが何を意味するのか、木野ならもう分かるはずだった。

仕事帰りのサラリーマンでごった返す、夜八時の大衆居酒屋。

木野は真っ直ぐ、下井の目を見た。

「……それはつまり、俺に、下井さんのスパイになれ、ってことですか」

下井も真っ直ぐに見返す。

「そうだ。俺のために、諸田組にもぐって、情報を流してほしい」

これは賭けだった。木野に対しては言葉を濁しても仕方がない。はっきり、簡潔にいった方がいいと下井は判断した。

木野は少し間を置いてから、再び視線をぶつけてきた。

「一つ、教えてください。それは、なんのためですか」

「一番知りたいのは、白川会を大和会と手打ちさせるのに、隅田組がどんな手を使ったのかってことだ。諸田にくっついてれば、道栄会の情報も、その上の隅田組本部の情報も自然と入ってくる。今、日本の裏社会の生命線を握ってるのは大和会じゃない、隅田組道栄会だ。あそこを摑んじまえば、いろんなネタがボロボロ出てくる。白川会と大和会の手打ちのネタも割れる。そうしたら……ヤクザを社会から完全に排除することは難しいだろうが、それに近いダメージは与えられると思う。俺たちの狙いは、それだ」

さらに木野が目に力を込める。

「……裏ネタ握って、ケチな小遣い稼ぎなんて、下井さんはしませんよね」

下井はあえて、頷きもかぶりを振りもしなかった。

「もしお前がそう思うなら、俺はそういう男なんだろう。でもお前が俺の言葉を信じてくれるんなら、俺はそういう男じゃねえってことになる。俺の目的は、あくまでも暴力団組織の壊滅、それに繫がるような、業界全体の地盤沈下だ。でも、これはいうほど簡単じゃねえ。急激に、一気にやったら、ヤクザはみんな失業者か犯罪者、どちらかにならざるを得ない。だから、破裂しない程度に針を刺して、風船を萎ませるように、少しずつ中身を抜いていくしかない。……俺にだってヤクザの知り合いはいる。諸田本人だって、諸田の妹だってよく知ってる。俺はな、ただ憎いだけでやるんじゃないんだ。奴らがちゃんと堅気になれるように、表社会でも生きていけるように……それが最終的には、奴らのためでもあるんだよ。分かるだろう、木野」

しばらく考えたのち、木野は、笑みを浮かべた。

「……分かりました。明日、盃もらってきます」

明るくそういって、木野は諸田組に単身乗り込んでいった。以後二年間にわたって、木野は下井に、諸田組及び道栄会の内部情報を提供し続けた。

だがなんの間違いがあったのか、そのことが庭田組組長である河村丈治の知るところとなった。木野はコンクリートの壁に磔にされるというリンチを受け、やがてその現場から消えたという。ひょっとしたら、本当は殺されてしまったのかもしれない。諸田が予防線を張って、下井には「黙って俺の前から消えた」といっただけなのかもしれない。でもそうではないのだとしたら、木野が本当に生きてリンチの現場から逃げ延びたのだとしたら、諸田の懸念もあながち的外れではないように思えてくる。

少なくとも河村丈治殺しに関しては、木野犯人説が成立する。

問題は、その他にも連続して発生している撲殺事件との関連性だ。

ホテルを出て、三、四十分した頃だろうか。

下井が池袋駅近くの立ち食い蕎麦屋で稲荷寿司を食べていると、携帯に電話がかかってきた。メモリーにない番号からだったが、出てみると、相手は諸田勇造だった。

「……なんだ。何か、言い忘れたことでもあったか」

諸田は、少し間を置きながら喋った。

『下井さん。悪いんだが、もう一度……さっきの部屋まで、きてもらえねえか』

「ああ、別にかまわねえが、なんでだ。話なら、いま電話でだっていいだろう……お前、この番号は、あれか、泰恵ちゃんから聞いたのか」

『あ、んん。まあ……その、やっぱりよ、直接会って、話してえんだ』

「そうか、分かった。いま駅だからよ、十分かそこらはかかるが、できるだけ早くいくよ」

『申し訳ねえ。……よろしく、頼みます』

なんとなく、諸田の様子がおかしいのは感じた。もう一度下井を部屋に呼ぶというのも、応じはしたが妙な話だ。

下井は駅前でタクシーを拾い、近場で申し訳ないがと要町方面に走らせた。

正味でいっても、十分はかからなかったと思う。釣りはいいからと千円置いてタクシーを降り、ホテル入り口、フロントは素通りしてエレベーター乗り場に向かった。

ホテルそのものの様子は、夕方とあまり変わりなかった。客の姿は一人も見かけず、ちらりと横目で見たレストランもひどくガランとしていた。ただ外が暗くなり、ホテル内にも照明が灯った。それだけの違いだった。

だがエレベーターに乗り、六階で降りた瞬間にもう、下井は異変を感じとっていた。

見張りが、いない——。

下井は拳銃サックからS＆Wを抜いた。安全装置をはずし、一発目をゆっくりと装填《そうてん》する。

エレベーター乗り場を出ると、廊下は左右に延びている。左の突き当たりが六〇七号室。下井はまず右側、自分がいずれ背を向ける方を確認し、すぐに左側も見て、誰もいないことを確かめてから廊下に出た。ここから見る限り、六階の廊下に人影はない。途中にある部屋から何者かが飛び出してくれば別だが、そうでなければいきなり後ろを取られる心配はない。

しかし、見張りの二人はどこにいったのだろう。六〇七号室内にいるのならいいが、もしそうでないとしたら、諸田はどうしているのだろう。今もあのドアスコープから、こっちの様子を窺《うかが》っているのだろうか。だとしたら、拳銃を構えた自分を見て何を思うだろう。私服警官が拳銃とは何事だと、余計に不安を募らせるのではないか。

六〇七号の二メートルほど手前まできて、下井はもう一つの異変に気づいた。ドアガードが枠にはさまっており、完全にはドアが閉まらないようになっている。つまり六〇七号は、今は誰でも自由に入れる状態。逆にいえば、中にいる者がドアを開けにこなくてもいい状態、ともいえる。

一応、下井はドア脇にある呼び鈴を押した。しかし、応答はない。

「……俺だ、下井だ。入っていいか」

答えたのは諸田ではない、まったくの別人だった。

「どうぞ。開いてるから、そのまま入ってください」

諸田よりずっと若い、それでいて芯《しん》のある、よく通る声——。

誰だ。やはり、木野なのか。やや距離のある響きだった。少なくともドアのすぐ中にいるのではない。さっきの間取りからすると、ベッドの足元、カウンターデスクの前辺りにいるのではないか。

下井は拳銃を両手で構えながら、革靴の爪先で、少しずつドアを押し開けた。隙間に見えてきたのは通路の壁。そのまま膝を使って押していくと、壁掛けの姿見、スタンドライト、薄っぺらい液晶テレビを載せたカウンターデスクの側面が見えてきた。そして、さきほど下井が座ったデスクの椅子。諸田は、そこに座っていた。こちらを向いて、両手をだらりと下に垂らして。

その諸田の後ろに、もう一人立っていた。背が高く、やけに肩幅が広い。諸田の髪を、脳天で鷲摑みにしている。

間違いない。木野一政だ。

「……お久しぶりです、下井さん。そのまま入って、ドアを閉めてください。拳銃は、足元に置いてください」

いわれた通りにするしかなかった。片手でドアガードを戻し、ドアを閉める。右膝をカーペットの床につき、安全装置をかけつつ拳銃を置く。木野の足元に見えている、あれはなんだ。誰かの靴――見張りか。すでに見張りは二人とも殺られて、そこに転がされているのか。

ただ今は、気づかぬ振りをしておく。

「……ずいぶんな挨拶じゃねえか、木野」

「それは自分の台詞《せりふ》ですよ、下井さん。ずいぶんな仕打ちじゃありませんか」

「なんのことだ」

「おや。分かりませんか」

木野はいきなり、何かを持った右手を、諸田の右胸元に打ち下ろした。

「ンギッ……カッ……」

服の上から肉を打つ鈍い音に交じって、何かが壊れる硬い音が聞こえた。おそらく胸骨が折れ、その切っ先は肺に刺さったに違いない。

「よせ、木野。そんなことをしてなんになる」

「そんなこと？　それをいう資格が、あんたらにはあるんですかね。俺は、俺をハメた人間が誰なのか、調べてるだけですよ。河村が仮釈になって、奴を捕まえて叩けば、真相は簡単に分かると思ってたのに、奴は結局、知らぬ存ぜぬで通しやがった。今もね、このおとっつぁんに散々訊いたんですが、やっぱり知らないっていう。俺が元警察官で、当時、組の情報を警察に流してたと、そういう話を誰から聞いたんだって、親切に訊いてやってるのに、白状しない。だから……こういうことになるッ」

もう一撃、木野が同じところに打ち下ろす。諸田は変な息を吐いただけで、もはや叫び声すらあげなくなっていた。

なんだあれは。木野は、何で諸田を殴っているのだ。

「……下井さん。まさか、あんたじゃないよね。急に俺が邪魔になって、あんた自身が、河村にタレ込んで俺を処分させようとしたとか、そういうことじゃ、ないよね」

諸田の目が、力なく下井を見る。そうだ。木野を運営していたのは確かに自分だ。しかし、タレ込んだのは断じて違う。

「俺がそんなことをして、なんの得がある」

「知らないよ、そんなことは。でも、河村に訊いても駄目、このおとっつぁんに訊いても駄目なら、もう下井さん、あんたに訊くしかないだろう。全身の骨がバラバラになる前に、白状した方がいいよ」

さらに一撃、木野は諸田の後頭部に打ち下ろした。ボクッ、というこもった音がして、諸田の体が椅子からずり落ちる。首を、叩き折られたらしい。

下井は、それを見ると同時に振り返り、左手でドアノブを捻り、右手で拳銃を拾おうとした。

しかし、

「遅いッ」

諸田が座っていた椅子を踏み台にして、木野がこっちに飛び掛かってきた。ほんの数センチドアは開いたが、

「ンガッ」

代わりに、拳銃に伸ばした右手を思いきり叩き潰された。木野の、全体重の乗った一撃を手の甲に喰らった。煎餅《せんべい》の入った袋を踏んづけたような、硬いものが立て続けに砕ける音が手首の先で鳴った。

間髪を容《い》れず、木野は右手をコンパクトに振り上げ、下井の右鎖骨をピンポイントで打ち抜いた。ポクッ、という音と同時に、急に右腕が重くぶら下がり、力が入れられなくなった。

それでも下井は、渾身《こんしん》の力で左手、ドアノブを引き寄せた。

ドアが半分くらい開いた、その瞬間――。

何者かがドア枠との隙間に現われ、その片足が、思いきり六〇七号のドアを蹴り開けた。お陰で下井は、ドアの縁で額を痛打した。

視界に火花が散る。

その中で、何者かが拳銃を構える。

勝俣、なぜ、お前がここに――。

「伏せろッ」

警告もせず、勝俣はいきなり木野に向けて引き鉄を引いた。それも二発、いや三発。だがそれだけ撃って、さっと廊下の壁に身を隠す。次の瞬間、下井の右耳を銃声がつんざいた。

木野だ。木野が下井の拳銃を拾って撃ち返したのだ。

「クソッ」

木野はひと声唸り、また一撃、今度は下井の左足首を叩き潰した。しかし、下井の叫びももはや声にはならない。木野が、勝俣が、滅茶苦茶に撃ち合いをしているからだ。折り重なる銃声にやられ、完全に鼓膜がイカレてしまった。

ボッ、と木野の右肩が弾《はじ》けるのが、視界の端に映った。

チャンスか――。

下井は一《いち》か八《ばち》か、右足一本で踏み切り、ヘッドスライディングの要領で、思いきって廊下に飛び出した。だが上手く受身がとれず、廊下の床に骨の折れた右肩を痛打した。左足首もドア枠かどこかにぶつけ、気絶するほどの激痛に見舞われた。ただ、それよりもショックだったのは、飛び出した自分に勝俣が銃を向けたことだ。

「馬鹿……俺だっ」

ハッとなった勝俣が銃口をドア口に向け直す。

気づくと、銃声は止《や》んでいた。

数秒様子を窺った勝俣が、ドア枠に身を寄せて中を覗き込む。

「……あっ、畜生ッ」

下井もなんとか上半身を起こし、室内に目を向けた。

部屋の正面突き当たりにある窓は、ガラスが粉々に砕けていた。

そこに駆け寄る勝俣。外を覗き、またいきなり、左下に向けて発砲する。テメェ、逃げるなコラ、と怒鳴りながら撃ち続ける。

銃声が鳴り止んだのは、単に弾をすべて撃ち尽くしたからだろう。

やがて苦々しく顔を歪め、携帯電話で誰かにがなりながらこっちに戻ってくる。

「緊急配備だ、緊急配備ッ。発生現場、豊島区池袋三丁目、アーバンプラザホテル六〇七号室。……ハァ？　キロ圏配備かＤ配備かなんて知るか。そっちで決めろよ。いいか続けるぞ。マル被の身長、百九十センチ以上。着衣、上衣は黒色ジャンパー、下衣は緑色のズボン。痩せ型。鈍器と拳銃を持ってっから気をつけろよ……あ、いや、拳銃は持ってねえかもな。ここに落ちてら……いいから、さっさと配備しろよ。また死人が出ても知らねえぞ」

携帯をしまい、ドア口に立って下井を見下ろす。

「……ケッ。ザマァねえな、とっつぁん」

なんて言い草だ。

「勝俣、テメェ……俺まで、殺す気か」

「下らねえ逆恨みするんじゃねえよ。ちゃんと生きてるだろうが。それが誰のお陰か、よく考えてから口利きやがれ」

チッ、と舌打ちし、また室内に目を向ける。

「しかし、何考えてんだ。無差別殺戮《さつりく》たぁ、まさにこのこったな。また三人も殺しやがった。

「……こりゃ、死刑もへったくれもあったもんじゃねえな……ところで下井さんよ。これはなんなんだろうな」

勝俣が、左手に持っていた何かをひらひらと振ってみせる。

「……マスク、か」

仮面舞踏会で使うような、目だけを覆う形のマスクに見える。色は、キラキラした青だ。

「それくらい俺だって見りゃ分かんだよ。何に使ったんだろうなって訊いてんだ。フザケるな、このくたばり損ないが」

黙れ。フザケているのはどっちだ——。

この男に助けられたことが今、下井には、心底悔やまれてならない。

第四章

1

最初の頃は死体処理を手伝わなくてよかったのだが、次第にマサは、ちょっと手を貸してくれと私を連れ出すようになった。

「……本当に、運転だけで、いいんですか」

「ああ。運転だけでいい」

マサがどこかから調達してきた軽トラックの荷台に死体を載せ、千葉方面に向かわされた。あれは民間の産廃業者だったのか、あるいは工場に併設された焼却場だったのか。とにかくそんなところに車を乗りつけた。

「おやっさん、下ろすぜ」

運転だけでいいといったじゃないですか、などと文句をいっても始まらない。この男に逆らって、いいことなどあるはずがない。

「……はい」

二人がかりで荷台から下ろし、担当者が待つ焼却炉の前まで運ぶ。ここ、と担当者が指差した投入口にバッグを放り込めば、作業は完了だ。その担当者は、たったそれだけで百万円もらっていた。

「じゃ、またな……おやっさん、いこう」

わりに合わんな、と私は思った。

私は殺しの現場に付き合わされ、死体をバッグに詰めたり、非常階段を使ってそれを搬出したりという手伝いをするし、さらに置き場にひと晩、死体を保管したりもしている。そこまでやって十万か、せいぜい二十万しかもらえない。しかも額の増減はマサの気分次第。ひどいと、びた一文もらえないときだってある。

「文句あるのかよ」

「いえ……別に、ないです。大丈夫です」

マスクがあればもう死体処理をしなくてよくなるんじゃなかったのか、と思いはしたが、それも口には出さなかった。私自身、マスクさえしていれば殺しっ放しでいいなどと、最初から思ってはいなかった。

朝一番で死体を焼却場に運び、高速道路には乗らず、だらだらと一般道で帰ってくる。マサは、なぜか荒川を渡った辺りで「腹減ったな」と言い出すことが多かった。

「どんなもんが、いいですか」

「おやっさんは？　俺は、そうだな……肉かな」

「この朝っぱらからですか」

「もうすぐ昼だぜ」

たぶん十時とか、十時半だったと思う。まあ、常識でいったら朝でも昼でもない半端な時間帯だ。

「分かりました……じゃあ、ステーキハウスとか、焼肉屋とか」

「そうだね。別に、普通のファミレスでもいいけど」

ちょうど大きな牛のマークの看板が目に入ったので、そこに入った。マサは黒毛和牛のサーロインステーキと生ビール、私はミックスグリルとノンアルコールビール。ああ、これかな、と思ったりもした。死体処理まで終わって、帰りに一杯ビールを飲みたい。私はそのための運転手なのかな、と。つまり、人は殺すが飲酒運転はしない――そういう生真面目《きまじめ》さも場合によっては必要なのだろうが、なんとなく釈然としないものはある。

「悪いね、俺だけ本物で……ま、ここは奢《おご》るから」

当たり前だ。しかも、その金は殺した奴から巻き上げたものじゃないか。私だってもっともらっていいはずだ――というのも、いつも思うだけ。

「いえ、いいですよ、私はこれで……いただきます」

適当に腹が満たされたら、また私が運転して自宅まで帰る。マサは途中から高鼾《たかいびき》だ。あまり寝言はいわない人だが、一度だけはっきりと「無線機が、電池切れでありますッ」と大声でいったときは笑った。無線ですか、と訊き返してみたが、それに対する答えはなかった。一体なんの夢を見ていたのやら。

軽トラックはレンタルではないので、そのまま一階の置き場に停めておく。すでにメーターが十万キロを超えているわりには、いい走りをする車だった。まだ三万キロくらいはいけるのではないか。

その日。マサはいつもより、ちょっと疲れている様子だった。

「おやっさん、俺、ちょっと上で休ませてもらうわ……なんか、腹具合が悪いや」

私はガラス戸の鍵を閉めてから振り返った。

「ああ、どうぞ、おやすみなさい。……布団、敷きましょうか」

「いや、いい。自分でできる」

マサは、手摺《てすり》を手繰《たぐ》るようにしながら二階に上がっていった。らしくないな、とは思ったが、私もさほど気にはしなかった。軽トラックの荷台に掛けたシート、それをフックに固定するゴムが何本かはずれていたので、それを直してから私も二階に上がった。

その後、私はどうしたのだろう。テレビのある部屋で、一人でビールでも飲み始めたのだろうか。いつのまにか炬燵《こたつ》で寝てしまったらしく、目が覚めたときは夕方で、刑事ドラマの再放送が始まっていたのを覚えている。

突如水の流れる音がし、トイレからマサが出てきた。

「……なんか、小便がすげえ臭《くせ》え」

私は体を起こし、気分はどうですか、とマサに訊いた。

「お陰さんで、腹具合はよくなった。なんだったんだろうな……やっぱり、肉が重かったのかな」

いいながらマサも炬燵に座り、タバコを吸い始めた。私が買ってきたものではあるが、タバコ銭の源はマサの殺しなので、これもやはり文句をいう筋合いではない。

「おやっさん、腹は」

「私は、大丈夫ですけど」

「いや、そろそろ減ったかってこと」

「ああ、ちょっと、小腹は空《す》きましたね。何か作りましょうか。お粥《かゆ》とか、そんなものでも」

「いや、いいよ。食いにいこう。俺も、うどんとかなら食えそうだ」

それからまた、ジャンパーを羽織って一階に下りた。だが、下りきったところでふいにマサが足を止め、サッと肩越しに手を挙げた。それはここ、自宅や置き場でマサがする動作ではなかった。あるとしたら、襲撃現場。それも踏み込む直前。相手の様子を窺うときに出す合図だった。

ちょっと、ここで待て——。

私はその瞬間の姿勢を完全に保ち、指一本動かすことなく、次なるマサの指示を待った。

マサは階段下で靴を履き、黙って軽トラックの運転席側に回っていった。ほとんど空っぽの、道具棚のある方だ。夕方で、しかも軽トラの陰というのもあり、そっちはかなり暗い。

足元を見下ろしたマサが、

「……お前、何やってんだ」

そう呟いた瞬間だった。

こっちからはよく見えなかったが、急に車体の陰から何者かが立ち上がろうとし、しかしそうはさせず、マサは拳を振るってそれを叩き落とした。さらに蹴り、蹴り、蹴り。ギャッ、という短い悲鳴。マサは何度も何度も相手を踏みつけ、そのたびに何か、小さな金属音も交じって聞こえた。

しばらくして、マサがこっちを指差した。

「……おやっさん、電気点けて」

私は黙って頷き、置き場の照明をすべてオンにした。

青白く瞬《またた》き、まもなく蛍光灯の明かりが整う。

私は恐る恐る、マサの後ろに立って様子を窺った。

そこには、ダウンジャケットにジーパンという出《い》で立《た》ちの男が、横向きになって倒れていた。短い茶髪から、わりと若い男なのだろうと察した。ただ一点、その男には妙なところがあった。

マサが、男の膝辺りを爪先で蹴飛ばす。

「おい……気絶したフリすんなよ。起きろって……おい、なんでお前、手錠なんてしてんだ。コラ」

そう。男の両手には、黒い手錠がきっちりとはまっていた。

そして男の肩の辺りには、大きめの金ヤスリが転がっていた。

基本的に、マサは物好きな性格なのだと思う。

男をコンクリートの地面に正座させ、尋問を始めた。

「これって本物の、警察の手錠だろう。そこらの玩具《おもちゃ》じゃねえよな」

初めのうち、男は何も答えようとしなかった。

「ちゃんと服を着てるってことは、あれか、護送中に逃げ出したのか。なあ、そうなんだろう」

たまには「黙ってねえで喋れ」と平手で脳天を叩く。

「素直に喋らねえと、警察に突き返すぞ」

十人以上殺してるあんたにそんな資格があるのか、とも思ったが、むろん黙っていた。

「そもそもお前、何やったんだ。殺しか？　強盗か？　ツッコミか？　何やらかしたんだよ。ほら、いってみろって」

ようやく男は、ぼそりと漏らした。

「……詐欺」

マサが、ハッ、と鼻で笑う。

「詐欺ィ？　詐欺ってツラじゃねえだろう、お前は。何詐欺だよ。あれか、年増女だまくらかしての、結婚詐欺か。……いや、違うな。それよりは、あれか。いま流行《はや》りの、オレオレ詐欺か」

ピクリと男の視線が跳ね、あらぬ方を見る。

「なんだ、当たりか……馬鹿だな、お前。大人しく裁判してりゃ、もしかしたら執行猶予くらいついたかもしれねえのに。逃げちまったら駄目だよ。言い訳のしようもねえ」

マサはポケットからタバコの箱を出し、一本銜えた。そう、自分の分は自分でちゃんと持っているのだ。

「……で、お前、どっから逃げてきた」

あまりに反応がないと、またマサが手を出す。それでようやく、男もひと言返してくる。

「……千住」

「千住？　あの、足立区の千住か」

それには、こくりと頷く。

「なんでまた、千住なんて……ここまで、どうやって逃げてきたんだ。けっこうあるだろう。十キロ以上あるだろう」

それに関しては、私の方が早くピンときた。

「あの……ひょっとして、どっかでこれに、乗り込んだんじゃ」

私は軽トラックの荷台をぽんと叩いてみせた。そういえば帰ってきたとき、シートのゴムが何本かはずれていた。こいつは荷台に身をひそめ、しかし両手に手錠がはまった状態では中からゴムを掛け直すことができず、だから、はずしたままにしておいた——そういうことではないのか。そして、そんなことが可能だった場所、タイミングといえば、十時過ぎに朝飯を食った、あのレストランの駐車場以外にはあり得ない。

マサも「荷台」でピンときたのか、何度か続けて頷いた。

「……それで、俺らが昼寝してる間に、こいつで手錠をはずそうとしたわけか」

そういって、マサが振って見せたのは大きめの金ヤスリ。しかし、それでガリガリやって手錠を切断するのは至難の業だろう。私だったらグラインダーを使う。

続けてマサが訊く。

「お前さ、もうアンバコに戻る気はねえの」

意味が分からなかったのか、男は困ったようにマサを見上げた。

「ブタ箱だよ。警察の留置場に、大人しく詫び入れて戻る気はねえのかって訊いてんだ」

それには、ぶんぶんと大きく首を振る。コンクリートに正座させられて痺れがきたのか、ついでのように尻の位置を変えて座り直す。

「……ってことは、犯罪者だぜ。詐欺と逃走罪が時効で帳消しになるまで、お前は犯罪者として生きることになるんだぜ」

男は眉をひそめ、奥歯を強く噛んだ。頰の筋肉が、筋張って硬くなるのが見ていて分かる。

「そこをちゃんと分かってるんだったら、その手錠、俺がはずしてやってもいい。償うチャンスを棒に振ると分かっていても、それでもいま目の前にある自由を選ぶっていうんなら、俺がその自由を、お前にくれてやる……暗闇を一人で歩いて生き抜く方法を、俺が教えてやる」

同じだ、と思った。自分のときと。台詞は違うが、マサが誰かを仲間に引き入れようとするときの言葉には、共通した、一種独特な力強さがある。説得力といってもいい。

真っ当な道で失敗したからといって、誰もが悪党になれるわけではない。悪党になろうとして、余計ひどい目に遭う場合だってある。私がそうだった。自棄《やけ》になり、クスリに溺れ、借金に塗れ、結局は人前で糞を漏らして土下座をするしかなくなった。だがそんな私を、マサは助けてくれた。もはや善人になどなれはしないが、今からでも、いっぱしの悪党になられる。力さえ身につければ、少なくとも怯えて暮らす必要はなくなる。そう教えてくれた。

そんなマサの強さに、この男も惹《ひ》かれつつあるようだった。

マサに、頭を下げるようにしていう。

「もう……閉じ込められて、殴られて、脅されて……奴隷になるのは、嫌だ……」

留置場でずいぶんひどい目に遭ったんだな、と私は思ったが、どうもそういうことではないようだった。

「あれだったら、ブタ箱も、ムショも、一緒だ……俺は、奴らの、奴隷じゃない……俺はもう、奴隷は、嫌だ……」

ゆっくりと、マサが男の胸座《むなぐら》に手を伸ばす。ジャケットの襟を大きく摑み、絞り上げるように握り締める。

「だったら、お前も肚を括れ。もう、法律はお前を守っちゃくれない。自分の身は自分で守るんだ。自分の力で守るんだ。その力は、俺が授けてやる。……できるか。俺に、ついてこれるか」

男は、頷いた。まあ、頷くしかなかったのだろう。

「よし……じゃあ、とりあえず、おやっさん。この手錠、はずしてやってくれ」

依然として、工具を使う仕事はすべて私の担当だった。

男はトキオと名乗った。一日の大半はマサと一緒に行動し、ときには軽トラックを表に出して場所を空け、置き場で空手の型のようなものをマサから習った。

「振りかぶるな。前に出る勢いを利用して……こうだ」

トキオの体格は、マサに比べたら劣る。背は私と同じくらいだが、贅肉《ぜいにく》の分だけ、ひょっとしたら私の方が強そうに見えるかもしれない。でも、トキオには若さがあった。運動神経も悪くない。それに加えて、自分を変えたいという貪欲《どんよく》さがあった。マサから二、三発もらって伸されても、少しもへこたれなかった。

「……もう一回、お願いします」

ボクシングのトレーニングなんかとは、根本的に違った。そもそもスポーツですらない。マサが教えようとしているのは、まさに殺人術だった。だから、体力をつけて、筋力をつけて威力を増す、というような発想はない。むしろフェイント。相手の足の位置、姿勢がこうだったら、ここに足を出して、屈みながら、こう、といった、具体的な戦闘術の伝授だった。よって声も出さない。静かに説明して、実践し、駄目ならマサが反撃し、上手く入るまで同じ技を繰り返す。

トキオは、どの時点で気づいていたのだろう。初めて現場に連れていかれたとき、奴は目の前で人が殺されるのを見ても、まったく驚いた顔をしなかった。標的は、おそらくトキオが協力させられていたという連中に近い、振り込め詐欺グループだった。

まず、四人いたうちの二人の下っ端の肩を折り、部屋の端に正座させる。それを見張るのは私とトキオの役目だ。マサは、身動きをできなくした先輩格の一人の口に新聞紙を吐くほど詰め込み、すでに殺してあるもう一人の先輩格を地道に丸めていく。

「呆気《あっけ》ねえな、人間の体なんて。鎖骨が折れたら腕が駄目。腰が折れたら下半身が駄目。延髄をやられたら、もうお陀仏《だぶつ》さ……な、人間一人が生きていくためには、驚くほど多くの条件が必要なんだよ。一生無事、天寿を全うできるなんてのは、ほとんど奇跡さ。お前らみてえに人の道をはずれると、それもまた生きる資格を失うことになる……そんなこと、誰が決めるんだって顔してるな。俺だよ。俺が勝手に決めるんだ。当たり前だろう」

青いマスクをしたマサが、見惚《みと》れるほど手際よく死体を丸めていく。特にその日のはいい出来だった。事務机の深い引き出しにも入れられそうなくらい、コンパクトにまとめられていた。

そう。死体の丸まり具合を良いとか悪いとか、そんなふうに思う時点で私も充分狂っていたのだろう。だがトキオのそれは、私とはまた大きく違っていた。明らかに、興奮しているのだ。マサの仕事を見て、まるで思春期の少年がヌード写真に目を奪われるように、瞬《まばた》きを忘れ、鼻息を荒くし、よく見れば股間まで膨らませている。とんだ変態野郎だ。

「どうした。お前は、こうはなりたくないか。こいつみたいに、丸められたくはないか……

そうか、嫌か。じゃあ、自分がどうやって丸められていくか、お前は自分で見て分かるように、生かしたまま、足から畳んでってやるよ。麻酔とかないからな。痛えぞ……こんなんだったら、プレス機に巻き込まれて死んだ方がマシだって思うぞ……なあ、可哀相に。じゃ、始めるぜ」

そんなトキオだから、自分でも殺りたいと言い出すのは時間の問題だと思っていた。

しかし、それに対するマサの答えは冷静だった。

「今はまだ駄目だ。けど、俺に一発でも入れられたら、いいぜ。俺と同じ道具を作ってやるよ」

実際に道具を作るのは私だが、まあ、それはさて置く。

その日から、スパーリングというか組み手というか、二人の訓練はさらに激しさを増した。私のような素人が見ても分かるくらい、トキオは短期間のうちに見る見る実力をつけていった。だが、それにも増して凄《すご》いのはマサだ。若いトキオの攻撃を、ほんの数ミリの動きで無力化し、捌《さば》いてしまう。

「まだまだだな。お前、どこが違うか分かるか。……ここ、ここが違うんだよ」

いいながら、ふざけたように自分のこめかみ辺りを指す。

トキオのいいところは、そういう挑発に一々乗らないところだ。

「……もう一度、お願いします」

マサによって、トキオという男は次第に硬く、冷たく、鋭く、研ぎ澄まされていった。私にはそれが、手に取るように分かった。

半年くらいした頃だろうか。トキオの右拳が、ようやくマサの胸に届いたことがあった。私にはほぼダメージもない、当たり損ないに近い突きに見えたが、マサはこれを非常に高く評価した。

「ようやく、呼吸が分かってきたみたいだな。……よし、おやっさん。俺のと同じ道具、作ってやってくれ」

「ああ、分かった」

作るのは簡単だった。柄を切り落として、親指用のフックをつけて、打面を磨き上げればいい。仕上がるまで半日もかからなかった。

翌日からは、道具を使っての型稽古が始まった。トキオは、技の出し方や道具がマサと同じというだけでなく、体つきまでどことなく似てきていた。弱さという贅肉が落ち、無機質な、金属的な存在感が増していく。身長差を無視すれば、二人は本当によく似ていた。

ただし、それぞれの内面はまったくの別物といってよかった。

マサが陽なら、トキオは陰。もとからトキオは陰気な性格だったが、私にはそれが、マサの殺人術を得ることで、ある種の「狂気」に変容していくように思えてならなかった。いつのまにか私は、これ以上トキオが上達しないよう、密《ひそ》かに祈るようにすらなっていた。

同時に、私にはマサという男も分からなくなっていた。マサ一人でもほとんど無敵だというのに、さらに弟子を仕込んでどうしようというのだろう。何をしようとしているのだろう。

まったく、理解に苦しむ。

2

二月二十六日、夜の捜査会議。

玲子の一つ後ろの席、池袋署組対係の組が報告を始めようとした、その瞬間だった。

「す、すみませんッ」

誰かの裏返った声がし、誰もがそっちを振り返った。

会議室後方、事務机を突き合わせて作った本部デスク。そこにいた一人が立ち上がり、大《おお》袈裟《げさ》に手を挙げている。

「なんだ、どうした」

上座中央にいた三浦管理官が訊く。しかし、デスクの男はすぐには答えない。受令機か、イヤホンの入った左耳を押さえたまま立ち竦《すく》んでいる。

何事だ――。

玲子も慌ててポケットの受令機に手を伸ばした。周りの捜査員もみな、それぞれスーツの胸や腰をあさり始める。

本体に巻きつけたコードを解くのももどかしい。玲子はそれごと耳に近づけ、イヤホンを耳に捻じ込んだ。

《……マル被は現場より逃走。人着にあっては、身長百九十センチ以上。体格、痩せ型、男性一名。年齢、三十歳から四十歳。上衣にあっては黒色ジャンパー、下衣にあっては緑色のズボン。拳銃の他にも凶器所持の可能性あり。現時点より池袋を中心としたD配備を発令する》

出だしは聴けなかったが、つまりは発砲事案か。だとすれば暴力団関係者が関与した可能性が考えられる。D配備は隣接署同士の連携緊急配備。発生現場はどこだ。

同じ無線を聴いていたのだろう。別のデスク要員がメモを持って上座に上がってきた。受け取った三浦管理官が、署長やその他の幹部にも見せる。

ふた言、三言交わし、最終的にメモを託されたのは東尾だった。そのまま読み上げる。

「……二十時三分。池袋署管内において発砲、並びに殺傷事案発生の通報があった。三名死亡、一名が重傷。発生現場は、豊島区池袋三丁目△の◎、アーバンプラザホテル六階。マル被は逃走、男性で身長百九十センチ以上……」

玲子の記憶が正しければ、アーバンプラザホテルとは玲子の通勤道中にある、煉瓦風の外観のホテルではなかったか。住所からすると、池袋署と目白署の管区境界付近だ。

三浦管理官が付け加える。

「本件との関連性について情報収集をするため、一時会議を中断する。全員この場で待機」

多くの捜査員はまだ無線を聴きながらメモをとっている。

玲子もイヤホンは入れていたが、ノートは閉じて上座に向かった。

「……東尾課長」

「お前もこい」

「はい」

眉をひそめた三浦管理官、口の端を捻じ曲げた明石係長、溜め息をつく高津組対課長に、東尾。その他数名の警部補らと連れ立って、玲子も下座のデスクに向かった。

ちょうど電話が入ったらしく、

「三浦管理官」

最初に声をあげたデスク要員が三浦に受話器を差し出してきた。

咳払いを一つしてから、三浦がそれを受け取る。

「……はい、三浦です」

かなり長い間、三浦は話を聞いていた。途中「浅川《あさかわ》と小谷《こたに》の組ですが」「まだ連絡はありません」などと答えていたが、詳しい内容は分からない。心当たりといえば、暴力犯四係に浅川という主任、小谷というデカ長がいるが、彼らが受け持っていたのは諸田組組長、諸田勇造の行確ではなかったか。

やがて三浦は「早急に情報を整理します。失礼いたします」と結び、受話器をデスク要員に返した。

明石が喰いつくような目で三浦を見る。

「管理官」

三浦は溜め息をつき、首を横にひと振りした。

「……安東課長からだ。殺害された三名のうち、一人は諸田勇造だそうだ。残りの二名はそのボディガードと見られる組員らしい。行動確認という言葉の意味を知っているかと、冷たい声で訊かれたよ……まったく、浅川と小谷は何をやってたんだ」

「すぐに確認します」

明石が輪からはずれる。

次に訊いたのは東尾だ。

「もう一名の怪我人というのは」

「それが……警察官だそうだ」

誰もが声を失った。

三浦がこちらに向き直って続ける。

「怪我をしたのは、中野署刑組課の下井正文警部補」

「えっ」

思わず、玲子は声をあげてしまった。

「中野の、下井さんですか？」

「……姫川係長、下井を知ってるのか」

「ええ。一昨年《おととし》、組んで捜査をしました」

玲子が警視庁本部で最後に手掛けた、あの事件だ。

「そうか。命に別状はないようだが、鈍器での殴打を受け、数ヶ所を骨折する重傷を負ったらしい。死亡の三名も、今のところ死因は殴打によるものと報告されている。射殺ではないということだ」

殴打による、殺害。マル被は「ブルーマーダー」か——。

「さらにいうと、事案を通報してきたのは殺人班八係の、勝俣主任だそうだ。練馬の特捜に入っていたが、単独で諸田に張り付いていたらしい。……こっちは四人も使っていてマル対(監視対象者)を追いきれていないというのに、どうして、あっちは単独で事件現場まで踏み込んでいけたんだ」

それは、勝俣健作《けんさく》という人間を知ってさえいれば、特に不思議なことではない。

もう一つ訊いておく。

「管理官。下井さんは、なぜその現場にいたんでしょう。勝俣主任と組んでいた、ということなのでしょうか」

中野署と練馬署は隣接していない。よって中野署の下井が練馬の特捜に応援で呼ばれていた、というのは現状考えにくい。しかし、下井と勝俣はかつて捜査一課の同じ係にいたことがあり、気心が知れている。二人が秘密裏に連携して捜査をしていた、というのならあるかもしれない。

三浦も首を傾げている。

「それについては、課長は何もいっていなかった。マルB絡みで事件が多発しているこの時期に、しかもこの管内で、なぜ中野署の下井が諸田と一緒にいたのか……」

呼び捨てにするところをみると、三浦も下井とは面識があるようだ。

またどこかから電話がかかってきた。

「管理官」

「ああ」

再び安東課長からだろう。三浦は受話器を耳に当て、「はい、はい」と頷きながらデスクのペン立てに手を伸ばした。その間、東尾は近くにいた池袋署員に、地域課から何か情報が入っていないか確認してくるよう指示し、組対課長の高津はデスク要員に、外に出ている捜査員全員と連絡をとるよう命じた。

三浦は最後に「よろしくお願いします」と低くいい、受話器を戻した。すぐさまデスク脇のコピー機を指差す。

「じきにファックスがくるはずだから、見ててくれ」

「はい」

短く舌打ちし、また頭をひと振りする。

「……どうも、現場で発砲したのはマル被だけじゃないらしい。勝俣主任も、相当撃ち返したって話だ。複数件のセンター通報があったが、同一案件と判断し、本部が情報を止めたということだ。それと、下井の証言からすると、少なくともマル被は、右肩に一発被弾しているらしい。さらに……」

そこでデスク要員が「きました」とひと声あげた。コピー機に手を入れ、一枚引き抜いてすぐさま三浦に差し出す。

三浦が、これ以上ないという難しい顔で頷く。

「……そう。下井の証言によると、マル被はこの男らしい」

東尾やその他の本部主任と共に、玲子もその紙を覗いた。

木野一政、三十八歳。住所その他は不明――。

その続きには、信じ難い記述がある。

「……元、警視庁、警察官？」

玲子の問いに、三浦が頷く。

「下井とは所属を同じくしたことがあるようだが、詳細は目下確認中だ。何しろ下井は治療中だからな。それが終わり次第、詳しい事情を聞くことになるだろう。……木野が現場で使用した拳銃は下井が携帯していたもので、それ自体は現場に残っていたそうだ。しかし、それ以外に銃を所持していないという確証はない。それでなくとも、下井を含む四人が激しい殴打を受けている。ここ一連の事案と同一犯である可能性は、高いといわざるを得ない」

明石がこっちに戻ってくる。なんと、今にも泣き出しそうな顔をしている。

「浅川と小谷、すみません……諸田が、事務所から抜け出していたことに、気づいて、いませんでした……」

三浦が「馬鹿が」と吐き捨てる。

「……とにかく、マル被は手負いだ。鈍器様の凶器を所持している可能性も高い。それを用いてさらなる凶行に及ぶ危険性は充分ある。安東課長は刑事部と連携し、マル被が逃走中に立て籠《こ》もる可能性も考慮に入れ、特殊班の出動要請を検討するといっていた。場合によっては、特殊部隊を呼ぶ状況にだってなりかねん」

刑事部捜査一課特殊犯捜査係、通称「ＳＩＴ」、警備部特殊部隊、通称「ＳＡＴ」。双方とも立て籠もりやハイジャックなど、対特殊犯オペレーションの訓練を積んだ専門チームだ。

「マル被は河村に飯島、林に、諸田と組員二人、谷崎と白井を加えたら全部で八人、それだけ殺しておいて、なお二人の警官にも重傷を負わせている。安東課長はおそらく、状況次第では射殺もやむなしという考えでいる。これは、なんとしても……ここの管内で生け捕りにしないとマズい。東尾さん、高津さん」

はい、と二人が姿勢を正す。

「特捜の捜査員を全員投入して、マル被の確保に全力を挙げましょう。署長も呼んで全署員にも下命し、職質、警戒を徹底させてください」

了解しました、と二人が声を揃える。

事ここに至って、初めて特捜本部が一つになった、か——。

これが、遅きに失した、とならなければいいが。


むろん、玲子たちもすぐに署から出た。今回は受令機に加え、池袋署員は署外活動用無線も携帯しての出動になった。あえてバッグは持たず、手帳と手錠、白手袋に拳銃など、携帯品はすべて直接身につけた。左腕には「捜査」の腕章も巻いた。

玲子が江田と受け持ったのは池袋駅構内、有楽町線の西側改札から西武池袋線乗り場に向かう南側コンコースだ。帰宅途中の勤め人、遊び歩いている学生、酔っている者、疲れた顔をしている者。夜九時前の池袋はまだまだ人で溢れ返っている。つまり、犯人にとっては人質は取り放題という状況だ。

「姫川さん、あれ……」

両耳にイヤホンを入れ、無線連絡を聴きながらの警戒活動。正直、相方との会話もままならない。

江田が目で示したのは、柱に寄りかかっている背の高い男性だ。

「……いえ、違いますね。顔が」

警視庁時代のものではあるが、すでに木野一政の顔写真も確認済みである。目も鼻も口も、まるで定規で測って描いたような、直線的パーツで構成された顔。ある意味、非常に覚えやすい人相だ。見間違わない自信はある。ちなみに、同じ写真画像は地域課警官が持つ携帯端末にも一斉送信されているはずである。

その間にも、右耳から左耳から様々な情報が飛び込んでくる。駅東口でマル酔（酔っ払い）が騒いでいるとの通報。池袋本町路上で引ったくり事案発生。平和通りで通行人と軽自動車の接触事故。同じ平和通りで無銭飲食——。

そうこうしているうちに、西武線の改札近くまでやってきた。

「江田さん。食品街も、一応見ましょう」

「はい」

西武デパートの地下食品売り場。右肩に被弾した長身の男が逃げ込むとは考えづらいが、しかし相手は元警察官。どんな裏をかいて逃走を図るか分からない。通常の捜査感覚で判断すべきではないだろう。

お惣菜店が並ぶ一画。すでに大半の棚は空になっており、残っているものには「三割引」「半額」などのシールが貼られている。普段の玲子なら、迷わず手を伸ばすような品もあちこちに見受けられた。少し歩くと洋菓子、和菓子のコーナー、輸入ワインなどを扱う店舗もある。

腕時計を見ると、閉店時間の九時を五分ほど過ぎていた。見回しても、もう客は目で数えられる程度しかいない。百九十センチを超える大男がいるかどうかの確認は、至極容易な状況だった。

それでも一応、見通しの利く位置にある店舗のスタッフには訊いておく。

「お忙しいところ、恐れ入ります。ここ一時間くらいの間で、背が高くて、黒っぽいジャンパーを着た男性を、見かけませんでしたか。こんな感じの人なんですが」

ズボンの色や、肩に怪我をしているなどの情報はあえて耳に入れない。ひょっとしたら大した怪我ではないかもしれないし、位置によっては、店員は下半身が見えなかったかもしれないからだ。

「さあ……ちょっと、心当たりはないですね」

「ありがとうございました。この一帯、事件が多発しておりますので、何かお気づきのことがありましたら、些細なことでもけっこうです。警察までお知らせください」

店員に一礼し、江田に「いきましょう」といった、そのときだった。

《至急至急ッ、西口五よりPS（本署）》

署活系無線から興奮した様子の音声が流れてきた。

《PSです、どうぞ》

《西池袋一丁目二十五付近、ホテルサンタウン前の路上において、緊急配備中事案関係、これのマル被に近い人着の男性に職質したところ、これは逃走、ウィ・ロードを抜けて南池袋一丁目、パルコ方面に向かって進行中》

ウィ・ロードを抜けてパルコなら、ここから遠くない。

「江田さん」

「はいッ」

まず食品街から出て、一番近い階段から地上に出た。

目の前は明治通り。歩道にはまだかなりの数の通行人がいる。

玲子はすぐに左、パルコ方面へと向かった。直線を走ったら男には敵《かな》わないかもしれないが、通行人を避《よ》けながらだと大して速さは変わらない。

「すみません、通してくださいッ」

ましてや、同じ腕章を巻いた男女が血相を変えて走ってくれば、たいていの人は「何事か」と足を止める。それを避けて進むだけだから、さほど難しくもない。

東口の正面では、同じように地下から上がってきた捜査員と合流した。

さらに無線連絡が入る。

《マル被は明治通りを横断して直進ッ》

クソッ、渡られたか――。

目の前、明治通り横断用の歩行者信号は青が点滅中だ。

「江田さんこっちッ」

「はいッ」

ほとんど斜め渡り。ＵＦＣ銀行めがけて全力疾走。

「すみません通りますッ」

「どいてくださいッ」

《マル被直進、豊島公会堂方面に進行ッ》

ということは、もう一つ向こうのブロックか。

それにしても、速い。本当に、マル被は右肩に被弾なんてしているのか。

さらに左へと進むと、一つ先の角に制服警官二人が入っていくのが見えた。無線で喋っていたのは彼らか。だとしたらもう近いのか。

玲子たちも同じ角を曲がる。そのときすでに、制服警官たちは突き当たりの通りまで出ようとしていた。幸い通行人は左右に避け、道を空けてくれている。

ちくしょう――。

体力差が出てきたか、あるいは靴が悪いのか。この直線に入った途端、男性捜査員たちとの位置関係が逆転した。コートの背中が少しずつ前に離れていく。息も切れてきた。

《立体駐車場ッ……その先の公園ッ》

だが次の通りに出たところで、どうにか追いついた。

歩行者信号は赤。それでも、合流した捜査員が強引に車道を渡っていく。両手を挙げながら、車を停めながら進んでいく。江田たちもそれに続いた。玲子も追いかける。渡ったところ、左手にあるのがさっき無線でいっていた立体駐車場か。そういえば確かに、この先には公園がある。

なんだろうと通りの先を見ている通行人。その間を抜けて走る。

すぐに四つ角があり、左手――。

よし、見えた。

「動くなァーッ」

遊具も噴水もない、ただの広場といった体の公園。街灯の明かりに照らされる、五、六人の制服警官の後ろ姿。彼らはすでに立ち止まり、何者かを囲むように散開していた。状況を察した一般人は端に寄り、あるいは公園から慌てて出てくる。赤灯《あかとう》はまだ見えないが、どこからかサイレンの音は聞こえてきている。

「手を挙げろッ」

玲子たちも公園内に入った。いや、警察官はもっといた。見たところ、制服が八人、私服が三人。玲子たちを入れたら全部で十五人か。

広場のほぼ中央。警察官が作った輪の中心に、両膝を地面につき、少し前屈みになっている男がいる。見える背中は、確かに黒っぽいジャンパーだ。下衣は、ここからでは茶系にも見えるカーゴパンツ様のズボン。靴は黒っぽいスニーカー。

両手がどうなっているのかは、ここからでは分からない。

背後がＰＣの赤灯で明るくなる。公園の向こう、区民センター前にもパンダが一台、捜査用ＰＣが一台、停まるのが見えた。

「聞こえないのか、両手を挙げろッ」

包囲の輪の半径は三メートルほど。制服四名、私服の二名が銃を取り出しているが、まだマル被には向けていない。他数名の警察官は周囲の一般人に退避を呼びかけている。玲子も辺りを見回したが、出入り口に近いせいか一般人は全員公園の外に出ており、危険はないように見えた。ＰＣから降りた何名かもその整理に当たっている。

「もう一度いうぞ。両手をポケットから出して、上に挙げろ」

玲子は、マル被の後ろ姿に目を凝らした。大きな背中だが、下半身は引き締まっており、決して太くはない。身長百九十センチ以上、痩せ型という人着には無理なく当てはまる。髪は黒。刈り上げてはいないが短めだ。

マル被の両肘が、わずかに動きを見せた。

逸《はや》った何人かがマル被に銃を向けたが、

「……よし、そうだ。そのまま、上に挙げろ」

声をかけている正面の制服警官は、マル被を徒手空拳《としゅくうけん》と判断したか、銃は向けずに大きく頷いてみせた。

マル被がゆっくりと、両手を上に挙げ始める。肩から上に、少しずつ見えてきた両手には、黒い手袋がはめられていた。確かに、拳銃その他、凶器の類は持っていないように見える。右手はそこで止まったが、左手はさらに頭より高く挙げられた。不恰好だがバンザイの形になる。

背後には続々と応援が到着しているものの、公園内には入ってこない。無線情報以上のことは分からないので、迂闊には入れないのだ。

状況は、刻一刻と進行している。

玲子に一番近い位置、マル被の真後ろにいる私服警官が右手を挙げ、静かに「前へ」と振った。あれは、組対四課の主任だ。それを合図に、包囲した全員が前進を始める。

一歩、また一歩。

二メートルまで近づいて、また正面の警察官がひと声発した。

「よし……そのまま前屈みになって、両手を地面について、四つん這いになれ。ゆっくり、ゆっくりとだ」

それを受け、マル被は上半身を前に傾けた。四つん這いというよりは土下座に近い。いや、アラーの神に祈りを捧《ささ》げる姿勢か。

さらに包囲がせばまっていく。一歩、もう一歩。

一メートル半、一メートル、あと数十センチ——。

直後に飛び出したのは真横、拳銃を構えていない制服警官だった。

マル被の腋に膝を入れ、すぐさま左腕を摑みにかかった。ほぼ同時に別の制服警官も反対側から右腕を捉える。腰を押さえる者、拳銃を構えたまま警戒する者、約十名の警察官が連携し、マル被を——。

「確保、確保ォーッ」

すぐさま無線からも報告が回ってきた。

《至急至急、西口五よりPS》

《PSです、どうぞ》

《東池袋一丁目十六、豊島公会堂前の公園において、逃走中のマル被を確保。これにあっては、右肩を負傷している模様》

四課の主任がしきりにマル被に話しかけている。反応の有無は分からないが、右肩を気遣ってやっている様子はなんとなく分かる。おそらく、ポケットの中身について訊いているのだろう。あるいは氏名を確認しているのか。

了解が得られたのか、別の捜査員が横からポケットに手を入れる。腰回りも確認するが、何かを発見した様子はない。両腕を捉えたままの形で、上半身をゆっくりと起こさせる。胸やズボンの前ポケットも改めるが、捜査員はしきりにかぶりを振っている。

《所持品は特になし。拳銃、鈍器様の凶器も発見せず。人定《じんてい》確認については、応答がないため未確認》

四課の主任は例の顔写真を取り出し、繰り返しマル被と見比べている。確信が持てたのか、主任は手錠を出し、逮捕容疑の告知を始めた。

二月二十六日、二十一時三十三分。

マル被の両手に、黒い手錠が巻かれる。

周りの数名が手を貸し、ある者はベルトを引っ張り、マル被を立たせる。主任は辺りを見回し、それでもこっちのＰＣが近いと思ったのだろう、玲子の方に進んできた。

周りを六人の警察官に囲まれて歩くマル被。近づいてくると、暗いながらも人相を確認することができた。確かに、例の写真とよく似ている。直線的なパーツの揃った顔。今は俯《うつむ》いているのでそうでもないが、目付きはかなり鋭そうだ。

彼が、木野一政なのか。

本当にこの男が、「ブルーマーダー」なのだろうか。

3

マル被はひとまず近くの救急病院に搬送され、玲子たちは席が空いていたPCに乗せてもらって署まで帰ってきた。

特捜のある会議室に戻ると、驚いたことに、勝俣が上座にいた。正確にいうと、上座に設けられた幹部席の真ん前に、パイプ椅子を持ってきて座っていた。

「……よう、田舎っぺネエちゃん。マラソンは完走できたのか」

会議テーブルをはさんで、勝俣の向かいには三浦管理官と明石係長、東尾課長がいる。だが、カップでコーヒーを飲んでいるのは勝俣一人だ。

一礼して玲子が訊く。

「勝俣主任。アーバンプラザホテルで、一体何があったんですか」

勝俣は上目遣いで玲子を見ながら、ゆっくりとひと口コーヒーを飲んだ。黒目の小さな、それでいてどこを見ているのかよく分からない目。これで捜査一課の赤バッジをつけていなかったら、職質の一つもしてやりたいくらい嫌らしい目付きだ。

フン、と鼻息を噴いてカップを置く。

「相変わらず、人にものを尋ねる態度じゃねえなァ、姫川。それともあれか、三十半ばでようやく親元離れて、一人暮らしし始めたから浮かれてんのか。あたしももう一人前なのよ、って」

そっちも相変わらず、他人のプライバシーをよく調べていらっしゃるご様子。っていうか三十半ばは言い過ぎ。まだ三十代前半だ。

「下井さんとは、なぜ現場に一緒にいたんですか。下井さん、練馬の特捜入りしてたんですか」

「してねえよ馬鹿。俺がいったら、たまたまその部屋にいただけだ……で、たまたま殺されかけて、たまたま生き延びやがった。ま、俺様が助けてやったんだがな」

「つまり諸田を尾行していたら、その行き先にたまたま下井さんがいた、というわけですか」

「これ以上お前に喋ってやる義理はねえ。どうしても訊きたきゃ、田舎煎餅でもいいから菓子折りの一つも持ってくるもんだって、何度教えてやったら覚えるのかねぇ、このダサイタマ県民は」

こっちだって大いに疑問だ。どうしてこの勝俣という男は、こうも埼玉を田舎呼ばわりしたがるのだろう。少なくとも玲子の実家がある南浦和は、そこまでいわれるほどの田舎ではない。

「とにかくよ。木野の調べは俺がやるから、そのつもりで段取りしとけや。……おい、三浦管理官殿、聞いてるか?」

ぐっと奥歯を嚙み、三浦が勝俣を睨みつける。

「発砲事案があったのはここの管内だ。諸田と二人の組員が殺された件も、当然ここの扱いになる。仮に増員をかけるにしても、キサマのところはかすりもしない」

「おやおや、そりゃまたどういう了見ですかね」

勝俣も、負けじと睨み返しながら内ポケットに手を入れる。取り出したのはタバコのパッケージ。この会議室はむろん禁煙だが、勝俣がそんなことに頓着するはずもない。

視線をはずさずに一本銜え、使い捨てライターで火を点ける。

最初の煙は当然、三浦に向けて吐きつける。

「……いいか、よく聞けよ。木野の右肩に鉛弾ぶち込んだのはこの俺様だ。出血も相当量あったはず。そんな状態で一キロも二キロも走り回ったんだ。貧血くらい起こしてぶっ倒れたって不思議はねえ。それをたまたまここの特捜の木偶《でく》の坊が、小便臭え公園まで追い込んでワッパ掛けたってだけじゃねえか。そんな、トンビのさらった揚げなんざ泥棒猫だって食いやしねえぜ。そうだろう? それを偉そうに、ウチが挙げましたって顔されたんじゃ堪りませんや、三浦管理官殿」

勝俣のことをどこまで知っているのかは分からないが、三浦はよく耐えている。

「その発砲自体が合法だったのか否か、甚だ疑問だが」

「それを合法にするためにも、俺が調べるっていってんだよ。……じゃあ、仮に違法だったとして、それを喜ぶ奴がどこにいる。少なくとも警視庁にはいない。不祥事なんざ穿《ほじく》り返したって、誰の得にもなりゃしねえんだ」

まったく。この男の正義の軸足というのは、一体どこに置かれているのだか。

もうひと口吸って、ぽとりとカップにタバコを落とす。

「なんだったら、俺が直接おたくの課長さんに話してやったっていいんだぜ。絶対に、駄目だとはいわねえはずだがな。そもそもオメェ……このヤマ、マル暴の定規じゃ測りきれてねえじゃねえか。やれ抗争だ、報復だって……数も打ちません当たりもしませんで、よくもまあ他人の褌《ふんどし》で顔を拭く気になるもんだぜ」

依然、三浦も勝俣を睨みつけたままだ。

「……どちらにせよ、私の一存で決められることではない。取調官の選任については、安東課長と協議して決める」

「分かんねえ野郎だな。協議なんてしなくていいんだよ。勝俣さんにお願いしましたって、報告だけしときゃいいんだ。それでなくたって、ここの木偶の坊が下手に緊急逮捕なんてするもんだから、調べの時間が足りやしねえ。挙句に木野は病院って……あ、それは俺が撃ったからか」

確かに。朝方に逮捕すれば送検まで丸二日、調べの時間が確保できる。だが本件の場合、夜九時半に逮捕して木野はそのまま病院入り。治療を終えて戻ってきて明朝から調べを開始できたとしても、明後日《あさって》の朝には送検しなければならない。実質、調べの時間は丸一日あるかないかだ。

とにかく、といって三浦は立ち上がった。

「木野の治療が終わって、逮捕状が下りるまでには結論を出す。あんただって、あっちの特捜本部に戻ってすべきことがあるだろう。それをまず、片づけてきたらどうだ」

ケッ、と勝俣が唾を吐く真似をする。

「……他人の心配する前に、テメェの部下の教育をし直しやがれ。ここの木偶がしっかり行確やってりゃ、諸田は殺されずに済んだんじゃねえのかよ。あ？」

それをいわれるのが、三浦としては一番つらかろう。

三浦はそのまま、会議室を出ていった。明石もそれに続く。

上座に残ったのは、玲子と東尾だけだ。

「……ああ、東尾課長さん、あんたもいたのか。ちっとも気づかなかったぜ。相変わらず、影薄いなぁ」

上官に対して、ここまで悪しざまにいえる警察官を玲子は他に知らない。

まあ、こんなのがそう何人もいたら困るが。

木野を緊急逮捕したのは、組対四課暴力犯四係の福田《ふくだ》という警部補だ。彼が逮捕状請求の書類を作り、通常であればそのまま取調べも担当する。福田でなければ他の主任警部補か、明石係長が調べるのが妥当だろう。

現段階での罪状は銃刀法違反、具体的な被疑内容は拳銃の発射。むろんこれは単なる時間稼ぎで、本命は諸田勇造他二名の諸田組構成員殺害、並びに下井正文に対する傷害事案だ。ここで撲殺の手口を明らかにして、さらに河村組長殺害事案に繋げ、できれば王子の飯島殺し、練馬の林殺しの捜査もこっちに取り込みたいところだ。そうなれば、よほど下手を打たない限り再逮捕、再々逮捕、再々々逮捕くらいは可能だろうし、庭田組の谷崎や白井の殺害に関して自供が得られれば、さらに取調期間は延長できるものと思われる。

だが、いまだに分からないのは凶器だ。逮捕時、木野は何一つ所持していなかった。撲殺が可能な鈍器はもちろん、携帯電話、財布や住居の鍵といった生活に必要なものすら一切持っていなかった。常識でいったら、そんなことは絶対にあり得ない。考えられるとしたら、逃走中にそれらを捨てた可能性だ。

勝俣も、それに繋がる程度の事情は話した。

「俺の撃った弾が当たったんだろう。途中で窓ガラスが割れた。こっちも死にたかないんでな。ドア枠に身を寄せて、奴が撃ってこないタイミングを計ってた……そうしたら、信じられんことだが、奴はその窓からジャンプして、左斜め下にある非常階段に下り立ったんだな。俺が窓から覗いたときには、もう二つも下の階にいた。こっちはまだ弾が残ってたんで、もう二発撃ったが届かなかった。あれが当たってりゃあな……俺が直にワッパ掛けてやったのに」

下井の拳銃は事件現場となった六〇七号室に残されていたが、鈍器の類はなかった。木野がそのままアーバンプラザホテルを離れて真っ直ぐ池袋駅付近まできて、北口に回ってホテルサンタウン前で職質を受けたのだとしたら、その移動距離、約一キロ。この区間のどこかで凶器や携帯電話を捨てた可能性が高い。むろん職質を受けたのち、逮捕場所となった公園に至るまでに捨てた可能性もゼロではないが、それについて地域課の早見《はやみ》巡査部長はこう証言している。

「何かを捨てる挙動は見られませんでしたし、そういう余裕も、マル被にはなかったんじゃないかと思います。右腕は、銃創であの通り使い物にならなかったわけですし、実際、走っていても不自由そうでした。……こう、右腕はなるべく揺らさないように、腹に隠すような感じで、代わりに左腕を大きく振って走っていました。やっぱり、職質後に何かを捨てたというのは、ないと思います」

ただ、それを鵜呑みにして済ませるわけにもいかないので、東尾課長が下命して捜査員数名を確認にはいかせた。二時間半経って出た結論は、やはりその経路に凶器らしきものはない、ということだった。

すると、残る可能性はアーバンプラザホテルとホテルサンタウンの間ということになるのだが、さすがにもう夜も遅い。いくら池袋といえども、要町通りは駅周辺ほど明るくはない。本格的な捜索は明日にしようという方針でまとまった。

木野の逮捕を受けてD配備は解除になり、特捜本部にも束の間《つかま》、休息の時間が訪れていた。署の浴場で汗を流してきた者、冷え切った弁当をぬるいお茶で流し込む者、パイプ椅子で仮眠をとる者、様々だ。

玲子も弁当を食べながら、駅西側の地図と睨めっこをしていた。

アーバンプラザホテルから池袋駅に至る道は、奇しくも玲子が歩くときの通勤経路と重なる。道沿いには飲食店や様々な商店が軒を連ねている。コンビニエンスストアは、確か二軒くらいしかない。果たして、その他にゴミ箱を表に置くような店舗はあっただろうか。だが、殴打を受けた大竹巡査部長の話では、凶器はポケットに入るくらい小さなものだ。その気になって探せば捨てられる隙間や物陰はいくらでもあるだろう。

勝俣自身は、木野の鈍器は見ていないという。

「下井のとっつぁんなら見てるんだろうが、何しろ、野郎も今は治療中だからな。……あれだ、右手の骨を、グシャグシャに砕かれたって話だぜ。気の毒に。ありゃ、死ぬまで不自由するな」

そんな勝俣も、凶器の捜索は明日になると聞き、ふて腐れて帰っていった。「なんか分かったら必ず知らせろよ、草加煎餅」という、意味不明な捨て台詞《ぜりふ》を玲子に残して。

しかし、一撃で手の骨をグシャグシャに砕く凶器、全身の骨を自在に圧し折る鈍器、なおかつポケットに入る小さなそれとは、どんなものなのだろう。

玲子は今一度地図を注視した。

そう。アーバンプラザホテルから池袋駅まで、木野が直線的に移動してきたとは限らない。少し横道に入れば、別のコンビニだって月極駐車場だってある。駐車場に停まっているトラックの荷台にでも放り込まれていたら、少なくとも明日の捜索では発見できまい。

どうしたらいいのだろう。捜索エリアは、どの程度まで広げるべきだろう。

そんなことを考えながら地図を指でなぞっていたら、たまたまあの日、菊田と遭遇したライヴハウスの辺りまで人差し指がきていた。

一瞬だけ握った、大きな右手。その感触が、掌に甦《よみがえ》る。

菊田、今日はどうしてたのかな――。

やはり、変わらずあの辺りで聞き込みをしていたのだろうか。当然彼も無線を携帯していただろうから、今夜のD配備は承知していたはず。だとしたら、菊田も自分の仕事は一時さて置き、ひとまず人着の男を辺りに捜しただろう。すると、自分たちは束の間、奇しくも同じマル被を追っていたことになる。

昔のように。

捜査一課十係姫川班と呼ばれたチームの、主任とデカ長だった、あの頃のように――。

そんな感傷に、浸りかけたときだった。

「……えっ、はい、分かりました。すぐに、こっちに持ってきてください」

声の方を振り返ると、デスク要員の一人が中腰になって電話で喋っていた。彼はすぐに一礼して受話器を置き、遠い上座に目を向けた。

「あの、管理官は」

すると組対の誰かが「署長室にいくっていってたぞ」と呑気な声で応えた。別の捜査員が「どうした」と彼に訊く。

「あの、今、地域課から、連絡がありまして。西池袋五丁目で、何やら……改造された、鈍器のようなものを、発見したと」

なに――。

幹部たちもすぐ会議室に戻ってきた。

「凶器が発見されたというのは本当かッ」

三浦管理官、明石係長に高津課長。

答えるのは東尾だ。

「改造された鈍器ということですが、まだ凶器かどうかは」

地域課員によってそれが持ち込まれたのは、その五分後だった。場所は丸井のすぐ隣。

「失礼いたしますッ」

確か内田《うちだ》という名前の、池袋二又交番勤務の巡査長だ。

「自分が、警ら中に……」

「いいから見せろッ」

明石が内田の手からビニール袋をひったくる。顔の高さに上げ、上座の中心まで持ってくる。内田はその場で、直立したまま固まってしまった。

三浦が眉をひそめる。

「……なんだ、これは」

なんだ、というか、どう見ても、柄を短く切り落とした金槌《かなづち》にしか見えない。頭になる鉄塊部分は、太さ四センチくらいの円柱状。長さは十センチくらいあるだろうか。角は少し色が剝げているが、全体としては黒色をしている。柄は短いといっても、十センチくらいはある。木製で、切断個所はヤスリか何かで適度に縁が丸めてある。

妙なのは、その切断個所付近に小さなリングが付いている点だ。

ふいに、捜査員の誰かが呟いた。

「……セットハンマーだ」

高津が彼を見る。

「セットハンマー？」

いや、と彼は小さくかぶりを振った。

「すみません。正確には『石頭《いしあたま》』と書いて、石頭《せっとう》ハンマーという道具だと思います。じゃなかったら、石屋玄翁、かもしれません。厳密にどっちかは、分からないんですけど、どっちにしろ、石材業の職人さんが使うものです。石を叩いて割ったり、削ったりする道具です……自分、実家が工具専門店なんで、よく知ってます。これ」

さっきまで、一所懸命調書を書いていた福田主任が「しかし」と割り込んでくる。

「こんなに柄を短くしちまったら、振れないだろう」

「いや、たぶん、こうじゃないですか……ちょっとすみません」

明石に断って、彼がビニールに入ったそれをもらい受ける。

彼は、柄の切断面が親指側、鉄塊部分が小指側にくるように、つまり通常の持ち方とは逆さまに、それを握った。するとちょうど、リングも親指側にくる。

「この輪っかに、親指を入れるんじゃないですかね。そうすると、こう……柄が短くても取り落とすことがないし、何しろ、扱いやすい」

呆気にとられた顔で、明石が訊く。

「それを、逆さまに握って……どうするんだ」

「当然、こうでしょう」

彼は、小指側に出たその鉄塊を、ブンとひと振り、真下に打ち下ろした。確かに、鈍器としてはコンパクトで扱いやすそうだ。

三浦が訊く。

「それで、人間の骨は、折れるのか」

彼は、真剣な表情で頷いた。

「ええ。間違いなく、折れますね。石より硬い骨があるとは、思えませんから」

次に「あっ」と声を発したのは玲子の相方、江田だった。

「……だから、鎖骨なのか」

「どういうこと？　江田さん」

ンッと一つ咳払いをしてから、江田は始めた。

「私も、そんなに詳しくはないんですが、空手によく似た技があるんですよ。こう、拳を握って、こっち側ですね」

江田が示したのは、グーに握ったときの小指側側面。少し肉が厚く盛り上がる部分だ。

「この部分を、相手の鎖骨に打ち下ろす技があるんです。鉄槌《てっつい》打ち、といって、ちょうど当てるのはチョップと同じ部位ですが、握っている分、相手のダメージは大きくなるんだと思います。なおかつ、自分は拳を傷めない。攻撃する側からしたら、非常に都合のいい技といえるでしょう」

高津が頷く。

「私も、学生時代に空手をかじったことがあるが、確かにあったな。手刀鎖骨打ちとか、鉄槌鎖骨打ちとか」

三浦が高津に訊く。

「この道具を使ってそれをやったら、どうなる」

「たぶん、一発で折れるでしょう。出合頭《であいがしら》にこれを喰らったら、その時点で片腕は利かなくなる。そうなったらもう、防御もままならない。すぐに反対の鎖骨も折られてしまうでしょう。……あとは、無抵抗の相手を、じっくりと料理してやればいい。脚でも腕でも、腰でも首でも、思うがままでしょう」

しかし、凶器が――。

ただ柄を短く切っただけの、金槌だったとは。

4

これはむしろ、不幸というべきだろう。

右手、右鎖骨、左足首の骨折。さらにドア枠にぶつけて額がパックリ割れ、流血。そこまでの怪我を負ってもなお、失神することができないのだから。

下井は救急車で搬送される間も、ずっと意識を保っていた。激しい吐き気に襲われたが、それでも失神はしなかった。病院に到着し、レントゲン写真を撮り、右鎖骨と左足首の骨のズレを強制的に真っ直ぐに戻されるのも、何とか歯を喰い縛って堪えきった。ギプスを巻かれる間は終始、天井を睨んでいた。額を縫うときだけはクロスを掛けられたので、さすがに目は閉じたが。

右手は、粉砕骨折という診断を受けた。ワイヤー固定か、金属プレートで固定するかは明日以降の検査で決めるという。どちらにせよ、ギプスで済む症状ではないということだった。

「何か、ご質問はありますか」

「いえ……ありません」

訊かなくても分かっている。これだけの骨折だ。どんなに丁寧に治したところで後遺症は免れない。特に右手。まともにペンが握れるようになるとは到底思えない。射撃などはまず無理だろう。しばらくは左で箸を握る練習でもするか――。

そんなことを悠長に考える暇も、下井には与えられなかった。

医師と入れ替わりに入ってきたのは、勝俣だった。

「なんだ、案外大したことねえな。もっとこう、全身包帯だらけの、ミイラみたいになってるのかと思ったぜ」

なぜ、この状態でこの男の相手をしなければならないのか。

「……勝俣。用件だけ、簡潔に、話す……手短に、訊いてくれ」

ようやく、そう絞り出したときだった。

「失礼します。下井さん、姫川です」

チッ、と勝俣は聞こえよがしに舌打ちし、入り口を振り返った。

「姫川テメェ、何しにきやがった。何か分かったら連絡しろっていったろう。お前までこっちにきちまったら、誰が俺に連絡よこすんだッ」

「何か進展があったらあたしに連絡が入ります。どうしてもと仰るなら、それを教えて差し上げます。……っていうか何時だと思ってるんですか。声大きいですよ勝俣さん。他の病室に迷惑でしょう」

そう。そもそも、今は何時だ。

姫川が覗き込んでくる。垂れた髪が陰を作っているのか、それとも自分の目がおかしくなってしまったのか。姫川の顔がちゃんと見えない。ぼんやりと暗くて、焦点も合わない。

「下井さん、いかがですか。痛みますか」

痛み、か。

「いや……鎮痛剤が、効いてるんだろう。今は、そうでもない……でも、お前、なんで、ここに」

「ああ。あたし今、池袋署なんですよ。なので一応、下井さんの事件はウチの扱いってことになります」

そうそう、と勝俣が首を突っ込んでくる。

「あの事件だよ。あの一件でこいつ、本部から出されたんだ。笑えるだろ。ヤクザもんと……イーテッ」

かと思えば、急に視界から消える。痛え痛えと騒いでいるが、勝俣がどこを痛がっているのかは、下井には分からない。

姫川が続ける。

「下井さん。いま気分が落ち着いていて、話ができるようでしたら、アーバンプラザホテル六〇七号室で何があったのか、お聞かせいただけますか。諸田勇造、アダチケイスケ、セオジュンジの三名が殺害された経緯も含めて」

勝俣と長話をする気力は持てないが、まあ姫川くらいなら、なんとか相手にできるだろう。

「ああ……大丈夫だ。今、説明する……」

まだ勝俣は騒いでいる。ただで済むと思うなとか、体に直に教え込んでやるとか喚いているが、どうせ足を踏まれたとか、その程度のことだろう。気にする必要はない。

姫川が、椅子を持ってきてすぐ近くに座る。

「疲れたら、遠慮なくそう仰ってください。一度お休みになって、続きはそのあとでもけっこうですから」

「ああ……疲れたら、そうさせてもらう」

さて。どこから話したものか。

やはり、諸田と会うところからだろう。

「……今回は、俺から、諸田を、呼び出した」

迷惑がかかるといけないので、狩野泰恵の絡む件は省いた。

諸田とホテルで落ち合い、話をした――。

「なんのお話をしたのですか」

「それは……」

すでに警視庁を退職していた木野を、諸田組に送り込んだ経緯。奴の正義心を逆利用したことの、悔恨――。

依然視界はぼやけているが、姫川の表情が険しくなったのは、なんとなく分かった。

「つまり下井さんは、木野一政を一時期Sとして運営していた、と解釈していいわけですね」

「……その、通りだ」

そして二年間にわたって、諸田組や道栄会、庭田組の情報を引き出し続けた。だがある日突然、木野とは連絡がとれなくなった。

そのときの裏事情を、今回初めて、諸田から聞いた。諸田は、木野が元警察官であることを河村から教えられ、木野をリンチにかけた。しかし木野は、ガサ入れの混乱に乗じてそこから逃げ出した。以後の木野の消息は、諸田も知らないといった。

それが突如、現われた。あの、ホテルの部屋に。

「一度、俺はホテルを出た。だが再度、諸田に呼ばれて、ホテルに戻った……もう、諸田はあの時点で、肩を、折られていたんだろう。二人のボディガードも、殺されてたんだと思う。奴は、木野の言いなりになるしか、なかった。俺はまんまと、それに、ハメられたわけさ」

姫川が、またこっちを覗き込む。

「そのとき、木野とはどんな話をしましたか」

「ああ……奴が、元、警察官だっていう……」

その情報を仕入れてきたのが河村であることは、木野も承知していた。木野はまず、仮出所してきた河村を狙い、だがそのネタ元について明らかにならなかったので、次に諸田を狙った。しかし諸田も、これについて明快な答えを持っていなかった。

そして、最後に訊かれたのが、下井だった――。

「俺だって、なんのことか、さっぱり、分からんさ……何しろ、木野が、元警官だってことが、バレてたなんて、今回、初めて聞いたしな。奴が、河村や諸田、俺を恨むのは分かる……でも、少なくとも、俺には、心当たりがない……」

姫川が、分かりやすく首を傾げる。

「下井さんさっき、自分から諸田を呼び出して会った、っていいましたよね」

「ああ……そうだ」

「そもそも下井さんは、なぜ諸田を呼び出したんですか」

「それは……」

十日ほど前に監察の査問を受けたことを話した。

「その席で、このところ、池袋周辺を、拠点にしている組の、活動が、不活性化してきているると、そう聞いた……その中には、庭田組も、諸田組も、含まれる……俺は、木野のことを、思い出さずにはいられなかった……きっかけはやっぱり、河村の、殺害だ」

河村の死を知り、諸田に接触をしたら、そこには木野がいた。

もうこれは、単なる偶然と考える方が不自然だろう。

「ひょっとすると、木野は、俺を消すのが、目的だったのかも、しれないな……俺と、諸田が会ったのは、ちょっとした誤算で、それがなくても、木野はいずれ、俺を消すつもりだったんじゃ、ないのかな……今は、そんなふうに思える」

姫川が、うーん、と小さく唸る。

「それはちょっと、違うと思うんですよね」

「なんでだ」

「そもそも下井さんから見て、木野とはどういう男でしたか」

初めて会った頃。まだ二十歳前で、少年のあどけなさを残していた、木野の顔を思い出す。

「正義感の、強い、真面目な、いい男だった」

「それは、九年前に再会したときも、同じでしたか」

「ああ……だから、俺は奴を、Sに、仕込んだ」

「でも逆に、っていうか同時に、諸田にも気に入られていたわけですよね。だからこそ、すぐに盃をもらうことができた」

「そう……だと、思う。諸田も、木野のことは、気に入ってた。自分で、そう、いっていた」

「なるほど……」

表情が見えない分、姫川の考えが読みづらい。

この女、自分から一体、何を引き出そうとしているのか――。

「下井さん。確かに、木野は自分を陥《おとしい》れた人間を、恨んでいたかもしれない。復讐しようとしていたかもしれない。下井さんも、そのリストに入っていたのかもしれない。でも、それでは辻褄《つじつま》が合わないんです。木野は、河村の前にも殺しをやってるんですから」

諸田の話を思い出す。

「……全身の骨を、圧し折って、丸めちまう、殺し屋のことか」

「諸田から、聞いた。奴の話では、その野郎はもう、二十人も、消してるって、話だ」

「ご存じでしたか」

「に、二十人……」

さすがの姫川も、これには驚いたようだった。

だがすぐに続ける。

「でも……だとしたらなおさら、河村や諸田、下井さんへの復讐ではないでしょう。木野がターゲットにしてきたのは……むろん、現時点での確証はまだありませんが、その二十人消したのと、諸田を襲ったのが同一犯だとして、彼が狙ってきたのは裏社会の人間ばかりです。もっと別の、復讐とは違う目的があったんじゃないんでしょうか」

別の目的、か。

「……お前は、それを、なんだと思う」

「分かりません」

チェッ、という勝俣の舌打ちが、姫川の向こうから聞こえた。

また姫川が、顔を覗き込んでくる。

「下井さん。少し、疲れましたか」

「あ、いや……大丈夫だ……ところで、今、何時だ」

「もう、三時半です」

まだそんなものか。

ベッドサイドの明かりが回り込み、薄くオレンジ色になった天井に目を凝らす。狩野泰恵は、もう諸田の死を知っているのだろうか。いや、このタイミングで、知らせる者などいはしないだろう。

「姫川……諸田の件は、いつ発表だ。もう、マスコミには、出してるのか。それとも、明日、会見でも、やるのか」

いや、正確にいったらもう「今日」か。

姫川が「はい」と頷く。

「クラブの記者にはもう漏れてます。早いところは朝刊に載せてくるでしょうし、どのみち明日には会見を開くでしょうから、各紙、明日の夕刊には載せるでしょう」

そうだ。池袋署には記者クラブの方面本部がある。これだけの事案となったら、出し惜しみをしたところで無駄だろう。

姫川が背筋を伸ばし、ちょっと視線を高くして訊く。

「下井さん。さきほど、木野が元警察官であるという情報を持ってきたのは、河村組長だと仰いましたが、その情報、河村はどこから仕入れてきたんですかね」

「それは……諸田も、知らないと、いってた……諸田は、木野に、肩を叩き折られても、白状、しなかった……本当に、知らなかったんだろう」

「心当たりくらい、なかったんですかね」

「木野と、知った顔のマル暴が、密会、してるところでも、河村は、見たんじゃねえか、って……諸田は、そういってたけどな」

「でもそれだったら、そういえばいいですよね」

「……誰が、誰に」

「河村が、木野にです。河村は殺される前に、木野にそういえばよかったじゃないですか。そういっていたら河村は、殺されずに済んだかもしれない」

それは、確かにそうだが。

「でも……それじゃ、木野が納得、しなかったのかも」

「そうでしょうか。いつどこで、警視庁の誰と会ってるのを見たんだ、っていえば納得するでしょう、木野だって。ああ、あれでバレたのかって、思うでしょう」

「その、可能性があるとしたら……そりゃ、つまり、俺ってことになる」

「でも、そうじゃなかった。諸田と下井さんは、当時も面識があったわけですよね」

「……ああ」

「河村とは」

「奴とも……ある」

「ということは、木野と下井さんの密会場面を見たのなら、そういえばよかったわけですよ。

リンチのときだって、お前、下井と会ってただろ、って訊けばよかったわけです。でも河村は、そうはしなかった。つまり河村は、密会現場を目撃して、木野が元警察官であることを知ったわけではないことになる。そもそも、密会現場を見ただけじゃ、元警察官かどうか分かりませんしね。ひょっとしたら、現役警察官って可能性だって……映画みたいな話ですけど、ヤクザ側にしてみたら、疑ってみる価値はあるでしょう。でも、そうじゃなかった。たぶん、もっと曖昧《あいまい》な情報ソースだったから、河村は諸田にもはっきりとはいえなかった。木野に対しても明快に問うことができず、リンチにかけるしか方法がなかった」

どういうことだ。

「……姫川。お前、何がいいたい」

「私にも、はっきりとは分かりません。でもひょっとしたら、タレ込みって可能性もあるかな、とは思います」

「タレ込み？……ンッ」

ちょっと、声が大きくなってしまった。響いて、鎖骨に痛みが走った。

「大丈夫ですか？」

「だ、大丈夫だ……タレ込みって、お前、どういう意味だ」

ええ、と姫川が頷く。

「ですから、何者かが河村に、電話か何かで吹き込んだ可能性です。木野一政は元警察官であり、今も警察と連絡をとっている。つまり木野は警察のスパイだと、そう河村にタレ込んだ……そういう筋立てです」

そんな、馬鹿な。

「誰が、そんなこと、したってんだ」

「分かりません。でも、木野がスパイとして諸田組にもぐり込んでいたら不都合な人間だって、当時はいたんじゃないですかね。私には、よく分かりませんけど」

スパイである木野を、不都合に思っていた人間――？

「そりゃ、組の人間は、Sが入り込んでたら、不都合だが……」

「そういう筋じゃないですね。タレ込むくらいだから、基本的には外部の人間ですね」

「庭田組や、諸田組の、構成員では、ない……？」

「もっといえば、身分を隠して、情報だけ流したい……そういう立場の人間とか」

つまり、河村自身も正体を知らない、情報源――。

「……警察官、ってことか」

「その可能性は、なきにしもあらず、かと」

だとしたら、誰だ。当時、あの作戦を知っていた人間となると、かなり数は限られてくる。

5

下井は治療を終えたばかり。あまり長話をしては体に障るだろうと思い、玲子も午前四時前には聴取を切り上げた。

「今後の担当が誰になるかは分かりませんが、また伺うことになると思います。……お疲れのところ、ありがとうございました。お大事になさってください」

玲子が頭を下げると、

「ようやく、俺の出番かよ」

代わって勝俣が、玲子のいた椅子に座ろうとしたが、

「はいはい、勝俣さんも一緒にお暇《いとま》しましょう」

「な、姫川、テメ……何しやがる」

半ば強引に手を引いて、玲子は勝俣を廊下まで連れ出した。いや、ここで騒がれても他の患者の迷惑になるので、そのまま夜間受付ロビーまで引っ張っていく。

「姫川、人が大人しく順番待ってりゃいい気になりやがって。テメェだけ好きに訊いて、なに勝手に終わらせてんだ。ってかお前、さっき俺の足踏んづけただろう」

シィーッ、と強めにやっておく。

「お静かに……勝俣さんだって、横で聞いてたじゃないですか。お陰で、自分で聴取しなくて済んだわけだし。これで明日の、ってもう今日ですけど、木野の聴取の下準備もバッチリでしょう?」

ようやく正面玄関から外に出る。そこで勝俣は、「放せよ」と玲子の手を乱暴に振り払った。

タバコを銜え、苛立《いらだ》たしげに火を点ける。見たところ、辺りに灰皿らしきものはない。しかしこの男が、自前で灰皿を携帯しているとは到底思えない。

「……ったくよ。何が聴取の下準備だ。オメェが引き出した話なんざ、俺様はとっくの昔に承知之助なんだよ。もっと新しい情報がねえと、この先木野と闘えねえだろうが……そういや、肝心の木野はどうなった」

「あ、そういえばさっき、何かメールがきてましたね」

携帯を確認してみると、案の定、木野に関する経過報告がきていた。

「何て書いてあった」

「あら、勝俣さん、お知りになりたいんですか」

そういうと、そもそも小さな勝俣の黒目の中で、さらに瞳孔がすぼまるのが見えた。

その目で睨みつつ、タバコをはさんだ二本指で玲子を差す。

「テメェ、何か情報が入ったら知らせるっていっただろう。それを条件にオメェは、先に下井と話を……」

「あれ、私、そんな条件出しましたっけ？　確かに、なんだったら教えて差し上げます、とはいいましたけど。勝俣さんあんまり興味なさそうだったんで、別に知りたくないんだと思ってました」

コノヤロウ、と勝俣は玲子を蹴飛ばそうとしたが、残念ながら勝俣の脚は極端に短い。玲子が半歩下がるだけで、革靴の爪先は虚《むな》しく空《くう》を切る。

「……分かりました、勝俣さん。じゃあこうしましょう」

「おい、この上お前が条件つけるのか」

「勝俣さんが聴取できるように、私も協力します」

「その見返りに立ち会いに付かせろってか」

「……ご明察」

勝俣は玲子を睨んだまま、ひと口、長く煙を吸い込んだ。

玲子が続ける。

「確かに、木野を逮捕できたのは勝俣さんが銃弾を命中させたからです。でもそれを根拠に、取調べの権利は自分にあるだなんて、勝俣さんだって本気で思ってるわけじゃないでしょう？　それでなくたって、木野には八人の殺害に加え、警察官二人に重傷を負わせた疑いがあります。有罪になったら、まず死刑以外は考えられない事案です。係長、管理官、下手したら理事官、課長が取調べるって言い出すかもしれない。それくらいの重大案件ですよ」

もうひと口吸って、勝俣がタバコを足元に落とす。

「それを……オメェが協力したら、確実にこっちに引っ張ってこれるって保証は」

「少なくとも、最初に調べをするのは発砲事案についてです。これは殺しとは関係ない、池袋署が扱うべき新たな案件です。そこで、私が立ち会いに付くので調べは勝俣さんにお願いしましょう、と私がいえば、一発目は間違いなく持ってこれると思います。そもそも、組対の捜査員が諸田の行確についていましたが、彼らは諸田が事務所を抜け出したことに気づいていませんでした。その結果、諸田はまんまと木野に殺された……この点を突けば、現状、組対は強く出られません」

「それ、なんて野郎だ」

玲子はあえて、ゆっくりとかぶりを振ってみせた。

「……それいっちゃったら、勝俣さん、私を必要としなくなるでしょう？」

「コノヤロウ。生意気に、俺と駆け引きしようってのか」

「勝俣主任には、いろいろと勉強させていただきましたから」

さも不愉快そうに、勝俣が舌打ちをする。

「あーあ、やだやだ。年増女が知恵つけると、図々《ずうずう》しくなっていけねえや……こんなんなら、組対のバ管理官の方が、よっぽど扱いやすいぜ」

その台詞、褒め言葉として承っておきましょう。

木野は、朝八時には豊島区内の救急病院から池袋署に移送されてくるとのことだった。仕込みは、それまでに済ませなければならない。

交渉の相手は、組対四課の安東課長だ。

「……なぜそれが、木野の調べを、勝俣主任に担当させる理由になるのか」

高い背、長い顔、低い声。なかなか慣れることのできない、異様なまでの威圧感。

「課長もご存じでしょうが、すでに朝刊三紙が木野の逮捕を扱っています。現場に下井警部補がいたことも、遅かれ早かれ報じられるでしょう。でも今のところ、浅川主任と小谷デカ長の件は漏れていない。行確していたにも拘わらず、まんまと諸田を木野に持っていかれた……その点だけは、今ならまだ伏せたまま、話を進めることができます。そのためには、勝俣主任をこっちに抱き込んでおくことが必要不可欠です」

「『一課内公安』と呼ばれる彼を、あえて取り込もうというのか」

さすが、本部の課長ともなると、勝俣の裏の顔も先刻御承知というわけか。

「少なくとも、この捜査には彼が必要です」

自分でいっていて虫唾《むしず》が走る台詞だが、致し方ない。今は堪えるしかない。

安東が、微かに首を傾げる。

「……彼に調べを任せないと、どうなる」

「おそらく浅川組、小谷組の失態をリークされます」

「彼に調べを任せると、それは避けられるのか」

「はい。彼が調べを担当すれば、彼がこの特捜本部に泥をかぶせる理由はなくなります。それが、最も安全な策です」

明らかに玲子は今、普段の勝俣の手法を借りて恐喝の代行をしているわけだが、今回に限っては利害が一致してしまったのだからやむを得ない。

安東は、しばらく考えてからいった。

「……あの男の目付《めつけ》が、あなたに務まるのか」

「私以外の捜査員に、勝俣主任は立ち会いを許さないでしょう」

「あなただけが、特別なのか」

勝俣なら、また「犯罪者と同じ思考回路」とかなんとかいうのだろうが、それを玲子本人が口にするわけにはいかない。

「特別、ですか……自分を特別と思わないデカに、ホシを挙げることはできません。自分は特別だといえないデカに、ホシを落とすことはできません」

この理屈が組対で通用するかどうかは、玲子の知ったことではない。

四階のデカ部屋に下りると、勝俣は応接セットで悠長にタバコを吹かしていた。むろん、ここも現在は禁煙である。

「……勝俣さん、許可、取れました。調べ、お願いします」

少し離れたところから、刑事課長の東尾や統括係長の大迫が見ている。他にも署のデカ仲間が十人くらいいる。ひょっとすると、ここの人たちは玲子が人前で頭を下げる姿など、今まで見たことがなかったかもしれない。玲子自身、ここ一年の間に誰かに頭を下げた記憶はない。

勝俣がニヤリとする。

「木野は、何時にくる」

「あと十五分ほどで到着予定です」

「……姫川よ」

半笑いのまま、勝俣はどろりとした目付きで玲子を見た。この男以外でこういう目付きをするのは、おそらく覚醒剤中毒者くらいではないだろうか。

「はい、なんでしょう」

「オメェの出番は、いずれ必ず作ってやる。だがそれまでは、俺の調べを黙って見とけ。……いいな」

勝俣にしては珍しく、このときは語尾に「田舎」云々をつけずに話を終えた。

実際に木野が池袋署に到着したのは、朝八時を十分ほど過ぎてからだった。

玲子たちは署の裏口まで出迎えにはいかず、調室のある四階で木野を待った。ああいうのは、ちょっとくらいテレビカメラに映ってもかまわない下っ端か、出たがりの主任辺りがいけばいいんだ、と勝俣はいった。玲子はあえて、それについては何も見解を示さずに流した。

やがて、ザクザクと大人数の足音が廊下の先から聞こえてきた。それが、玲子たちのいる調室の前に溜まる。

ココン、という短いノック。

「どうぞ」

玲子が答えると、静かに調室のドアが開けられた。

「失礼します」

刑事課と組対、十数名の捜査員に取り囲まれ、ドア口に立っているのは——間違いない。昨夜、公会堂前の公園で確保された、木野一政だ。

「……入れ」

勝俣の指示で、池袋署刑事課のデカ長二人が、木野を室内に導き入れる。木野は右腕を三角巾で吊っているが、それと健常な左手首は黒い手錠で繋がれている。

腰縄を椅子に括りつけ、手錠をはずすと、二人のデカ長は一礼して調室を出ていった。むろん、木野の正面にいるのは勝俣だ。玲子はその右斜め後ろに椅子を置き、腰を下ろした。

「……よかったじゃねえか、木野。心臓に当たらなくて」

警視庁時代の顔写真より多少老けはしたが、それでも木野は充分凛々《りり》しい顔をしていた。三十八歳という年齢からしたら、むしろ若い部類に入るだろう。

「じゃ……ぼちぼち始めるか」

勝俣は昨夜のうちに発行された逮捕状の内容を読み上げ、さらに、木野には弁護人選任の権利があることを伝えた。被疑内容は、現状では二十六日夜の「アーバンプラザホテル六〇七号室における拳銃の使用」となっている。

「何か、弁解しておきたいことはあるか」

木野はただ黙って、勝俣の胸の辺りを見ている。そこにはいかなる感情も表われてはいない。怒りも、動揺も、落胆も。

「警視庁警部補である、下井正文の所持する拳銃、スミス&ウェッソンM３９１３を八発、全弾撃ち尽くすまで発砲を続けた……そのことに、間違いはないか」

ふいに、きゅっ、と木野の眉頭に力がこもる。

「……その前に、あんた誰だよ」

初めて、玲子は木野の声を聞いた。かなり低めだが、硬く、芯があるせいか聞き取りやすい。濁りのない、ある意味よく澄んだ声質だ。ただそれは、聞きようによっては刃物のように鋭くも響く。そう。よく手入れをされた、日本刀のように。

「俺か……俺は、勝俣だ。捜査一課の、勝俣」

「ああ、あんたが勝俣さんか。あっちの業界でも有名だったぜ……悪い方でな。若頭がパクられて、帰してやるから現金で三百万持ってこいって……サツに身代金要求されたのは初めてだって、どっかの組長がこぼしてたぜ」

勝俣は小さく首を傾げた。表情は、玲子の位置からは見えない。

「そりゃ、俺じゃねえな。別の勝俣だろう」

「そんなに警視庁には、勝俣って名前の畜生が何人もいるのかい」

「知らねえな。少なくとも俺は『仏の勝俣』で通ってる」

よくもまあ、いけしゃあしゃあと。

「……で、そっちの女性は」

いうわりに、木野の視線は玲子には向いていない。

「池袋署刑事課の、姫川です」

「あっそ、ここの人なんだ。見たことねえけどな」

一つ、勝俣が咳払いをはさむ。

「ンッ……だからよ、木野。弁解することはねえのかって訊いてんだ」

「ああ、弁解ね……ま、あれは完全なる正当防衛だな。撃たなきゃ俺は殺されてた。勝俣って名前の悪徳警官にね。これ、ちゃんと書いといてくれよ……たまたま拳銃が落ちてて、ほんと助かったぜ」

とりあえずそこまでの内容で弁解録取書を作成し、署名捺印をさせた。木野は特に抵抗もせず、ときに薄ら笑いを浮かべる余裕すら見せた。

さらに供述拒否権について説明し、ようやく取調べ開始となる。

勝俣が「さてと」と溜め息交じりに呟く。

「……とりあえずは、昨夜だな。なんでお前は、アーバンプラザホテルなんかにいったんだ」

木野が、クスリと笑みを漏らす。

「不便だな、警察官ってのは」

「何が」

「本当はどうでもいいんだろう。俺が下井さんの拳銃をどうしたとか、どっちに向けて何発撃ったとか、そんなことは、本当はあんただって、さして興味ないんだろう」

勝俣が、フンと鼻息を噴く。

「じゃあ、なんなら俺が興味を持つと思うんだ」

「おやおや……早くも余罪の取調べか。ちょいと気が早過ぎねえか、勝俣さんよ」

これは、のらりくらりと供述を避けるパターンか、と思ったが、どうやらそういうことでもなさそうだった。

「……冗談だよ。訊きたいことがあるんなら、なんでも訊けよ……答えるかどうかは、訊かれてみねえと分からねえけどな」

これは、そんじょそこらのチンピラを相手にするのとはわけが違うようだ。

勝俣が小刻みに頷く。

「そういってもらえると、こっちも助かるぜ。何しろ、お前は拳銃じゃ何一つしてねえからな。本命の案件まで漕《こ》ぎつけるのに、どれだけまだるっこしい筋書きが必要なんだって……正直、うんざりしてたんだ」

「本命ってのは、なんの話だ」

「ああ……まずそこだな。お前は結局、何人殺したんだ」

通常の取調べではあり得ない訊き方だが、まあ、本件の場合は致し方ない。

木野は、これ見よがしに大きな溜め息をついた。

「……面白くねえな。もうちょっと、頭使った訊き方しろよ。会話は楽しむものだぜ……ガンテツ、さん」

これは、本格的にタチの悪いマル被かもしれない。

だが、勝俣もまだ余裕を失ってはいない。

「そら、ご無礼仕《つかまつ》ったな……じゃあ、こういうのはどうだ。今から、七年ほど前の話だ。お前が諸田組にもぐり込んだSだってことを、河村にリークした人間がいる」

それ——。

勝俣がその正体を知っているのかどうか、それは分からない。ただそれを今、いきなりここで駆け引きに持ち出すのは早過ぎないか。

しかし、一定の効果はあったようだ。

木野の顔に、今までにはなかった強張りが見てとれる。

「……それが誰だか、あんたは知ってるのか」

「知らねえっていったら、話はここで終わっちまうよな」

「ブラフだったら、タダじゃおかねえぞ」

「ほざけ。今のお前に何ができる」

「なんだってできるさ。俺は……『ブルーマーダー』だからな」

勝俣が、小さく二度頷く。

「……じゃあ、その『ブルーマーダー』の話をしようか。その青鬼の正体が誰かってのは、とりあえず脇に置いとくとして、その目的だな。青鬼は、テメェを陥れた野郎の正体を知ろうとしていた。それは間違いない。実際、そのために五人も六人も殺してる。庭田組でいったら、白井、谷崎、河村。諸田組では、二人の下っ端に、諸田本人。これを一人でやったんだとしたら、それだけで充分死刑に値する犠牲者数だ。……しかし、そこまでして自分をハメた人間に、復讐したいかね。少なくとも、お前さんを拷問にかけたのは河村だ。その河村さえ始末したら、ある程度、肚の虫は治まったんじゃねえのかな」

木野が、ふざけたように首を傾げる。

「……おいおい、俺の話じゃなくて、正体不明の、青鬼の話じゃなかったのかい」

「こらまたご無礼仕ったな。……だが、どうなんだろうね。青鬼さんは、その六人を手に掛ける前にも、だいぶ武勇伝をお持ちのようだ。それこそ、その渾名《あだな》を口にするだけでキンタマが縮み上がっちまうくらい、裏の世界では怖《おそ》れられていた。一説によると、青鬼が消した人数は二十人を下らないという……そこまでして裏社会を震え上がらせて、一体何がしたかったのかね」

もう、木野の顔に笑みはない。眼もない石膏像のように、体温も鼓動も、気配すらも感じさせず、ただそこに人形としてのみ、存在している。

「ヤクザはもとより、新東京連合や主華龍《スカル》のOB……いわゆる半グレって野郎たちだな。そんな連中まで力で束ねて……なんだ、闇の帝王にでも、君臨するつもりだったのか」

勝俣もひと呼吸置いて様子を見るが、木野に反応はない。

「だがそれにしちゃあ、腑に落ちない点がある。まず、河村だな。あれの遺体を西池袋のビル内に放置した点が、まず分からない。噂が本当だとしたら、青鬼は死体の処理にも相当長《た》けていたはずだ。何せ、人知れず二十人も消してるんだからな。河村の死体だって、難なく消せたはずだ。ところが、実際はそうしなかった……そこに、何か理由があるんじゃねえかと考えるのは、うがち過ぎかね。どうだい」

まだ、木野は微動だにしない。瞬きもしない。

「その後も、半グレのリーダー格を惨《むご》たらしく殺しちゃあ、駐車場や住居に放置している。もっとよ、切り刻んで下水に流すとか、ボイラーで燃しちまうとかな、気の利いた処理方法はいくらもあったろうに、それはしなかった……なんでだろうな。おい、木野さんよ。あんたはどう思う」

これにも、木野は答えない。

まあ、こんな訊き方で洗いざらい喋ってくれるとは、勝俣本人も思ってはいないのだろう。

第五章

1

トキオという弟分を得たことで、マサの中に何か変化が生じたのだろうか。

日々繰り返される凶行は明らかにその過激さを増し、それまではこれといって定まっていなかった襲撃対象も、次第に絞られるようになっていった。

ただし、敵に回して良い相手と、悪い相手というのは確実にある。

我慢できず、私はマサに意見した。

「さすがに、庭田組はマズいんじゃないですかね」

マサは、意味が分からないという顔で私を振り返った。

「なんで。今までだって、何人もヤクザ潰してきたろう。それと一緒だよ。なんで庭田は駄目なの」

「いや、この池袋で、庭田を……しかも、白井っていったら、私だって名前を知ってるくらいですから、相当な幹部でしょう。よくないですよ。無事では済みませんよ」

だが私の臆病風など、マサは隣家に吹く隙間風くらいにしか思っていない。

「じゃ、いいよ、おやっさんは留守番してて。トキオはどうする？　別に俺に義理立てして、無理に危ない橋渡らなくたっていいんだぜ。俺は、好きでやってるだけだから」

トキオは口数の少ない男だったが、マサの問いには必ずきちんと答えた。

「……俺は、いきます」

結局、一人で留守番しているのもなんなので、私も一緒にいくことにした。

しかし、さすがにこのときは同行したことを後悔した。

「……ねえ、そんなに親分って大事？　命を懸けてまで、守らなきゃいけないもの？」

マサが拉致したのは、庭田組若頭補佐、白井佳久《よしひさ》。監禁場所は北区にある廃工場。白井はすでに両鎖骨を折られ、全裸にされ、コンクリートの地べたに寝かされている。

さらにマサは、分厚い靴底のスニーカーで彼の陰茎を踏んづけている。

「洒落込んで真珠なんて入れるから……余計、痛えだろ」

「んごぁ……ぐぉっ……」

千切れた陰茎と、砕けた真珠と、砂の載ったコンクリートがこすれ合う音。漂うのは、油と埃と、血が交じった臭い。

「本当に……し、知らねえ……」

「そんなわけないだろう。補佐が、親分の出所してくる日を知らないわけねえって」

「ほんとだ……漏れたら、ヤバいから、誰も、知らされて、ねえんだ……」

「若頭の谷崎も知らないの？」

一瞬、白井は黙った。

「……分かった。じゃ、谷崎に訊いてみるよ」

何ヶ所も骨を折られ、陰茎まですり潰されているというのに、このとき白井は、まだ体を起こそうとした。実際、背中は少し地面から浮き上がった。

「よ、よせ、カシラは、よしてくれ」

「だったら今お前が喋れよ」

「だから、俺は……」

「知らねえんだろ？　だからもういいよ、お前は。……とはいっても、まだ殺さねえから安心しろ。谷崎が喋りやすいように、お前には谷崎の目の前で死んでもらうから。どんな死に方がいいか、俺も考えておくよ。いま助けてやらねえと、こいつは一生、食事も下の世話も誰かにやってもらわなきゃならねえ体になっちまう、早く助けるにゃ、俺が親父《おやじ》の出所日を吐くしかねえ……って、谷崎が素直に思えるような、痛みの伝わる拷問がいいだろう？」

マサに二言はない。やるといったことは、必ずやる。

白井が生きているうちに谷崎を拉致してきて、またいつものように両鎖骨を叩き折り、壁際に座らせた。その目の前に、四肢が不随になり、陰茎が千切れて腐り始めた白井を引きずり出してくる。もう、ほとんど虫の息だ。

「し……白井ぃ……」

谷崎は、それだけで泣きそうになっていた。

仰向けに寝かされた白井の、顔の辺りにマサがしゃがみ込む。

「谷崎。お前んとこの親分、近々出所してくるだろ。その、日取りを教えてくれや。ちょっと、個人的に訊きたいことがあるから」

いいながら、マサが青いマスクを脱ぐ。

「お前、ひょっとして、諸田組にいた……」

「俺のことはどうでもいい。訊いたことに答えろ」

そして例の武器、柄を短くしたセットハンマーを、

「おいっ」

マサはいきなり、振り下ろした。

「ぼぐぉ……」

白井の、顔のど真ん中に——。その一撃だけで、鼻がすっかり陥没した。皮膚もだいぶ中央に引っ張られ、お陰で眼球が妙に迫《せ》り出《だ》して見えた。

「いつになったら、帰ってくるのかなぁ、親分さんはぁ」

鼻歌交じりにもう一撃、今度は口に落とす。その一発で、すべての前歯が歯茎ごと口の中に削ぎ落とされた。なんとなく私は、吊り橋が谷川に落ちるのを連想した。続けてもう一撃、今度は鼻と口の間、人中《じんちゅう》と呼ばれる辺り。白井の顔が、打撃を受けるごとに陥没していく。皮膚が破れ、肉と骨が露出し、目玉も片方は飛び出してしまった。何やら、顔全体が生煮えのチゲ鍋のようにも見える。

「まだかなぁ、親分さんは」

そしてひと際大きく、マサが振りかぶったときだった。

「や、やめてくれ……もう、もう分かった。親父は……二代目は、もう、仮出所、してきている……」

「あ、そうなんだ」

それでもマサは手を止めなかった。

グシャッ、と今度は、白井の額が潰れる。もともとは石やコンクリートを砕くためのハンマーだ。人間の頭蓋骨を叩き割るくらい雑作《ぞうさ》もない。

「どこに、いるのかなぁ、河村さんは。……どこに、隠れて、いるのかなぁ」

執拗に、執拗に、マサは白井の頭を潰し続けた。もう死んでいる。どう見ても絶命しているのに、それでもハンマーを打ち下ろし続けた。今までは出血させないよう息の根を止め、死体処理もしてきたのに、このときはまるで違った。自らが血達磨《ちだるま》になるのも厭わず、白井の遺体を、潰せるだけ潰し続けた。

谷崎も途中から、もう何をいっても無駄だと悟ったようだ。

「どこにいるかは、俺にも、分からん。……殺すなら、俺も殺せ。知らんものは、いくら訊かれても答えられん」

そんなふうに肚を括られるのは、マサも不本意のようだった。

「あーあ、開き直っちゃったよ。根性ねえな、最近のヤクザもんは。だから半グレ連中に指差して笑われるんだよ。恥ずかしいと思わねえのか、まったく」

それから、白井の遺体をバッグに詰め、背中の彫り物だけがよく見えるようにして撮影した。谷崎も全裸にして、同じように写真に収めた。大股を開かせると、谷崎は腿の骨も折られているため、それを自力で閉じることができない。それがあまりに滑稽で、笑い過ぎたマサが撮影を中断するという珍事も起こった。

ちょうどそれが終わる頃に、トキオが携帯を差し出してきた。谷崎が持っていた一台だ。

「このアドレスが、河村組長のだと思います。呑気に、ヘネシー飲みたい、今度会うときに持ってきてくれ、とか書いてますよ。……ヘネシーって、なんですか」

確か高級なブランデーだったと思うが、それについては誰も答えなかった。

そんな経緯もあり、次の狙いが河村組長であることは私にも分かっていた。

「ほんと、組長はマズいですって。やめましょう、今度だけは」

「だからさ、別に無理して付き合わなくたっていいって。なんだったらおやっさんは、どっか遠くに逃げたっていいんだぜ。俺はおやっさんの過去、交友関係、なんにも知らねえから。どこに逃げたかなんて、全然分かんないから。あとで警察に捕まったって、喋ること自体なんもないから。いいよ、いつ抜けてくれても。今まで世話になったね。ありがとう」

マサのいう通り、どこか遠くに逃げてしまいたいという気持ちは、確かにあった。だが、このままマサたちを放っておけないという気持ちも、なぜだろう。私の中にはあったのだ。

だから、とりあえず現場には同行した。

「……なあ、河村の叔父貴。俺がSだってことを、あんたにチクッたのは誰なんだよ。なあ、あんたが言い出したんだぜ。あんたが諸田の親父に、こいつはSだって、始末しねえと危ねえって、吹き込んだんだぜ」

「んっ……ンアァァアーッ」

指先を、一本一本丁寧に、確実に潰していく。仮に生きて解放されたところで、もう一生箸を持つことも、字を書くこともできまい。

「誰なんだよぉ、ほらぁ……早く、吐けってぇ」

「あっ、あがっ」

今、河村はセックスも不能になった。たぶん、小便もこれまでのようにはできないだろう。ここにきて、ようやくマサの目的が私にも見えてきた。

マサは以前、諸田組に籍を置いていたようだが、なぜか河村に警察のスパイではないかと疑われ、リンチにかけられ、組を追われる破目になった。左右の手の甲にある引き攣れは、そのときに負った傷だったようだ。

「痛かったぜ、この傷はよ……二年は、碌にセンズリもかけなかった。まともに人を殴れるようになったのは三年目だ。殺せるまでにはさらに一年かかった……今はお陰さんで、自由自在だけどな」

河村は生きながらにして、四肢をバラバラに圧し折られた。それでも河村は、誰から情報を得たのかを白状しなかった。当時、いきなり情報だけを提供された、相手の正体は分からない。そう河村は繰り返した。

私の個人的な感想になるが、河村はこのとき、本当のことをいっていたのではないかと思う。いくら痛めつけられても、知らないものは知らない。答えられない。ひょっとしたらマサも、途中からそう思っていたのではないだろうか。

だから、最後は首を叩き折って、楽にしてやった。

「あーあ……これぞ正真正銘の、骨折り損ってやつだ」

河村の遺体は、地面に寝ているというよりは、蕩《とろ》けて広がっている、というのに近かった。

服を着ているので、かろうじて白井や谷崎ほど無様ではなかったが。

驚いたのは、河村の死体はあえて処理せず、この場に残していくとマサが言い出したことだ。

「ちょっと待ってくださいよ。だって、こんなところに残していったら、すぐに発見されてしまいますよ」

「いいんだよ。こいつの死骸は、見つからねえと意味ねえんだ」

そういってマサは、真っ赤に膨らんだ河村の顔を土足で踏みつけた。

「見つかったら、だって……警察が」

「ああ、捜査を始めるだろうな」

「そうしたら、いずれ……」

「違う、いずれじゃない。ようやく、奴らは考え始めるんだ。今の池袋で何が起こっているのか。ヤクザ、半グレ、不良外国人……連中に一体、何が起こったのか。見ものだぜ、おやっさん」

私自身、このマサという男の本質を理解できていたとは到底思わない。悪党から金を奪い、皆殺しにし、金を燃やし、また奪いにいく。何か恨みがあるのだろうとは思っていたが、その焦点は長らく明らかにされなかった。ここにきて、その焦点は庭田組組長、河村丈治、諸田組組長、諸田勇造であろうことは見えてきた。だが見えた途端、今度は死体を放置しようとする。あえて警察に発見させようとする。そこに真の意味はあるという。

ますます分からなくなった。

それでもマサは、我が道を進み続けた。

「トキオ。お前、諸田の張り込みしろ」

「分かりました」

諸田組事務所の近くに部屋を借り、そこにトキオを住まわせ、諸田の行動を見張らせる。

トキオの報告によると、いつの頃からか諸田勇造には警察の尾行がつくようになったという。

「でも、なんか変です。警察は、そんなにコソコソ、相手に悟られないように尾行してるわけではないです。俺の方が、よっぽど慎重に尾行してるんじゃないかな」

トキオはマサの、極めて忠実な犬だった。マサに命じられれば、どんなことでも実行した。尾けろ、調べろ、見張ってろ。折れ、畳め、詰めろ、運べ。殺れといわれれば、殺しさえ厭わなかっただろう。張り込みなんてのは、そんな中では楽な部類だ。

トキオの報告を聞き、マサは大いに笑った。

「素人にダメ出しされるようじゃ、相当なヘタレだな、その連中は。どこのデカだ……池袋か？　それとも本部の組対か？　なんにしろ、大したことねえな」

トキオによると、諸田はよく事務所を抜け出して、女のところにいくようだった。若いボディガードを二人くらいつけて、一定時間楽しんだら、また事務所に帰ってくる。組事務所の入っているビルと、裏手にある民家とは敷地が微妙に繋がっており、諸田は事務所を抜け出す際、必ずその民家の裏庭を通って出ていくのだが、どうやら警察はそれにも気づいてないようだ、とトキオはいう。

マサももう、笑うというより呆れ顔になっていた。

「まったく、馬鹿過ぎて話にならねえな……諸田のおとっつぁんが、気の毒で涙が出てくるぜ」

そして、二月二十六日の夜だ。

またトキオから連絡が入った。

「……ああ、分かった。いってみるよ」

どうやら、諸田はいつものように二人のボディガードを連れて組事務所を出たが、どういうわけか女のところにはいかず、要町一丁目交差点近くにあるシティホテルに入っていったということだった。

現地に着いてみると、トキオはホテルの真向かいに軽のワンボックスを停め、運転席で缶コーヒーを飲んでいた。私とマサ、二人で後部座席に乗り込む。

「……まだ、出てこねえか」

マサが黒い革手袋をしているのは、決して寒いからではない。これから仕事をする、その準備にほかならない。

「入ったのは六階の部屋です。でも何号室かは分かんないです」

「上出来だ。それさえ分かれば、あとはどうにでもなる」

出ていこうとするマサの肩を、私は慌てて摑んだ。

「ちょっと……ホテル内は難しいですよ。別の機会にしましょう」

「何いってんだ。諸田はすっかり腰が引けてて、女のところにいく以外は碌すっぽ外に出てきやしねえ。知っての通り、女のところも案外侵入が難しい。だがここなら、こっちに地の利がない半面、向こうにもない。条件は五分と五分。殺るなら今夜だ。今夜が……」

だが、そこまでいいかけて、マサはしばし沈黙した。

その視線の先にはホテルの出入り口がある。いや、誰かを目で追っているようだ。あの男か。今さっきホテルから出てきた、あの小柄な男を見ているのか。

マサが、小さく舌打ちする。

「……そういうこと、か」

キュッ、と革手袋の手首を締め直し、ポケットの武器を改める。マサが襲撃前に必ずする、一連の動作だ。

「おやっさん、トキオ。今夜は本当に、こなくていい。俺一人で充分だ。二人は先に帰って、鍋でも作っててくれ。……最近俺、あんま腹具合よくねえからさ、なるたけ辛くねえやつな。優しい味のにしてくれ」

このとき、私はなんとなく感じていた。

マサはもう、戻ってこないのではないかと。

誰かと刺し違えて、死ぬつもりなのではないかと。

「あ、それと……別に、隠しといたわけでもねえんだけどさ。便所の天井に、点検口があるの分かるか、おやっさん」

私が黙っていると、代わりにトキオが頷いた。

「あそこに、ほんのちょっとだけど、現金置いてあるからさ。それ使っていいよ、鍋の材料買うのに……あと、ビールな。発泡酒なんてやめてくれよ。ちゃんと本物の、麦百パーセントのやつな。頼んだぜ」

そう言い置き、スライドドアを開け、マサは出ていった。

黒いジャンパーの背中が、少しずつ小さく、遠くなっていく。

二十メートルほど先、ちゃんと横断歩道を通り、マサはホテルの方に渡っていった。長い脚が、広い歩幅の足運びが、遠目に見ていても恰好よかった。人殺しになど、まったく見えない。むしろ、バレーボールかバスケットの選手。あるいは、ワイルド系のファッションモデルか。

「マサ……」

思わず呟くと、私があとを追うと思ったのか、トキオが運転席でドアロックを掛けた。

「おい、何すんだ、トキオ」

逆にトキオは、レバーを回して少しだけ、運転席の窓を開けた。

空っ風が、鋭く啼《な》きながら車内に流れ込んでくる。

「おやっさん……あの人は、くるなっていったんですよ。たぶん、今夜の敵は、いつもと違う。腰が引けてるとはいえ、いっぱしのヤクザもんです。俺たちがいったら、足手まといになる……あの人は、そう考えたんじゃないですか」

「だからって、お前……」

呑気に鍋の用意なんてしていられるか。

だが、トキオはかぶりを振った。

「待ちましょう。もし襲撃が上手くいって、人手がいるんだったら、きっと電話をくれます。おい、死体運ぶの手伝え、って……大き目のバッグ、あるだけ持って、回収にこいって……」

それに対して、私はなんら反論ができなかった。今では私より、トキオの方がよほど襲撃現場では役に立つ。私はすべてが終わってから、死体運びの手伝いをするのが関の山だ。

仕方なく、トキオのいう通り、私も待つことにした。

きっと、マサは戻ってくる。いや、連絡をくれて、私たちが六階の部屋にいくと、いつものように、死体を面倒臭そうに見下ろしている。三人も殺しちまったよ。一回じゃ運びきれねえよ。参ったぜ。そんなふうにいいながら、でも最後にはポンと手を叩くのだ。ま、眺めててもしょうがねえ、さっさと畳んじまうか――。

だが、いくら待ってもこの夜、マサから連絡はこなかった。

逆におかしなことが起こった。さっきホテルから出ていった小柄な男が、どういうわけか戻ってきて、またホテルに入っていったのだ。

「トキオ……」

「なんですか」

「今の男、さっき、マサが睨んでた男」

「え、どれですか」

そのときにはもう、男はロビーの奥に姿を消していた。

駆けつけたい気持ちはあった。マサがどうなっているのか、確かめたくて仕方がなかった。

だが、一度トキオに止められたからだろうか、私も、勢いでは飛び出せなくなっていた。

それから何分車内で待ったかは、定かには覚えていない。

だが夜の要町に、銃声が響いたのだけは確かだった。

「おい、今の」

私は今度こそ、自らロックを解いて車から飛び出した。

マサ、どうした。なぜ連絡をくれない。

銃声はまだ続いている。

お前まさか、撃たれちまったんじゃないだろうな――。

幸い車の数は少なく、私は車道を横断してホテルの前までいった。

さらに二発の銃声がした。マサが撃たれ、蜂の巣になっている様子ばかりが脳裏に浮かんだ。超人的といってもいい強靭《きょうじん》な肉体を有するマサだったが、さすがに銃で撃たれれば無事では済むまい。これだけ銃弾を浴びれば、ひょっとしたら命は――。

「……おやっさん、ここは、いったん逃げよう」

マサ、どうした。どうしたんだ、マサ――。

「逃げようって、おやっさん、警察きちまうよッ」

マサ、お前に限って、そんな――。

2

勝俣もいろいろ水を向けてはいたが、木野はなかなか思うように反応してくれなかった。

正午前には取調べを中断し、いったん木野を留置場に入れた。写真撮影、身体検査、指紋とDNAの採取、昼食。そこまで済ませたら、また午後から調べを再開する予定だ。

それまでに玲子たちも食事をし、ある程度は打ち合わせをしておく必要がある。

り上致し方ない。

「……どう見た、お前は」

まさか、あの勝俣と昼食を共にする日がこようとは玲子も思っていなかったが、行きがかり上致し方ない。

「完黙じゃない、というのには、ちょっと驚きました」

勝俣は生姜焼き定食、玲子はカレーライスを食べている。

「思ったより喋る奴、ってことか」

「まあ、イメージよりは」

「お前の持つ、木野のイメージってのはなんだ」

「いえ、別に……そんな、確固たるものはないですけど」

ふん、と勝俣が鼻息を噴く。

「そんなはずがあるか。よく考えて喋れ。お前は木野に何かしらのイメージを持っていた。それは、あまり喋らない男というイメージだった。なぜだ。なぜ木野は喋らないと思い込んでいた。なぜ木野が喋るとお前は違和感を覚える」

そう、矢継ぎ早に訊かれても困る。

玲子はひと匙《さじ》、カレーライスをすくって口に運んだ。

いわれてみれば、まあ確かにそうだ。なぜ自分は、木野が無口だと思い込んでいたのだろう。

「なんていうか……でも、一度面と向かって木野が喋ってるのを聞いてしまうと、もう、もとのイメージは湧かなくなっちゃうんですよね。あたし、木野にどんなイメージを持ってたんだろう……上手く、思い出せないです」

「健忘症か」

そんなわけあるか。

「そうかもしれないですね」

早くも食べ終えた勝俣が、湯飲みを手にとる。

「いいか、姫川。お前は木野のことを……」

そう、勝俣がいいかけたときだった。

食堂に飛び込んできた男がさっと辺りを見回し、すぐ玲子たちに視線を定める。

東尾刑事課長だった。

「姫川係長」

何やらメモのようなものを持って、東尾が近づいてくる。玲子もその場で椅子から立った。ナプキンで口元を拭いながら。

「……はい、何か」

「いま本部デスクに、こんな情報が寄せられた」

いいながら玲子にメモを向ける。勝俣は上目遣いで見ているだけで、椅子から立とうともしない。

それには、雑ではあるがちゃんと読める字でこう書いてあった。

【池袋　平岩外科　院長　木野　胃ガン末期　四月九日告知】

今日は二月二十七日。

「この『四月九日』って、いつのことですか」

「去年らしい」

つまり、もう十ヶ月以上経っていることになる。

「じゃあ、木野はもう……」

「おそらくな」

ようやく勝俣が、面倒臭そうに手を出す。

玲子が手渡すと、勝俣はチラリと見ただけで、チェ、と吐き捨てた。

「やる気なくすなぁ……なんだよ、あっちもこっちも、くたばり損ないばっかりじゃねえか」

いや、違う。これは、そういうことではない。

確かに検察送致までの時間は、もうそう多くは残っていない。ただ、請求すれば確実に十日間の勾留は認められるだろうし、さらに十日間延長することにもなんら支障はないだろう。

もっといえば、木野には再逮捕、再々逮捕、再々々逮捕と、ほぼ無限に調べを続けることも可能と思えるほどの容疑が山積みになっている。

そのせいだと思う。勝俣はあまり、木野を急かそうとしない。明日の送検までに、人定事項が確認できていればそれで充分。そんな構えであるように、玲子には見えた。

「お袋さん、四年前に亡くなってるんだな……あれ、それはさすがに、知ってたよな？」

木野は基本的に、無駄話に乗るつもりはなさそうだった。生まれ育ち、家族関係、学生時代、警視庁時代、チンピラ時代。少なくとも、過去については語りたがらない。

「住所不定ったってよ、定宿《じょうやど》はどっかあっただろう。……それか、女のところとかよ」

ちょっと笑みを浮かべただけで、女関係についてもノーコメント。

ある意味、不思議な被疑者だった。

まったく黙秘をするわけではない。気が向く話題にだったら、ある程度は答えるし、反応もする。だが気が向かなければ、一切反応を示さなくなる。その、答える話題と答えないそれの線引きが、玲子にはピンとこない。

午後の調べで木野が初めて反応したのは、下井が話題にのぼったときだった。

「しかし、なんでお前、下井のとっつぁんを撃たなかったんだよ」

ふいに、溜め息のように深く吐き出す。少し、喋る気になったようだ。

「それ、あんたがいうかよ。……あんたが続けて撃ってくるから、こっちも必死で撃ち返しただけだろうが」

口調は、馬鹿馬鹿しいといわんばかりだ。

「いや、そんなはずはねえな。お前は下井を殺せるのに、殺さなかった。なぜだ」

そういえば木野は朝、下井のことを「下井さん」と呼んでいたのではなかったか。今もなお、彼には敬意を持っているということか。

「殺さなかった理由、か……さすが、勝俣さんクラスになると、面白いことを訊くね。あれだ、俺は誰でも彼でも見境なく殺した方が、あんたには分かりやすかったたってわけだ」

つまりそれは、自分の一連の犯行は無差別殺戮ではなかったと、そういう主張とも受け取れる。

「見境なしだろう。俺は刑事だぜ？　お前が散々苛《いじ》めてきた半グレやヤクザじゃねえ。しがねえ公務員だ。それを、弾倉が空になるまで狙い撃ちにされたんじゃ堪らねえや」

いや、違う。やはり、木野には下井を殺すことができたはずだ。でも、殺さなかった。殺さなかったというのは、生かしておいたのと同じ意味だ。なぜ生かしておいた。むろん、生かしておく意味があったからだろう。利用価値と言い換えてもいい。

木野は下井に、何かを期待しているのか？

「勝俣さん。確かにあんたには、二、三発当たってもよかったな」

下井にできて、木野にはできないこと。なんだ？

「そいつぁ、ちょいと問題発言だぜ……しかし、あれだな。それまでは鈍器で仕事をしてきたのに、なんでまた急に、あの場だけチャカを弾く気になったんだ」

そうだ。木野はもう、長くは生きられない体なのだ。だから、下井に何かを託した。いや、それも違うか。下井は実際、木野によってほとんど身動きできない状態にさせられている。何かを期待するのなら、そこまでする必要はなかったのではないか。

「……なんだ、鈍器で仕事って」

ほう、そういうところはちゃんとはぐらかすのか。さすがに、この程度の罠《わな》には引っかからないということか。

「とぼけんなよ。鈍器っていったら、『ブルーマーダー』の手口だろうが。こういうのを、こう持って、こう……」

そう。この男は、もう長くは生きられない体のわりに、けっこうな力仕事をしてきた。全身の骨を自在に圧し折り、遺体を小さく小さく丸めてきた。

待て。ちょっとそこ、気になる――。

先がないから、体力的に厳しくなってきたから、死体の処理を諦めて、現場に放置するようになったのか？　いや、それはない。実際、河村の遺体は全身の骨が叩き折られていた。丸めれば運べるよう下準備はできていたのに、あえてそれをしなかった、と見た方が正しい。

では、なぜあえて放置したのか。

放置すれば、いずれは誰かが発見し、警察に通報する。事件が明るみに出る。そこに何か意味はあるのか。

「大体、よくあんな安物の道具で、今まで闘ってこられたな。相手が刃物持ってる可能性だって、実際持ってたことだってあっただろう。それこそ、飛び道具が出てきたっておかしかねえ」

もっと「ブルーマーダー」の存在を、広く知らしめるため？

「ある意味、大したもんだと思うぜ。あんなちゃちな道具で、池袋の裏社会を牛耳る、一歩手前までいったんだからな……よくやったよ。立派立派」

裏社会を牛耳る？　確かに、池袋の裏社会は「ブルーマーダー」の影に怯えていた。いつ誰が殺されるか分からないという恐怖に支配されていた。でも、それで「牛耳った」ことになるのか？　それをいったら、むしろ「ブルーマーダー」の仕事は逆効果だったのではないか？　事実、池袋の裏社会は不活性化していた。そのことで下井は監察から査問まで受けている。

いや、逆に、それか？　それこそが「ブルーマーダー」の、真の犯行動機だったとは考えられないか。

「……木野さん」

玲子がひと声発すると、すかさず勝俣が「姫川」と横目で睨んでくる。だが、引く気はない。

「あなたには、裏社会を牛耳る気なんて、さらさらなかった。あなたはただ、裏社会の『天敵』たろうとした……そういうことでは、ないんですか」

そのとき、木野が初めて、玲子の目を見た。

「……天敵？」

玲子は頷いてみせた。

「池袋の裏社会は昨今、急激にその活動が不活性化していました。その理由の一端が『ブルーマーダー』にあったならば……自らが天敵になることによって、犯罪集団の活動を不活性化させる、それこそが『ブルーマーダー』の真の目的だったのだとしたら、ある意味、私には納得がいきます」

「よせ、姫川」

いや、やめない。木野は確実に反応している。

射るほどに強い目で、木野は玲子を見ている。

「違いますか、木野さん」

それにしても、不思議な目をした男だ。

焦点はこっちに合っているのに、目と目が合っているのかというと、それとは違うように感じる。明らかに見られているのに、見られているという実感に乏しい。この場ではただ見合っているだけだが、ひょっとしたらどこか別の次元、隣接する他の時空では互いに言葉を交わしているのではないか。そんなことを考えさせる目だ。

「……なぜ、俺がそんなことをしなければならない」

それでもいい。別の時空での会話も、今生《こんじょう》でのやり取りも、全部ひっくるめて勝負しよう。こっちは、何も隠し立てするつもりはない。裸の意思を確かめ合おう。殺意と殺意で、繋がり合おうじゃないか――。

玲子は、一つ頷いてみせた。

「おそらく……あなたはとても、正義感の強い人です。そうでなければ、あの下井さんが情報提供者にしようとなんてするはずがない。下井さんは、あなたの正義感を信じていた。組織にもぐり込んでも、自分との関係は維持できる。そう見込んだからこそ、あなたをSとして運営した」

「それと『天敵』の話は、どう繋がるんだ」

まるであべこべだ。これでは木野に尋問され、自分が自白しているみたいだ。

「あなたは……警察官時代にも、Sとして協力した時期にも成し得なかったことを、『ブルーマーダー』としてやり遂げようとした。ヤクザ、マル走OB、外国人グループ……外からではなかなか排除できない犯罪者集団も、内側から瓦解させることなら可能であると、証明しようとした……違いますか」

少しずつ、木野と目が合ってくるのを感じる。木野が、自分を見ているという実感が湧いてくる。どうなんだ。そういうことではないのか――。

「……惜しいが、残念ながらかすりもしないな」

一層強く、互いの視線が絡まり合うのを感じる。うねりながら、練り合い、揉み合い、ひと筋の何かに至ろうとしている。

木野がいうほど、この線は間違ってはいないと玲子は思う。

さらに木野が続ける。

「お前ら……まさか、法治国家なんてものをありがたがってるんじゃないだろうな」

マズい。急に、論点を見失いそうになった。でも視線だけは、絶対にはずしてはならない。

「法治国家なんてもんはな、あれやっちゃ駄目、これやっちゃ駄目って、子供のあとばかり追いかけ回す無能な母親みたいなものだ。そこで線引きできる人間は二種類しかいない。いつまで経っても叱られている馬鹿なガキと、要領よく逃げ回る小利口な糞ガキだ。そもそも、法律ってのはそういうものだ。法律によって分けられるのは、善人と悪人じゃない。真っ黒な悪人と、真っ黒とは言い切れない悪人、その二種類だ。法律の概念に、善人なんてものはありはしない」

確かに、刑法に限っていえば、そういう側面はあるかもしれない。

「俺はな、警察官とヤクザと、両方やってみてよく分かったよ。両方やって、両方に裏切られて、ようやく悟った。警察は本気で悪人を叩こうとはしないし、悪人は叩かれたところで、何一つ反省なんざしやしない。奴らは、刑務所なんて別荘程度にしか思ってねえからな。十年、十五年務めたって、出たら何をやるか、どういう家に押し入ったらいいか、どんなクスリを打つか、どうやって女を犯すか、どうやって他人を騙《だま》すか、脅すか……かえってムショで知恵つけて、タチが悪くなって帰ってくる。そんな犯罪者の実態も知らねえで、死刑廃止だなんてホザいてるのはただの阿呆だ」

また、視線が合ってきた。これを逃してはならない。

「服役囚にだって人権はある？　有効なのは終身刑で、彼らから悔い改める機会を奪うべきではない？　おいおい、馬鹿いうなって。犯罪者はな、自分の罪を悔い改めたりなんざしねえんだ。挙句に死刑がなくなったら、ムショでも暴れ放題ってことじゃねえか。毎日が暴動でお祭り騒ぎになるよ。刑務官は寄って集《たか》って袋叩き、脱獄だってし放題。捕まったってどうってことねえ。どうせ、死刑はねえんだからな」

なるほど。論点はそこだったか。

「……な？　大事なのは死刑なんだよ。こんなことやってたら、最悪の事態が待ってるかもしれない。そういう想像力が一番大切なんだ。そういう想像力でしか、世の中はよくならねえんだ。だから俺が、その想像力を、連中に植えつけてやったわけさ。警察による摘発、捜査、逮捕、裁判やって懲役……そんなのはしょせん対症療法だ。いくらやってもイタチごっこ。悪を根絶なんてできない。根絶させたいなら……殺すのが一番なんだよ」

今、自分がすべての罪を認めているということを、この男はおそらく、自覚して喋っているのだろう。むしろ、これをいうために木野は、河村以降の遺体を放置してきたのかもしれない。「ブルーマーダー」を、単なる都市伝説で終わらせないために。

「警視庁がいくら組織改変をしたところで、締めつけを厳しくしたところで、政治家がいくら法律を書き替えたところで、ヤクザはただ地下にもぐるだけだ。なんの不都合もありゃしない。一方で、ヤクザが地下にもぐり、表立って力を示せなくなれば、当然別の勢力がその空き地に台頭してくる。マル走ＯＢ、中国人、韓国人、台湾、ブラジル、コロンビア……しかも事態は、この後続勢力とヤクザががっちり手を組んだことでさらに悪化した。でもそれを、警視庁は追いきれたか？　組織犯罪対策部？　全然駄目じゃねえか。組織から情報も取れません、外国人グループの活動実態も把握できません。元マル走は指定暴力団員ではないから、徒党を組んで歩いていても取り締まれません……同じ警察官として、あんたらは情けなくないのか。恥ずかしいとは思わないのか」

自分はマル暴ではないから、という逃げを、この木野という男は許さないのだろう。

「警察が犯罪組織の天敵になり得ないなら、仕方ない。俺がその役目を担ってやろうって、それだけのことさ。調子に乗ってるとぶっ殺すぞ。たったそれだけのメッセージで、実際この街の悪党は怖気《おじけ》づいただろう。腰が引けて、シノギができなくなっただろう。バッチリじゃねえか。上手く治まってるじゃねえか……どこで誰が見てたんだか知らねえが、あの青いマスクのことだろうな。いつのまにか俺は、『ブルーマーダー』って名前の怪物になっていた。案外、嫌いじゃねえんだ。その名前」

しかし法の番人として、玲子はいわねばならない。

「……そうね。あなたのとった行動に一分の理も なかったとは、私はいわない。ただ、あなたの判断が完璧だったとも、逆に言い切ることはできない。『ブルーマーダー』が殺した人間にも、家族はいたはず。悪事を働く以外の、人間的側面もあったはず。諭せば罪を悔い改めたかもしれない。それを確かめようともせずに、ただ殺すことが正義だとするのは、あまりに傲慢ではないかしら」

それでも、木野の表情にはいかなる動揺も見出《みいだ》せない。

「そんなに親が大切なら、悲しませるような悪事に手を出すべきではなかったな。そんなに子供が大切なら、もっとまともな教育をしてやるべきだったな」

木野は、胸元で人差し指を立てて続けた。

「それからな……ひょっとしたら、『ブルーマーダー』ってのは、もはや俺一人じゃないのかもしれないぜ。『ブルーマーダー』が一犯罪者のニックネームではなく、一つの、犯罪モデルなのだとしたら、って話だ。振り込め詐欺、サイバーテロ……そういう、いくらでもコピー可能な犯罪の類型の一つなのだとしたら、あんたらはどうする。黙っててもヤクザ、半グレ、不良外国人どもをシメてくれる『ブルーマーダー』の側に立つのか。それとも逆に、『ブルーマーダー』を狩り出して、ヤクザや半グレにケチな恩でも売るか……今から考えておいた方がいいぜ。俺のコピーは、ひょっとしたら、俺よりよっぽどタチが悪いかもしれないからな」

木野のコピー？　「ブルーマーダー」は犯罪モデル？

この男、どこまで——。

夕方六時には調べを切り上げ、以後は明日の検察送致に備えて書類を作ることになった。

木野を留置場に戻し、調室まで帰ってくる途中で勝俣がいった。

「案の定、木野は俺より、オメェとの方が話が合うみてえだな」

「……なんですか、その『案の定』っていうのは」

ああ、と愉快そうに頷く。

「いったら、そうさな……殺しの種、かな。木野の種からは芽が出て葉が開いて、もう花が咲いちまってる。オメェの種はどうだ。芽ぇくらい出てるんじゃねえのか」

思考の同調に留まらず、もはや犯罪者予備軍呼ばわりか。

「ま、芽ぇくらい出ててもかまわねえや。……木野の話じゃねえが、花咲かして、種までつけて、そいつをバラ撒かれでもしたら手に負えねえけどな」

一体、なんの話をしてるんだか。

調室まで戻ってきた。

「姫川。俺はこのまま、ここで作文するからよ、お前は特捜に戻って、新しい情報がないかあさってこい」

それくらいいわれなくてもするつもりでいたが、木野の調べはまだ始まったばかり。つまらない仲違《なかたが》いはしたくなかったので、玲子はその命に従うことにした。

「分かりました……いってきます」

勝俣を調室に残し、一人で特捜本部に上がる。

夕方六時半の会議室。時間が早いため、まだ捜査員も多くは戻ってきていない。上座にいるのは池袋署の高津組対課長。情報デスクでは、組対四課の三浦管理官と明石係長、池袋署の東尾刑事課長らが何やら協議している。

とりあえず、三浦に報告する。

「管理官。木野の本日の調べ、終了いたしました」

「そうか、ご苦労さん。で、どうだった。どこまで認めてる」

「ええ、なんといいますか……大枠で犯行は認めているんですが、具体的な話というと、実はまったくしていない、というのが正直なところです。まあ、現状は拳銃使用の調べですので。時間をかけて、殺しの方に繋げていきます」

「ああ、それなんだがな……」

三浦は、パソコンからプリントアウトしたらしき何かの写真を玲子に向けた。Ａ４判に引き伸ばしてあるので、決して画質はいいとはいえない。

「なんですか、これは」

「昨夜の、発砲があった時刻の、アーバンプラザホテル前の様子だ。今さっき、ホテル入り口の防犯カメラに、妙な二人組が映っているという報告があった」

写真には、確かに男二人連れの姿が捉えられている。

「映像は」

「これから持ち帰る予定だが、取り急ぎ、顔の一番分かりやすい場面を送れといったら、これがきた」

髪の短い、がっちりとした職人風の男と、少し髪を伸ばした、スレンダーな男の二人が写っている。職人風の一人は、五十代か六十代、スレンダーな方は二十代から三十代くらい。突っ立っている職人風の男の腕を、若い方が後ろから引っ張ろうとしているように見えるが、

「……これ、前後はどういう場面なんでしょう」

「どうも、この中年の方が先にホテル前まできて、あとからもう一人がきて、最終的にはあとからきたこいつが、中年の腕を引っ張ってここから立ち去った、ということらしい」

やはり、そういう動きか。

一刻も早く、実際の動画を観てみたい。

「……銃声を聞いて、ただ驚いているだけの通行人、という可能性もあるとは思いますが」

「ああ。だがそうではない可能性も、考えられる」

つまり——。

「木野の仲間、ということですか」

「ああ。河村の現場には、二つのスニーカー様の足痕があった。さっき報告があって、いま木野が履いている靴、あれの足痕と、河村の現場に残っていた一つが、完全に一致したそうだ。ということは、木野にはもう一人仲間がいた可能性がある。……いや、二人いたと考えても、まったく不自然ではない。二人で犯行に及び、もう一人が外で見張っていてもいいわけだからな」

この二人が、木野の仲間——。

「ブルーマーダー」の、コピー？

3

菊田は、池袋四丁目周辺での聞き込みを続行していた。

百円ショップでカップラーメン等の食料を調達していることから、岩渕はおそらくマメに自炊はしていないだろうと推測した。となれば、店屋物の出前を取る可能性も高い。

このエリアに出前をするラーメン屋、蕎麦屋、寿司屋などを虱潰しに当たった。宅配のピザや釜飯、どんぶり専門という店でも訊いてみた。

当たりが出たのは日曜の夕方。宿直明けの上、休日返上でがんばって回った甲斐《かい》もあったというものだ。

場所は池袋三丁目、古風な日本蕎麦屋。店主は六十くらいの、小柄な男性だ。

「……ああ、この人。カヤバさんとこにいた人じゃないかな」

「それは、どちらのカヤバさんですか」

「ほら、四丁目の、石屋さんの、隣の隣の……」

手帳を見るまでもなくピンときた。建物脇に鉄パイプなどを保管していることから、架設工事などを請け負う会社、いわゆる「鳶職」であろうと察した、あそこだ。

「茅場組、と入り口に書いてある、あそこですか」

「うん……元、だけどね。今はもう、鳶の仕事はしてないみたいよ」

「そんなに、茅場さんはお年なんですか」

「お年……んん、まあ、六十くらいかな。見た感じは」

もう一度、岩渕時生の似顔絵と、二年前の顔写真を店主に見せる。

「じゃあこの男は、茅場組の従業員、というわけではない？」

「うん、仕事してないんだから。従業員では、ないんじゃないの」

では、なんだというのだろう。

「そこには、この男と、茅場さんのお二人がいるわけですか」

「いや、もっといると思うね。頼まれるときは、いつも三人前か、それ以上だから。ただあそこは、一階が車庫みたいになってて、住まいは二階でしょう。だもんで、あたしがその、一階の奥の、階段のところまでお盆とか岡持《おかもち》を持ってって、そこでこの、若い人に丼を渡して。で、お勘定は茅場さんからいただくと。まあ、食べるのは二階だから。あたしが顔を見るのは、茅場さんとこの人だけってことなんだけど」

なるほど。

「何回くらい、茅場組でこの男を見ましたか」

「どのくらいかな……五、六回は、見てるんじゃないかな。忘れちゃったよ。数えてないもん、そんなの」

「そうですよね……でも、五回も六回も会ってるということは、この男はあそこに住んでいる、ということですか」

「いや、それも分かんないよね。あたしは、出前持っていったときしか知らないわけだから」

「なるほど、そうですか……」

店主には丁重に礼をいい、すぐ四丁目に引き返して、茅場組を確認した。

モルタル仕上げの、古びた木造家屋。

道に面した正面は、四枚の引き戸で閉じられている。上半分が曇りガラスで、下はかなり汚れがこびりついてはいるが、シルバーのアルミ板で目隠しになっている。社名はその、真ん中の二枚に入っている。左に「有限会社」、右に「茅場組」。入り口はそこだけのようだ。向かって左手、隣家との間は鉄パイプで組んだラックで埋まっているし、右側はブロック塀で塞がれ、やはり人の出入りができる状態ではない。裏口もなさそうだ。

二階の正面にある窓は一ヶ所、左側は大小合わせて三ヶ所、右側は二ヶ所ある。いま明かりがあるのは左側、中ほどの一ヶ所だが、十分ほど見ていても人の動きは確認できなかった。

呼び鈴を押して、茅場を呼び出して話を聞く、ということはむろん考えた。だが茅場と岩渕の関係が分からない以上、迂闊に接触すべきではないだろう。

現状で得られている証言は、茅場組において岩渕らしき男が、茅場と共に蕎麦の出前を複数回取って食べた、ということだけだ。住んでいるのかどうかも、訪ねてくるとしたらどれくらいの頻度なのかも分からない。

ではどうするのか。

辺りを見回すが、張り込みに適した場所は残念ながらなさそうだった。となると、署から車を持ってくることになるが、あいにく停められる場所も近くにはない。少し離れたところに路上駐車するしかないか。案外そういうときに限って、マメに地域課警官が回ってきて、職質をしてきたりする。近所の住人が不審車両として通報する場合もある。

なんにせよ、あまり好ましい状況ではない。

とりあえず、今夜は遅くなるか、ひょっとしたら帰れないかもしれないと、梓にメールしておこう。

署に戻ると、好都合にも加山統括が宿直で残っていた。

「そこに、岩渕がいるという確証は」

「分かりませんが、現われる確率は高いと思います。とりあえずひと晩、張ってみます」

そうか、と頷きながら、加山は車両使用申請の書類に判を押した。

「お前、車だけでいいのか。一人で大丈夫なのか」

「えっ、応援、もらえるんですか」

もしそうならば、大変ありがたいが。

「いや、今夜は無理だ」

思わず、菊田はひと噴きしてしまった。

「……ですよね。今日、日曜ですもんね」

日曜は、そもそも署にいる警察官の数が少ないのだ。

「ま、明日は明日で分からんが、手の空いた人間は応援に出られるよう、待機させておくよ」

ありがとうございます、と頭を下げ、菊田はデカ部屋を出た。


実際に褒められたことはないが、これは刑事として、もっと誇っていいことなのではないかと、菊田は常々思っている。

実は菊田は、不眠でもかなりの長時間働ける特性を持っている。宿直でひと晩、一睡もしないくらいは全然平気だし、気づいたら三日寝ていなかった、ということも過去にあった。四日はさすがになかったと思うが、でもたぶん、いけるのではないかと思っている。

以前、そんな話をしたときの玲子の反応はこうだった。

「あたしは無理。張り込みとか、すごい苦手。やることないとすぐ眠くなっちゃう」

「ああ、俺は平気ですね。別に、建物の入り口とか窓とかをじーっと、何時間見てても、全然平気ですね」

信じられない、と玲子は、身震いするようにかぶりを振った。あのときに揺れた髪の動きも、鼻先に漂った香りも、いまだによく覚えている。

「そのさ、じーっと見てるときは、何考えてんの。何考えてたら眠くなんないの。なんかコツとかあるわけ?」

それには、首を傾げるしかなかった。

「いや、別にないですよ。何考えるって……まあ、捜査のこととか、いろんなことですかね」

「そうなの? ほんとは、どっかの女のこととか考えてんじゃないの?」

それは、あながち間違いではなかった。張り込み中、フロントガラスの向こうを睨みながら一番よく考えたのは、ほかでもない、玲子のことだった。

なぜ彼女は、あんなにも強くいようとするのだろう。そして実際に、強くなってしまったのだろう。菊田くらい付き合いが長くなれば分かる。姫川玲子という女は、決してもとから強い人間などではない。捜査一課の主任という役職にはそれなりのプレッシャーを感じていたし、年齢や性別といったことも常に意識していた。しかしそれを、あたかも感じていないかのように振る舞っていた。いや、振る舞う癖がついてしまった、といった方がいいかもしれない。

中身はいたって普通の女性だ。勤務を終え、庁舎を出れば泣きもしたし、落ち込みもした。失敗を怖れてもいたし、疲れればうな垂れて溜め息もついた。しかし彼女は、それを庁舎内では頑《かたく》なに隠そうとし、実際それができてしまっていた。あのダークスーツが鎧《よろい》となって、まるで玲子を「鋼《はがね》の女刑事」のように見せていた。

もっと、楽に生きればいいのに――。

何度も、そういおうとした。

好きだ。これからは、俺があなたを守るから――。

しかし思うだけで、結局は何一つ口に出すことはできなかった。

いえそうな瞬間は、確かに何度かあった。一度は玲子からキスしてきたこともあった。だから、まったく脈がないわけではない、とは思っていた。だが実際にいおうとしても、彼女の目を見た瞬間に、スッ、とその気持ちは冷めた。

守ろうとして手を伸べても、それを払い除《の》けられるのではないか。抱きしめようとしても、思いきり拒まれ、突き飛ばされるのではないか。そんな予感が菊田の気持ちを凍りつかせた。それでいて、彼女自身は危険な状況に自ら飛び込んでいこうとする。自分の鎧がどこまでの加圧に耐えられるか、それを試そうとするように、わざと圧力の強い方に強い方にと足を向け、前屈みで突き進んでいく。

最近になって思う。牧田の事件があろうとなかろうと、結局自分は、玲子に気持ちを伝えることはできなかったのかもしれないと。警察官としては尊敬し、女性としても魅力を感じていながら、しかし共に生きるパートナーとしては、あまりにも心のありようがかけ離れていたのではないか。

無理やりひと言でいうとすれば、こういうことかもしれない。

彼女、姫川玲子は、安らぎなど求めていない――。

いや。それはさすがに、言い過ぎか。


聞き込み中は邪魔なので聴いていなかったが、張り込みに入ってからは一応、受令機のイヤホンを耳に入れている。池袋は依然警戒態勢を強化したままだが、目の前にある池袋四丁目の眺めはある意味、長閑《のどか》といっていいくらいのんびりしたものだった。日曜だからか、人通りもほとんどないに等しい。

動きがあったのは深夜近くになってから。えらく体格のいい男が一人、茅場組に入っていった。しかし岩渕でないことは明らかだった。岩渕の身長は百七十センチ台、いま入っていった男は優に百九十センチはあった。顔は、残念ながら分からなかった。着衣は、黒っぽいフライトジャケットに、下はカーゴパンツか何かだった。

その長身の男は、翌朝九時頃に茅場組を出ていった。恰好はきたときのまま。まるで女のところに泊まりにきたみたいだな、と思ったが、相手が茅場という初老の男性であることを思い出し、想像するとあまりにおぞましい図になりそうだったので、慌てて打ち消した。

午前十時頃には加山統括からメールが入った。

【有限会社、茅場組代表取締役、茅場元《はじめ》、五十六歳には前科がある。二十一年前に、覚せい剤の所持と使用、これは執行猶予。十九年前に再び同罪で逮捕、一年半の実刑を喰らって

いる。注意せよ。】

何やらキナ臭いものを感じはしたが、とりあえず加山には【ありがとうございます。できれば応援をお願いします。】と打ち返しておいた。

おそらく茅場であろう男が出てきたのは昼過ぎだった。ラクダ色のジャンパー、下はグレーのズボンに、黒っぽい靴。かなりくたびれた印象だ。尾行してみようかと一瞬思ったが、長身の男のように、ふらりと岩渕が現われる可能性もないではない。ここは一つ、徹底的に茅場組に張り付こうと決意を新たにする。茅場はまもなく、レジ袋を一つぶら下げて戻ってきた。おそらくコンビニで弁当を買って、温めてもらってきたのだろう。菊田も、買い溜めておいた食料の中からソーセージのパンを出して食べた。

午後二時くらいに、白自転車に乗った制服警官が職質しにきた。だが、車内を見て瞬時に警察車両と悟ったのだろう。菊田が身分証を見せるまでもなく、お疲れさまです、と会釈をして去っていった。

夕方六時くらいに、またあの長身の男が現われた。一時間ちょっとして、今度は茅場と二人で出てきた。どこかに出かけるようだった。時間からすると夕飯か。それとも飲みにでもいくのだろうか。だがそうでないとしたら、尾行する必要はないだろうか。いった先で岩渕と合流という可能性だって考えられる。しかし、結局は決心がつかず、菊田は張り込み拠点から動かなかった。応援の仲間がいてくれたら、とは思ったが、今この瞬間にいないのだから仕方がない。加山からの返信もない。

茅場組から目を離さないよう注意しながら、少し辺りを歩いたり、たまには車を動かしたりもした。缶コーヒーを買ったり、コンビニでトイレを借りたりもした。

無線がやかましくなったのは夜の八時頃だ。

《警視庁より各局、各移動。豊島区池袋三丁目△の◎、アーバンプラザホテル六階において銃器発砲、殺傷事案発生。死者三名、負傷者一名が出ている。マル被は現場より逃走。人着にあっては、身長百九十センチ以上。体格、痩せ型、男性一名。年齢、三十歳から四十歳。上衣にあっては黒色ジャンパー、下衣にあっては緑色のズボン。拳銃の他にも凶器所持の可能性あり。現時点より池袋を中心としたD配備を発令する。各移動、各PM（警察官）は受傷事故の防止に配慮して急行されたい。繰り返す――》

身長百九十センチ以上で、黒色ジャンパー、緑色のズボンといったら、茅場と出ていったあの男とそっくりではないか。

どういうことだ――。

さらに状況に変化があったのは、夜の八時半頃だった。

シルバーの、軽のワンボックスカーが茅場組の前に停まった。助手席から降りてきたのは茅場、運転席から降りてきたのは長身の男――かと思ったが、違った。

「あ、あいつ……」

なんと、岩渕時生だった。確かに、二年前より髪が伸びている。漠然と抱いていたイメージより、だいぶ骨太な印象を受けた。身のこなしは軽く、車の後部を迂回して茅場組に入っていく仕草はやけに慣れたものに見えた。

すぐ、加山統括に電話を入れた。

「岩渕らしき男が現われました。今現在は、茅場と二人と思われます」

しかし、加山もＤ配備の発令を知ったばかりで慌てていた。

『俺もまだ近所にいたんでな、念のため署に戻ろうと思ってたところだ。状況が落ち着いたら、またこっちから連絡する』

「統括、ちょっと待ってください。こっちで夕方、茅場と一緒にいた男がですね、いま無線で手配している男の人着にそっくりなんですよ」

半拍、間が空いた。

『……ハァ？　何いってんだ、お前』

「ここは池袋四丁目です。現場になったホテルとは、たぶんちょっと距離があると思うんですが、マル被とよく似た人着の男を自分は目撃しているんです。その男は、茅場と一緒に出かけていきました。しかし、戻ってきたときその男はおらず、代わりに茅場は岩渕らしき男を連れて、一緒に建物に入っていきました。統括、至急応援をよこしてください」

加山は唸ったが、

『分かった。とにかく、署に着いたらまた連絡する』

そういって電話を切った。

一時間ほどすると、発砲事案のマル被は豊島公会堂近くの公園で確保されたと無線で流れた。まもなくD配備も解除。加山から連絡があったのはその少しあとだ。

『……今から、永瀬と保科をそっちにやる。二人いれば大丈夫だな』

「はい、ありがとうございます」

実際に二人が現場にきたのは十時過ぎ、もう半に近い頃だった。

後部座席のドアを開け、

「お疲れさん。遅くなってすまんな……しかし菊田。お前、昨日の明けからずっと、一人で張ってたんだって？」

入ってくるなり、そういったのは保科デカ長だ。

「ええ、まあ」

あとから入ってきた永瀬デカ長が、ほい、と缶コーヒーを差し出してくる。

「熱いぞ……しかし、若いってのはやっぱり羨ましいねェ。そのスタミナで、夜は野崎をヒーヒーいわせてるんだろう？」

「永瀬さん。それ、他所でいったら、本当に訴えられますよ」

それよりさ、と保科が強引に話題を変える。

「発砲事案のマル被に似た男を目撃したってのは、なんなんだよ。加山統括の話じゃ、今一つ状況が分からなくてさ」

「いや、自分もよく分からないんですが……」

見たままを説明すると、保科は首を傾げた。

「……しかし、発砲のマル被はもう確保されてるわけだから、こっちにその、似た人着の男が戻ってきてないってことは……なんだ、逆に、辻褄は合うってことか」

「そうなんですよ。もしそうだとしたら、茅場と岩渕も、その発砲のマル被と繋がってるのかもしれないわけです」

でもよ、と永瀬が割って入る。

「その、軽を運転してきたのが岩渕ってのは、間違いないのか」

それには、菊田も確かには頷けない。何しろ、茅場組までは二十メートルほど距離があるのだ。

「間違いない、とまでは断言できません。でも、よく似ていました。当たってみる価値は、あると思います」

保科が腕時計を見る。

「……どうする。当然、フダは、持ってきてるんだろう」

菊田はカバンを叩いてみせた。逮捕状はずっとここに入れている。

「ちゃんと更新してありますし、今週一杯はこれでいけます」

「朝まで待って、確保するか」

「とりあえず、一度はちゃんと確認したいですよね。……どちらにせよ、ここで確保すると
なると、池袋署には話を通しておかないとマズいんですが」

それは大丈夫だ、と永瀬が頷く。

「加山統括が、池袋にはちゃんと仁義切っとくって、俺たちが出るときにいってた」

「そうですか。それなら、安心ですね……じゃあ、岩渕が出てくるまで、このまま待つ形に
しましょう。飛ぶような動きを見せたら、そのときは臨機応変に」

すると、保科にぽんと肩を叩かれた。

「だったらお前、ちょっと寝ろ。俺たちが前にいくから」

「そう、ですか……すみません。じゃあ」

保科と永瀬に張り込みを任せ、菊田はしばらく、後部座席で横にならせてもらった。

朝六時頃には、自然と目が覚めた。

「……あ……すんません。けっこう、寝ちゃいましたね……ありがとう、ございました」

運転席にいた永瀬が振り返る。

「お前、けっこう鼾《いびき》すげえな。よくそれで、野崎に愛想尽かされねえな」

いや、梓に鼾を指摘されたことは、なかったと思うが。

「そう、でしたか……それは、すみませんでした」

ふっ、と笑いを漏らしたのは助手席の保科だ。

「嘘だよ。そんなに鼾なんてかいてなかったよ。こいつ……ほんと菊田のこと、ちょいちょい弄《いじ》るよな。そんなに野崎をとられたのが悔しいか」

「おう。俺は、どうあってもこいつだけは許せねえ」

永瀬のこれはいつものことなので、菊田も笑って流しておいた。

寝かせてもらった礼でもないが、菊田は自らコンビニに朝食を買いにいった。ちょうど入荷があったばかりなのか、お握りもサンドイッチも選び放題だった。

「……はい、お待たせしました」

「うわ、また大量に買ってきたな。こんなに食えねえだろ」

「いや、なんか、買えるときに買っとかないと、こういうのって不安でしょう」

朝食を終え、その後は保科、永瀬と順番に仮眠をとり、ときには一人が周辺を歩き、それとなく茅場組の様子を探りにいったりもした。

茅場組に動きは、まったくなかった。昼間は照明も点いておらず、逆に内部の様子は分かりづらくなった。長身の男の来訪もなく、ますますあの男が発砲事案のマル被だったのではないかという疑念が膨らんだ。

日中、署には何度か連絡を入れた。菊田が現況を報告すると、加山に「保科は明日宿直だから、適当なところで帰してやれ」といわれた。菊田は「了解しました」と返し、電話を切った。

実際、保科には三時頃、その話をした。

「ああ……じゃあ悪いけど、四時過ぎたら、上がらせてもらうよ」

四時過ぎといったのは、それくらいにここを出れば、通常勤務終了前に千住署に帰れる、そうすれば別の交代要員を捕まえられるかもしれない、という保科なりの考えがあったようだ。

「動き、なかったな……ま、誰か残ってたら、陣中見舞いくらいくるようにいっとくから。……じゃ、お先に」

そういって四時十五分、保科は車を出ていった。

その後ろ姿を見送りながら、永瀬がぼんやりと呟く。

「……保科チョウ、奥さんと上手くいってないらしいよ」

「えっ、そうなんすか。全然、知らなかったです」

「ま、俺もそうだったけど、デカの家庭なんざ、たいていどこも似たようなもんさ。だから、お前んとこはいいなと思うよ。なんたって、両方ともデカなんだから。少なくとも、変な誤解をされる心配はないわけだ。……こっちは寒いの堪えて張り込みしてさ、ようやく家に帰ったら、今度は嫁に浮気疑われるんだぜ……それくらいならまだいい。亭主が帰ってこないのいいことに、嫁の方が男引きずり込んでたって話もある」

確かに、今のこの状況を利用すれば、菊田だって浮気の一つや二つは可能だ。そうではないことを、いかに妻に信じさせるか。それは、実に難しい問題だと思う。

永瀬はバツイチで今は独身だが、離婚の直接の原因はなんだったのだろう。訊いてみたい気もするが、訊いたら悪いかな、とも思う。そんなことを考え、しばらく無言でいたら、いつのまにか永瀬は寝入っており、そのうち鼾をかき始めた。なんだよ、自分じゃないか、と思いつつ、菊田は意識を前方、茅場組の方に向けた。

その後、自分が何を考えて過ごしたのかはよく覚えていない。また玲子のことを考えていたのか、それとも留守を守る梓のことか。巡り巡って、また保科のことか。あるいは昇任試験のことか。

気がついたら、夜九時になっていた。

動きがあったのは、その数分後だ。

「永瀬さん、誰か、出てきました」

そのときは、ちょうど永瀬も目を覚ましていた。

「えっ……あ、ほんとだ」

向こうから顔が見えないよう、二人で姿勢を低くした。その状態から、ちょっとだけ片目を覗かせる。今もちょうど茅場組の引き戸から、誰かが顔を出している。

「あれが、おそらく茅場ですね」

「何してんだ。外の様子を窺ってんのか」

「ええ、それっぽいですね……怪しいっすね」

やがて茅場は、大きなカバンを抱えてきて、それを車体後部の荷台に収めた。

「あいつ、飛ぶつもりですかね」

茅場に続いて、若い男も荷物を抱えて現われた。

永瀬が訊く。

「あれが岩渕か」

「ええ、たぶん」

「確かに……そう思って見ると、よく似てるな」

菊田も改めて確信を持った。間違いない。あれは、岩渕時生だ。

「飛ばれたら面倒です。今、確保しましょう」

だな、と永瀬が応じる。

二人が建物内に戻ったタイミングで車から降り、静かにドアを閉め、速歩きで茅場組に向かった。途中、永瀬が「俺が車を押さえる」といったので、菊田は「お願いします」と頷いて返した。

あと十メートルといったところで、また茅場が建物から出てきた。こっちを見て、ちょっと警戒する顔をしたが、それ以上の反応はなかった。

菊田は、あまり茅場を見ないようにしながら近づいていった。永瀬は小走りで車の運転席の方に向かった。キーが挿《さ》してあれば抜くつもりだったのだろう。だがこっちを振り返り、小さくかぶりを振る。キーはなかったようだ。

ようやく声が届くところまできたので、菊田が第一声を発した。

「恐れ入ります。茅場、元さんですか」

ごま塩の無精ヒゲに覆われた口が、にわかに尖る。

「ああ……そうだけど、何か」

「ちょっと、お話聞かせていただいてよろしいですか」

いいながら、引き戸一枚分開けた戸口から中を覗く。奥の階段辺りに明かりはあるが、他は暗くてよく見えない。岩渕の姿も確認できない。また二階に上がったのか。

「話って、なんだよ。ってか、お前誰だ」

「もしかして、お出かけですか」

「ああ。現場にいくんだ」

「こんな時間からですか。もう九時を過ぎてますが」

「……そんなの、どうだっていいだろ。遠いんだよ。明日の朝一番なんだ……それより、お前は誰なんだよ」

菊田は警察手帳を出しながら、引き戸に手をかけた。もう少し入り口を広げる。

「警視庁の者です。いま茅場さんは、ここにお一人でお住まいですか」

警察手帳を見ても、茅場は特に顔色を変えない。永瀬は菊田の後ろに回って、さらに引き戸を開けて中に入ろうとする。

「一人だよ。それがどうした」

「今さっき、ご一緒に荷物を運んでいた方は」

「ありゃ……仲間だ。仕事仲間」

「ずいぶん、お若い方でしたね。失礼ですが、お名前を伺っても、よろしいですか」

その質問によって、茅場は明らかに口ごもった。

「茅場さん。お名前だけでけっこうですんで、教えて……」

そう、いいかけたときだった。

室内に入った永瀬の背中に、何か、黒いものが近づくのが見えた。

「……アッ」

岩渕だ、と思ったときには遅かった。

バスッ、と鈍い音がし、永瀬の体がその場に崩れ落ちる。

すかさず岩渕がこっちを振り返る。

顔を見たいという意識が、菊田の側にもあったのは否めない。

それが、判断を一瞬遅くしたのかもしれない。

似顔絵より、さらに鋭い目が、菊田を捉え、光る——。

その瞬間、菊田の腰に、爆《は》ぜるような衝撃が走った。

4

一応、共犯者がいる可能性については勝俣にも報告したが、あまり興味はないようだった。

とにかく、今は検察送致のための書類作りで忙しいという。

「会議か……それも適当に、お前が出て喋っとけや」

まあ、そんなことだろうと思ってはいたが。

「分かりました。何か隠しておきたいこととか、発表されたら困るネタとかありませんか」

すると、チエ、と聞こえよがしに舌打ちをする。

「……何を聞いてんだよ。それを判断するのが、お前の仕事だろうが。下らねえ質問するな
……いいか。お前を立ち会いに付かせてやったのは、俺の温情なんだからな。そこんとこ、
勘違いするなよ。分かったらさっさといけ」

はいはい、と心の中で返し、玲子はタバコ臭い調室を出た。

夜の捜査会議は八時から始まった。大半の捜査員は昨夜の発砲事件現場周辺の聞き込みに回っていたが、ある組は下井警部補の、ある組は池袋署地域課の大竹巡査部長の聴取に当たっていた。

その、大竹の聴取を担当した組から妙な報告があった。

「……しかし、木野のどの写真を見せても、自分を襲ったのはこの男ではないと、大竹巡査部長はいいます。確かに、大竹巡査部長は事件後、マル被の身長を百七十五センチ程度としています。木野は百九十二センチです。これを大竹巡査部長が見間違えるとは、到底思えません」

上座にいる安東四課長、三浦管理官、明石係長、池袋署の山井《やまのい》署長、東尾、高津両課長らもそれぞれ頷いている。

つまり、大竹を襲ったのは木野ではなく、その仲間だった可能性が高まったわけだ。

安東課長がマイクを取る。

「……では大竹巡査部長に、例の、ホテル前で撮影された写真について意見を求める。次回の聴取に写真を持参、確認。よろしいか」

はい、と応じ、報告の捜査員が席に座った、そのときだった。

後ろの方でガタリとキャスターチェアが鳴り、続いて革靴の足音が近づいてくる。見ると、情報デスクの捜査員がまたメモ紙を持って上座に上がっていくところだった。

彼は上座の向こうに回り、中央にいる安東課長にメモを手渡した。何やら補足するように耳打ちもする。

難しい顔をした安東が、隣の山井署長にも見せる。だがそれを覗き込んだ東尾が、いきなり血相を変えた。

「それ、ちょっと、確認させてくださいッ」

すぐにメモ紙をひったくり、携帯でどこかにかける。繋がった直後に「統括」と聞こえたので、刑事課統括係長の誰かにかけているのだろうと察した。

「……じゃあ、すぐにそれを持ってこっちに上がってきてくれ」

玲子は席から立ち、上座に向かった。四課の主任たちも数人、同じように寄り集まってくる。

携帯をしまった東尾は辺りを見回し、その範囲にだけ聞こえるようにいった。

「昨夜、木野確保の直後に、千住署から、近々池袋四丁目で一件、捕り物をするかもしれないという報せがあった。それと関連があるかどうかは分からないが、いま本部から、池袋四丁目で立て籠もり事案が発生したとの入電があった」

さすがに、それだけでは玲子も事情が呑み込めない。

「課長、関連って、なんの根拠が……」

「それについては、いま大迫が持って上がってくる」

まもなく会議室のドアが開き、大迫が入ってきた。

「……遅くなりました。資料、こちらになります」

Ａ４判の紙、二枚。一枚目は事案の内容報告、もう一枚はマル被の身上を記したもののようだ。

東尾が、一つ咳払いをしてから始める。

「これによると、千住署刑組課、強行犯係所属の、キクタ巡査部長が……」

「えっ？」

いきなりそんな声を出せば、当然、周りから変な目で見られることになる。

「なんだ姫川」

「あ、あの……その、キクタというのは、菊田、和男のことでしょうか」

「それは、これでは分からんが、もしそうだったらなんだ」

「はい……もしそうなら、菊田は、本部で私の下にいたデカ長です」

東尾の眉間《みけん》に、微かに力がこもる。

「分かった。それは、あとで確認する……その、キクタ巡査部長が、イワブチトキオという逃亡犯の目撃情報をもとに、池袋四丁目付近で聞き込み捜査をしていたところ、これに似た人着の男が、同町内の架設工事請負、有限会社カヤバ組に出入りしているとの情報を得、二十五日夜より張り込みについていた。二十六日夜になって、このイワブチの存在が確認できたのだろう。うちに、池袋四丁目で確保する予定だと連絡があった。まあ、手配書を見ても完全に向こうの事案なので、どうぞと、こっちはいうだけだったが……ところが、これだ」

話はさっきのメモ紙に戻る。

「つい、今さっきだ。二十一時十五分頃、池袋四丁目▽の※、有限会社カヤバ組内において、立て籠もり事案が発生した模様。通報者は千住署刑組課所属、ツチダ巡査部長。マル害は、当該案件を担当していたキクタ巡査部長と、ナガセ巡査部長と見られている。詳細は不明……署長」

呼ばれて、山井署長が頷いて立ち上がる。

「会議を中断し、ただ今より立て籠もり事案の解決に全署員を投入する。組対四課の捜査員も、これにご協力いただきたい」

安東課長が、その長い顔で頷く。

「本部から指示があれば速やかに、その指揮下に入りましょう。それまでは、山井署長に人員をお預けする」

山井は頷き、すぐ玲子の方を向いた。

「姫川係長。署内にいる刑事課員を連れて、すぐ現場に向かいなさい。東尾課長は本部刑事部との連絡、大迫統括は千住署からさらにマル被の情報を取り、順次現場の姫川係長に流す。それでいいね」

はい、と頷き、玲子はすぐにバッグを取りに下がった。

菊田が、立て籠もりの現場に？

あの菊田が、人質に？

捜査用PCに乗っている間は、もう、居ても立ってもいられなかった。走った方が速いなら走りたかった。飛べるものなら飛んでいきたかった。

捜査本部デスクが署の地域課に確認したところによると、有限会社茅場組に企業としての実体はすでになく、社屋とはいっても、あるのは普通の木造二階建ての家屋だけということだった。

現場付近までくると、すでに数台のパンダと捜査用PCが到着しているのが見えた。赤色灯の明かりが、辺りの建物を舐めるように照らしている。これ以上はないというくらい物々しい眺めだが、騒がしさはあまりない。むしろ街の様子は落ち着いているようにすら見えた。PCのスピーカーを使って「出てきてください、話を聞かせてください」と呼びかけるのは聞こえるものの、それに対する反応の有無は分からない。

玲子たちは手前の角で車を降り、野次馬たちを掻き分けて現場に向かった。テープで仕切った立入禁止エリア内には、すでに二十名以上の警察官が待機している。玲子は無線代表となっていそうなPCを目で探し、まずそこにいった。

ちょうどいい。顔見知りの巡査部長がいる。

「お疲れさま。こっちでは、通報者は千住署のツチダ部長と聞いてるんですが、その方は今どこに」

はい、と応じた制服警官がすぐに手で示す。ＰＣの右斜め前、ハーフコートを着た男が、別の制服警官と何か話している。中肉中背で、年の頃は三十くらいだろうか。菊田より少し若い感じだ。

「ありがと」

すぐ、そのハーフコートの男に声をかけにいった。

「ご苦労さまです。池袋署強行犯係長の姫川です。通報をされたツチダ巡査部長ということで、よろしいですか」

はい、と彼は、恐縮したように一礼した。

「千住署強行班の、ツチダです」

「早速ですが、事案を認知された経緯を、簡潔にご説明いただけますか」

「はい……」

聞けば、彼も岩渕時生の事案にさほど詳しいわけではなく、キクタ巡査部長とナガセ巡査部長が池袋で張り込みをしているから、とにかく応援にいってやれといわれ、駆けつけたのだという。

「その、キクタ巡査部長というのは、菊田和男のことでしょうか」

「はい。一年ほど前まで本部の捜査一課にいた、菊田部長です」

そうそう同じ署に何人も「キクタ」という名のデカ長がいるとも思えなかったが、やはり、あの菊田で間違いないと分かると、一気に背筋が冷たくなる。いけないとは思いつつも、私情を禁じ得なくなる。

「……ツチダさんがいらしたとき、現場はどういう状況でしたか」

「はい。私は初め、車両を確認しました。うちのPCだなと。しかし、中には誰もいない……もう、ほとんどその瞬間でした。ウオォーッという、男性の叫び声が聞こえまして」

菊田の、苦痛に歪んだ顔が脳裏に浮かぶ。

「それは……菊田でしたか、それとももう一人でしたか」

「いや、分からないです……で、その、声のした方に走っていくと、その建物の」

ツチダが、数メートル先にある有限会社茅場組を指差す。正面の間口の半分を塞ぐような恰好で、シルバーの軽ワンボックスが停まっている。

「車の後ろ辺りで、何か揉め事が起こっていました。年配の男が、建物から出ようとしていて、でも誰かが腰にしがみついていて……それがおそらく、菊田巡査部長だったと思うのですが、年配の男は、棒状のもので、しがみついている男を殴っていました。たぶん、短い鉄パイプだったと思います。私は拳銃を出し、静止を呼びかけましたが、男は建物内を見て、何か怒鳴って、またこっちを見て、もう一度私が、武器を捨てなさいと呼びかけると、しがみついている男を肘で殴って、それでも離れなかったからか、いったん中に入り、戸を閉めました」

「その間、もう一人の巡査部長は」

「ナガセ巡査部長の姿は、私は確認していません。しかし、周辺にもいない、車内にもいないところをみると、菊田部長より先に、現場内に入っていたのかもしれません」

なんてことだ。

「それで、戸が閉まってからは？」

「はい……引き続き、戸を開けて出てきなさいと、呼びかけました。すると……あれです」

彼が示したのは、ガラスに「有限会社」と入っている戸の下の方だ。もとは銀色の金属パネルなのだろうが、油だか塗料だかよく分からない汚れがこびりついており、さらに多少歪んでもいる。

「いきなり、マル被が発砲してきました」

「えっ」

発砲――？　慌てて目を凝らすが、玲子のいる位置から弾痕は確認できない。

「一つ確認しますが、菊田とその、ナガセ巡査部長は、拳銃を携帯して現場に入ったのですか」

「そうだと思います。携帯命令は、いまだ解除になっていないわけですから」

マル被がもともと拳銃を所持していた可能性もゼロではないが、それよりは、菊田かナガセのどちらかから奪って発砲したと考えた方が自然だろう。あるいは、二丁とも手にしているか。

「……二人の、拳銃の種類は分かりますか」

「さきほど確認したところ、ナガセ部長がニューナンブ、菊田部長がチーフス、ということでした」

両方とも小型の回転式拳銃だ。装弾数は共に五発。計十発。

「発砲はその一回だけ？」

「はい、私が聞いたのは、その一回だけです」

残り九発か。

「マル被は何か要求してきましたか」

「いえ、そこまでの状況ではなかったように思います。本署で聞いた限りですと、マル被はその車に乗って、ここに帰ってきたようですから、菊田部長たちは、また車で出られる前に確保しようと動いたのだと思われます。ところが、思わぬ抵抗に遭い……ですから、マル被も何か目的があって立て籠もったのではなく、結果的にそうなってしまっただけなのではないかと」

もう少し岩渕について尋ねようと思ったところに、誰かが声をかけてきた。

「……姫川係長。ちょっとこれは、ひょっとすると、ひょっとするかもしれませんよ」

大迫統括だった。玲子は「失礼します」とツチダに一礼してから、大迫に向き直った。

「ひょっとするって、なんですか」

「これ、見てください」

大迫が差し出してきた書類には、数点の顔写真が添付されている。暗くてよく見えないので、バッグから懐中電灯を出して照らした。

「これが岩渕時生、こっちが茅場元です……姫川係長。この二人、誰かに似ているとは思いませんか」

むろん、すぐにピンときた。

「……アーバンプラザホテルの二人？」

「しかも、菊田部長は千住署強行班の統括に、昨夜の発砲事案のマル被に似た人着の男を、ここで目撃したと報告しています」

発砲事案の、マル被――。

「つまり、菊田が木野を、ここで見ているということですか」

「そのように、解釈できます」

嘘でしょう、という言葉が喉元まで出かかる。

「……それ、何時頃の話ですか」

「報告自体は、発砲事案の手配無線の直後と思われますが、菊田部長がいつ目撃したかは、正確には分からないということです」

茅場組に木野が出入りしていたとなると、ますます茅場と岩渕が、例のホテル前の二人である可能性が高くなる。しかも、茅場組は鳶職。以前、江田と一緒に中田工業という同業者を訪ねたが、そこには鉄パイプはもとより、それを切断する道具や、各種ハンマーまで揃えられていた。業種が同じなら茅場組内も似た状況であると考えられるし、さらに二軒先には石屋もある。例の「石頭ハンマー」の入手とも、何か関係があるかもしれない。

大迫がもう一部、書類を差し出してきた。

「まもなく、千住署の責任者もくると思いますが、一応、姫川係長にも前もってお見せしておきます」

どうやら、岩渕時生に関する調書のようだった。

「ありがとうございます」

それによると、岩渕の生まれは福井県坂井市。実家は花らっきょうを作る農家だが、家業は三つ年上の兄が継いでおり、岩渕は家業を手伝うことなく高校卒業後に上京した、とある。二歳下の妹が何をしているかは不明。

上京後、四、五年はパチンコ店やコンビニの店員をして生計を立てていたが、二十三歳のとき、女性関係のトラブルから百五十七万円の借金を抱え、それを支払うため、山口光弘を中心とする振り込め詐欺グループのメンバーとなった。

ただし、のちに逮捕された山口らの供述によると、岩渕は仲間というよりは単なる使いっ走りで、タダで奴隷のように使える便利な存在だったという。そもそも、巻き込まれた女性トラブル自体が山口らによる美人局《つつもたせ》絡みだったというから、陥れられるべくして陥れられた、ということなのかもしれない。

この「奴隷のように」という件は、もう少し詳しく説明されている。

「……ひどいですね、これ」

「ええ。まあ、確かに奴隷としか、いいようがないですね。じゃなかったら、家畜ですか」

殴る蹴るは当たり前。犬の糞を食べさせたり、水を張った湯船に窒息寸前まで顔を浸けたり。「爪にホッチキス」というのが具体的にどういう行為なのかは分からないが、おそらく、相当痛い何かなのだろう。順番に岩渕の首を絞めて、誰が一番早く気絶させられるかというゲームも一時期流行った、という記述もある。

「しかも、そんな連中の代わりに、逮捕されたわけですか」

「ええ。挙句に逃げ出して、逃亡犯となったわけですね。現在、二十六歳ですか」

逃亡者となった岩渕はその後、どんなきっかけで茅場と出会い、木野と出会ったのだろう。

だが、分かる部分もある。

奴隷か家畜かという扱いを受け、虐待され続けた日々。調書を読む限り、その奴隷状態は二ヶ月半も続いたことになっている。よく気が狂わなかったと思う。岩渕が女だったら、と置き換えてみれば分かりやすい。夜毎《よごと》男たちの慰み物になり、女なら普通は死を考える。だが幸か不幸か、岩渕は男だった。性の捌《は》け口にされない代わりに、肉体そのものを弄ばれた。命を、と言い換えてもいいかもしれない。子供に羽を毟られる昆虫のように、指で潰されて体液をはみ出させる幼虫のように、岩渕は執拗に、男たちに生命を弄ばれた。そんな岩渕が何を考えたかくらい、容易に想像がつく。

復讐だろう。今のところ山口光弘の生死は不明だが、岩渕は思い描いたに違いない。山口を惨たらしく殺す場面を。全身の骨を圧し折り、小さく小さく折り畳んでバッグに詰め込む場面を。さらにいえば、犯罪の傾向からして、この山口一味もまた半グレ集団であったと思われる。次々と半グレ連中を血祭りに上げる木野を見て、岩渕は何を思っただろう。憧《あこが》れはしなかっただろうか。自分も「ブルーマーダー」になりたい。そう願いはしなかっただろうか。

そんな岩渕に対し、木野も考えたのではないか。

こいつを仕込んで、第二の「ブルーマーダー」に育て上げてやろうと――。

大迫が、また別の資料を見せる。

「茅場は茅場で、覚せい剤の前があります。現在五十六歳。まもなく、本部の特殊班も到着すると思い……」

だが、大迫が言い終わらないうちに、

「……うるせェエーッ」

茅場組内で怒声が響き、パンッ、という甲高い破裂音と同時に、「有限会社」と入れられていた引き戸のガラスが砕け散った。

「あぶないッ」

周囲の警察官が首をすくめる。だが全員、一応は車や電柱、建物の陰に入っており、そうでない者は大盾を持っているので、被害はなかったようだ。

「怪我人はいないかッ」

「着弾個所を調べろッ」

ここです、と手を挙げたのは、「出てきてください」「話を聞かせてください」とPCのスピーカーで呼びかけていた制服警官だ。

茅場組内部からは依然、怒鳴り声が聞こえてくる。

見ると、中から誰かが割れたガラスの手前まで近づいてきていた。

「オイ、警察ッ、そっからどけッ、道を空けろッ」

顔は見えないが若い声だった。少なくとも五十代ではない。ということは、岩渕である可能性が高い。

「どけっつってんだよッ。どかねえと、ここにいる刑事、一人ずつブッ殺してくぞッ」

分かってはいた。いずれはそういう話にしかなり得ないだろうと、思ってはいた。だが実際に言葉にされ、大声でいわれると、やはり恐怖を覚える。

いう通りにしないと、菊田を殺す。

岩渕は今、はっきりとそういったのだ。

「……大迫統括。特殊班の到着まで、あとどれくらいですか」

大迫が腕時計を見る。

「道路状況にもよりますが、出発から二十分とすると、あとまだ、十分くらいはかかるかもしれませんね」

その間にも、

「どけっつってんのが聞こえねえか馬鹿がァァーッ」

男はさらにガラスを欠き、そこから拳銃を出して周囲を威嚇する。小型の回転式——おそらく間違いない。警察の貸与拳銃だ。

「オラッ、聞いてんのかテメェらッ、どかねえと一人ずつブッ殺すっつってんだぞコラァァァーッ」

だとすれば、弾はまだ八発も残っている。

駄目だ。あと十分なんて、とてもではないが待てない。

まず話をしよう。とりあえず武器を置いて、顔を見せてくれ。

PCのスピーカーを用いての呼びかけは続けているが、その程度で事態が好転するとは到底思えない。やはり、こういう事案には専門の部署が当たるべきだが、大迫が確認したところ、やはり特殊班の到着にはまだ十分以上かかるということだった。千住署の幹部もこちらに移動中だが、その方がもっと時間はかかるらしい。

一方、現場内の岩渕は、何がどう影響したのかは分からないが、次第に言動をエスカレートさせていた。

「オメェらッ、舐めてんじゃねえぞ……オイ、よく見とけッ」

岩渕が奥に引っ込むと、

「よ、よせトキオッ」

年配男性の声が聞こえ、

「死ねやァーッ」

岩渕の怒声と同時に、また銃声が響いた。

しかし今度は、

5

「ンアッ……アァァーッ」

直後に男の悲鳴が続く。

どっちが撃たれた。菊田か、ナガセか——。

署から駆けつけてきた東尾も、舌打ちしながら現場を睨む。

「マズいな……相当興奮してる」

そんなことはみんな分かってる。

「課長、なんとか説得して、岩渕を落ち着かせないと。まだ銃弾は七発残っています」

「ああ、そうだな……拡声器、持ってこい」

ちょうど用意してあったのだろう。近くにいた江田が「池袋」とマジックで書かれた白い拡声器を持ってきた。東尾が目配せをすると、それまで呼びかけを続けていた制服警官は、マイクを車内に戻して一歩下がった。

東尾が、捜査用ＰＣの陰から一歩出る。茅場組入り口に向かって、拡声器を構える。

《……中にいる人、聞こえますか。まず、落ち着きましょう。茅場さん、茅場元さん、いらっしゃいますよね。聞こえますね。私は、池袋署刑事課の、東尾といいます。一緒にいる、若い方。お名前を、確認させてもらっていいですか。茅場さん、ちょっと、顔を出せませんか。一緒にいる、若い方のですね……》

しかし、

「うるせえっつってんだッ」

ガラスの割れたところに人影が覗き、

「課長あぶないッ」

いきなり黒い腕が現われ、引き鉄を引いた。東尾も落ち着いて伏せはしたが、そのまま突っ立っていたら当たっていたかもしれない。

東尾は舌打ちし、「滅茶苦茶だな」と呟いた。しかし、説得を諦めたわけではなさそうだった。また立ち上がり、拡声器を構える。

《……分かった。じゃあ、あなたに、直接話をしよう。こちらでは、あなたのこと、岩渕時生さんではないかと、思って……》

また人影がガラスに透けて映り、ぬっと腕が出てくる。東尾も瞬時に身を屈めたが、今回は発砲せず、そのまま腕は引っ込んだ。

微かに笑い声が聞こえ、岩渕は奥に戻っていく。

「野郎、からかってやがるな……」

東尾はそういったが、玲子は別のことを危惧《きぐ》していた。

岩渕は今、撃たなかった。ひょっとして、残りの弾数が少ないことを頭に入れた上で、意外と冷静に行動しているのではないか。誘うだけ誘って、無駄撃ちさせればいずれは弾切れになる。そういう相手ではないのではないか。

そもそも、残り六発の内訳は一発と五発だ。一丁の拳銃が弾切れになったら、馬鹿でももう一丁は丁寧に使うだろう。そうなったら、なおさら交渉は難しくなる。敵は一発の抑止力を有効活用し、弾数を温存したままここからの脱出を試みるだろう。

となると、チャンスがあるとしたら、むしろ次の一発を撃った直後ではないだろうか。一丁が弾切れになり、もう一丁に持ち替える瞬間だ。むろんそれは、岩渕が二丁とも持っているという前提での話だが。また、岩渕が一丁の装弾数を頭に入れておらず、弾切れになったときに少なからず動揺する、という仮定の話だが。

でも、賭けてみる価値はある。

玲子は捜査用PCの陰にしゃがんだまま、江田の方ににじり寄っていった。

「……江田さん、いま持ってる拳銃、なに」

「えっ、私は、ニューナンブですが」

玲子の持っているのはスミス&ウェッソンのエアーウェイト。フレームがアルミでできている、比較的新しいモデルだ。

「……悪い。江田さんのニューナンブ、あたしに貸して」

「えっ、なんでですか」

「いいから。それと、黒いガムテープ探してきて。なかったら透明のテープでもいい」

「しかし」

「いいからいうこと聞いて。ニューナンブ貸して」

似たような姿勢で、東尾がこっちにくる。

「姫川、キサマ、何をするつもりだ」

「何って……説得に決まってるでしょう」

いいながらコートを脱ぐ。寒い。

「馬鹿をいうな。まもなく特殊班も到着する。交渉は専門家に任せろ」

意識して、玲子は東尾を睨んだ。

「あたしだって指定捜査員講習くらい受けてます。それに、特殊班を待ってたらチャンスを見す見す棒に振ることになります」

「なんだ、チャンスって」

「次の一発です。次の一発で、とりあえず一丁は弾切れになります。その瞬間に岩渕を押さえるためには、現場内に入り、接近しておく必要があります。ですから、あたしがいきます」

上着を脱ごうとすると、東尾に二の腕を摑まれた。

「馬鹿をいうなといってるんだ。だからって、なぜお前がいくことになる。独断専行もいい加減にしろ」

なぜ——。理由なんて、たった一つしかあり得ない。

「……菊田和男は、私の部下です。私は『ストロベリーナイト』で、部下の巡査を一人、亡くしています。もう、あんな思いは絶対にしたくない」

左目を包帯で覆われた、棺の中の大塚。さらに、ベッドの上の下井や、大竹の顔まで脳裏に浮かぶ。

「もう、誰にも傷ついてほしくない。誰にも死んでほしくない。だから……菊田の命は、私がこの手で守ります。ナガセ巡査部長もです。私が必ず、二人を、生きたまま連れ帰ります」

東尾が、瞬きもせずにじっと玲子を見る。

「できるのか、お前に」

ここでいえる答えなんて、一つしかない。

「……できます」

しばし待ったが、結局東尾は、許可するとはいわなかった。

でも、いくなとも、もういわなかった。

玲子に何かあれば、むろん東尾もただでは済むまい。だがそこは、肚を括ってほしい。姫川玲子という警察官を部下に持ってしまった不運と、諦めてほしい。

江田が戻ってきた。

「……すみません。黒はありませんでしたが、透明のなら」

「ありがとう。じゃあ、江田さんの貸して」

上着を脱ぎ、ワイシャツに拳銃サックだけの姿になる。

まず自分のエアーウェイトを抜き、江田から渡されたニューナンブと、右左に持って重さを比べる。双方、五発装弾の回転式拳銃。グリップの形状がちょっと違うくらいで、機能的な差はこれといってない。

「当たり前だけど、やっぱエアーウェイトの方が軽いのね」

ニューナンブはサックに収め、エアーウェイトは江田に渡す。

「江田さん。それ、ここに貼り付けて」

玲子は後ろ髪を掻き上げ、江田にうなじを向けた。

「手をやったときに、すぐ握れる角度で。半分くらいは襟に隠して。グリップの辺りは、髪で見えなくなるでしょう？　どう？」

「はあ……」

江田が指示通りに、エアーウェイトをうなじにあてがってくる。むろん、金属だから非常に冷たい。外気で冷えた上に、玲子は今シャツ一枚の姿だ。油断すると顎が鳴り出しそうだ。

「こんな感じ、でしょうか」

試しに手をやってみると、バッチリだった。ピタッと一発で手がグリップを捉える。

「うん、いい。じゃあこの角度で貼り付けて。自然とは落ちないけど、引っ張ったら剝がれるくらいの感じで」

「それは……難しいですね」

それでも江田は注文通りにやってくれた。

「剝がすときは、ベリッと思いきりやってください」

「うん、分かった。ありがと」

髪の、下の方を一ヶ所だけ括り、それでいこうとしたが、ふいに、江田に手首を摑まれた。

「……姫川係長。どうしても、いかれるのですか。あと少し、特殊班を待つわけにはいきませんか」

なんだろう。泣きそうな顔になっている。こんな江田を見るのは初めてだ。

「うん。あれは、菊田和男は、あたしの部下だから。もう所属は違うけど、でも……今もあたしの、大切な部下なの」

すみません、と江田がうな垂れる。

「……本当は、自分がいくと、いいたいです。でも、すみません、いえないです。娘、まだ小さいんです。その顔が、ちらつくんです。ごめんなさい……自分は」

玲子は、黒いコートの肩を、できるだけ強く摑んだ。

「いいの。あたしみたいな警官は、できるときにこういうスタンドプレーで稼いでおかないと、なかなか失点が取り戻せないから。そうでもしないと、本部に返り咲けないから。だからやるの……心配しないで。あたし、こういうのには慣れてるから」

嘘だ。膝が震え出す前に、本当は逃げてしまいたい。安全なところに隠れて、決着がついたら呼んでくださいと無関心を決め込みたい。でも、そんなことはできるはずがない。あの立て籠もり現場にいるのは、菊田なのだ。いま自分の目の前で、菊田和男が殺されようとしているのだ。

佐田倫子《さたみちこ》が亡くなったときに、自分は誓った。もう逃げたりしない。自分は、ちゃんと戦って、ちゃんと勝つ人間になるのだと。

大塚を失ったときもそうだ。命の重さから目を背けない警察官であり続けよう。そう心に決めた。

でも今、最も重なるのは牧田の一件かもしれない。愛する人を目の前で失う恐怖。黒い縦穴を果てなく落ちていくような絶望。あれをもう一度味わうなんて、とても耐えられそうにない。

しかも、相手はあの木野一政の仲間である可能性が高い。いわば、増殖した「ブルーマーダー」だ。警察官の一人や二人、なんの躊躇もなく撃ち殺すかもしれない。撲殺するかもしれない。

ならば、せめてその痛みを、恐怖を、少しでも肩代わりしたい。ただ指を咥《くわ》えて、菊田が殺されるのを見ているだけなんて、自分にはできない。

「じゃ、いきます。何かあったら、江田さん、援護よろしく」

「……はい」

玲子は立ち上がり、捜査用PCの陰から出た。

ひと呼吸置いてから、第一声を発する。

「……岩渕さん。岩渕、時生さん」

ここは、この辺りではちょっと幅が広めの道路だ。中央分離帯なしの、片側一車線、対向二車線。PCの前に出ても、まだ現場入り口までは三メートルほどある。この位置だと、ガラスの割れた部分から多少は中が覗けるが、微かに明かりがあるのが分かるくらいで、状況といえるほどのことは読みとれない。

「岩渕さん、ちょっとこっち、見てください」

玲子はその場で両手を挙げ、万歳をしてみせた。

「見ててください……いいですか、今から私、拳銃をここに置いて、そちらにいきますから。いいですか、ちゃんと見ててくださいね」

するとようやく、ガラスの割れたところに小さく顔が覗いた。岩渕らしき男性だ。かなり奥の方にいるが、こっちを見ていることは確認できた。

「いいですか……ほら、これですよ」

拳銃サックのストラップを肩からずらす。右、左と腕を抜いて、手に持って、拳銃ごと高く上げて見せる。

「分かりますか、ここ……拳銃、入ってますよね。これ、ここに置きますから……分かるでしょう。もう私、何も持ってないですから。丸腰ですから」

ゆっくりとその場で回ってみせる。突風でも吹いて髪を巻き上げられない限り、奥襟に隠したエアーウェイトは見えないはずだ。

なんとか無事、一回転し終えた。

「……ね、何もないでしょう。納得、してくれましたよね。今から、そっちいきますから。ちょっと、お話ししましょう」

一メートルほど近づくと、見える角度が変わったからか、それとも向こうが姿勢を変えたのか、岩渕が、こちらに拳銃を向けているのが分かった。奥にある明かりが、ちょうど彼を照らしてもいる。

もう一メートル近づくと、軽自動車に手が届くところまできた。この距離で撃たれたら、間違いなく自分の体のどこかには当たるだろう。そう考えると、やはり膝が震えそうになる。

「お願い、撃たないでね……あたし、防弾ベストとか、そういうの着てないから、当たったらほんと、死んじゃうから。それは、勘弁してください」

引き戸に手が届くところまできた。逆に今は、角度が合わなくて中が見えない。しゃがめば見えるのだろうが、それもしづらい。

「いい……開けますよ、岩渕さん。開けますからね……」

なぜ何もいわないの。なぜくるなって怒鳴らないの。あたしが、女だから？　そう思いはしたが、もう止まるわけにもいかない。

立て付けの悪い引き戸を、両手で少しずつ、左に寄せる。レールに砂埃が溜まっているのか、ざりざりと不潔な音がする。

少しずつ、室内の様子が見えてきた。

一階部分は、道具や資材の置き場を兼ねた車庫になっていた。中田工業のそれとよく似ている。三年ちょっと前に手掛けた「多摩川変死体遺棄事件」の捜査で調べた、高岡《たかおか》工務店のガレージとも近い感じだ。

正面奥に階段があり、岩渕らしき男はその、三段目か四段目に腰掛けていた。足元には、スーツ姿の男が二人倒れている。いや、一人は上半身を起こしている。

菊田――。

間違いなかった。右目を腫《は》らし、顔全体を苦痛に歪め、口元から血を流し、殴打を受けたのか右手で左肩を押さえてはいるが、それは菊田和男に違いなかった。もう一人、傍らにうずくまっている方がナガセ巡査部長か。残念ながら表情は確認できない。生死も、この位置からでは判断できない。ひょっとして、さっき撃たれて悲鳴をあげたのは、ナガセだったのか。

三人から、少し右側に離れて立っているのが茅場元だろう。さっき見た写真よりだいぶ老けてはいるが、これも間違いなさそうだ。

現場一階にいるのは、その四人だけだ。

岩渕が口を開く。

「……何しにきたんだか知らねえが、とりあえず、そこ閉めろよ。分かってるよな。俺のいうこと聞かねえと、このデカ、ぶっ殺すっつってんだぞ」

いいながら、右手に握った銃を菊田の脳天に突きつける。もう一丁はどこにあるのだろう。

玲子は頷き、ゆっくりと戸を閉めてから、改めて両手を上に挙げた。

「分かってる。ちゃんと聞いてたから、知ってる。あなたが本気だってことも、分かってる」

初めて、正面から岩渕と視線を合わせる。

そうか、これが実際の、岩渕時生か──。

手配写真より、だいぶ首回りが太くなっている。体もかなり鍛えていそうだ。しかし、木野とは何かが決定的に違う。なんだろう。何が違うのだろう。

「……でもね、岩渕さん。だからといって、はい、お好きにどうぞ、ってわけにはいかないの。あたしは警察官だから、暴力じゃなくてね……」

この男は、本当に今すぐ、引き鉄を引くだろうか。

岩渕時生という男は、一瞬の躊躇もなく、それができる人間なのだろうか。

「ちゃんと話し合って、あなたに銃を手放してもらって、人質を解放してもらって、一緒に警察に、出頭してもらいたいの」

いや、できまい。

「フザケんなッ」

よし、今だ——。

岩渕が、菊田に向けていた銃口を玲子に向け直そうとする、その瞬間が勝負だった。奴は、最初は脅しで向けるだけ——その一点に、玲子は賭けた。

浮かせていた右手を、さっと髪の中にくぐらせる。さっき仕掛けた奥襟のエアーウェイト、そのグリップをがっちりと握り、一気にテープを引き剝がして前に構える。狙いは、むろん岩渕だ。

一瞬、岩渕が呆気に取られるのが分かった。

茅場は、ワンテンポ遅れて腰を落としたが、でもそれだけだった。何か行動を起こすわけでも、拳銃を構えるわけでもない。茅場がもう一丁を持っている可能性は、消えたと思っていいか。

「……き、汚えぞ。暴力じゃなくて、話し合いじゃねえのかよ」

汚い？　それをいうこと自体、甘くはないか、岩渕。

「馬鹿ね。警察っていうのは、良くも悪くも、国家が有する暴力装置なのよ。必要とあらば引き鉄だって引くし、牙《きば》だって剝くわ。……でも、岩渕さん。今あなたがその銃を置いてくれたら、あたしもこの引き鉄は引かなくて済む。できればそうしたいの。分かるよね」

いいながら、エアーウェイトに残っているテープを剝がし、その場に捨てる。こんなものがはさまって、誤動作でも起こったら死んでも死にきれない。

一方、岩渕も意外なほど落ち着いていた。いったんは玲子に向けた銃を、再び菊田に向け直す。今度は、最も即死する可能性が高い脳幹近くに押し当てる。

「……無理だね。あんたに俺は撃てない。警察官が、一発で人が死ぬようなところに弾を撃ち込めるはずがない。でも、俺は違うぜ。俺は人を殺すことくらい、なんとも思っちゃいねえんだ。あんただって、噂くらい聞いたことがあるだろう……『ブルーマーダー』。あれは、俺のことなんだよ」

正直、背筋が寒くなった。岩渕という男の発想が、完全に自分の想定内であることに驚愕した。それでいて、ある種の共感と興奮も覚えた。

勝機は今、こっちにある――そう、自分に言い聞かせる。

「岩渕さん。残念だけど、あたしは普通の警察官ではないし、普通の女でもないの……」

間を置くと、かえって次が言い出しづらくなる。声も震えそうになる。早く、続きをいわなくちゃ――。

「……こんなこと、誰にもいうつもりなかったけど、一生、好きな人に知られたりしないように、隠して生きていくつもりだったけど、でも……その人が殺されるかもしれないんだったら、もういいわ。隠してたってしょうがない。正直に話す」

菊田の、塞がっていない左目に、疑問の色がよぎる。

そう。これは、あなたにいっているのよ。

だから、菊田――よく、聞いておいて。

「もう、十五年も前のことだけど……あたしは、十七歳の夏に、家の近くの、夜の公園で、見知らぬ男に……レイプされたの」

割れたガラスを震わせて、乾いた風が吹き込んでくる。

あの夜とは似ても似つかない、冷たく尖った風だ。

「犯人は、逮捕された。強姦だけじゃなくて、一人殺してもいるから、そいつは今、まだ塀の中にいる……でも、それだけじゃなんの解決にもならない。傷ついたこの体は、二度ともとには戻らないし、途中で抵抗をやめて、その男を受け入れた自分は、一生赦すことができない。男の人を愛する資格なんてあたしにはないし、愛される自信もない。今だって……そんな自信、どこにもない」

ごめん、菊田。今まで、どうしても、いえなかった――。

声が震え、照準がずれそうになる。でもそれを、必死で押さえ込む。

「……鏡を見るたび、今でも思う。この呪いを解く方法があるとしたら、あの男を、この手で殺すしかない。あいつさえ殺せば、あの夏の夜、暴力に屈して、黙って体を開くしかなかった悔しさも、自分が壊れていく悲しみも、穢《けが》れた体を誰にも見られたくない、知られたくないと隠し続けてきた惨めさも、全部綺麗さっぱり、消えるかもしれない……」

意識して、強く岩渕の目を見る。

分かるよね。あたしのいってる意味、あなたなら、分かるはず。

「だから、何度も殺した。何万回も、何百万回も、頭の中であいつを殺してきた。刺し殺して、撃ち殺して、絞め殺して、殴り殺した。……テレビで殺人事件のニュースを観るたび、実際はどうやって殺したんだろうって、考えてる自分がいた。それはいつのまにか、自分だったらこうするって、あたしだったらこうやってあいつを殺してみせるって、おぞましい考えにすり替わってた。……そうよ。あたしはそんなことばっかり、狂ったように考えて生きてきたのよ、あの事件後の人生を」

視界のぼやけをなんとかしたいけれど、手は動かせない。でも何度か瞬きをすると、少しだけ焦点を取り戻すことはできた。

岩渕が、歯を喰い縛っているのは見えた。でも、菊田の顔は見られない。

「……でもね、そんなあたしでも、生きていける場所はあったの。警察が、あたしの過去を知らないはずがない。それでも、黙ってあたしを採用してくれたの、警視庁は。あたしに、生きる場所を与えてくれた。……それで少し、赦されたって、感じられた。あたし、生きていいんだって、思えた。まだ死ななくてもいいよって、自分にいえた。そのうち、仲間もできた。こんなあたしを支えてくれる、仲間ができたの……今、あなたが銃を向けてるのも、その一人よ」

岩渕の目線が、一瞬だけ手元に向く。

そう、その人。菊田和男。

ずっとずっと、好きだった人。でも、裏切ってしまった人——。

「あたしは、そんな人間だから……いま目の前で大切な仲間が殺されたら、何をしでかすか、自分でも分からない。普通の警察官はしないかもしれないけど、あたしは、あなたを撃ち殺してしまうかもしれない。自分で自分が抑えきれなくなって、ただ怒りに狂って、弾を撃ち尽くすまで、あなたに向けて引き鉄を引き続けるかもしれない」

菊田の遺体、それに重なる岩渕の遺体。二つを見下ろす、魂の抜けた自分——。

「でもね、それも結局は、なんの解決にもならないんだよ。そんなの、ただの殺し合いでしょ。あなたがあたしの大切な人を殺し、あたしがあなたを殺したら、今度は、あたしがあなたの家族に殺されるかもしれない。その次は、あたしの家族があなたの家族を殺しにいくかもしれない。そんなの、きりがないでしょう。違う？」

本当は、茅場の動きも見なければならないのだが、そこまでの余裕はない。

「こんなの、矛盾してるって思うかもしれないけど、こう考えたらどうかな。……あたしたちの中には、殺意がある。これはもう、しょうがない。憎しみも、消えない。これも、自分一人ではどうしようもない。だって、消えるはずなんてないもん。体はあの屈辱を覚えてるんだから。同じ体で生きてる以上、忘れられっこない……」

ひと呼吸置き、改めて、岩渕の目を見る。

岩渕は、玲子を見ているようでいて、実は見ていない。

今ではない過去、ここではないどこかに、思いを馳《は》せているのか。

だとしたら、それは玲子の言葉が心に響いている、確かな証《あかし》ではないのか。

「……でもさ、この憎しみや殺意は、実は、愛情の裏返しなんだって、そういうふうには、考えられないかな。自分を大切に思ってるからこそ、傷つけられると、悔しいし、悲しい。誰かを大切に思ってるからこそ、その誰かが傷つけられたら、殺したいほど憎くなる。そういうことじゃや、ないのかな。……憎しみや、殺意だけじゃなくて、あたしたちの中には、愛情もたくさんあるんだって、そういうふうには、認められないかな」

静かに息を吐き、グリップを握り直す。

玲子はもう、すでに確信していた。

今の岩渕に、引き鉄は引けない。そればかりか、岩渕は今まで、人を殺したことがないのかもしれない。木野との決定的な違いは、そこではないのか。

大丈夫。今ならまだ、あなたは間に合う。あなたまで、「ブルーマーダー」になることはない——。

「岩渕さん、お願い。その銃を、そこに置いて。今あなたが銃を置いてくれたら、あたしは、あなたを赦すことができる。あたしの仲間を殺さずにいてくれて、ありがとうって、いえる。もちろん、無罪放免ってわけにはいかないと思う。でも、償うべきを償えば、あなたなら、必ず出てこられる。つらいかもしれない。なかなか、生きるべき場所が見つからないかもしれない。……でも、だったらそのときは、あたしのところにおいで。あたしが、赦すから」

本当だよ。嘘じゃないんだよ、岩渕——。

「他の誰が赦さなくても、あたしがあなたを赦すから、だから……お願い。今は、銃を置いて」

岩渕の銃が、徐々に浮き上がってくる。玲子の胸に、その狙いを定めようとする。

違うでしょう。そうじゃないでしょう。あなたにはもう、撃つ気なんてないんでしょう。いいんだよ、認めて。弱かった自分も、壊れてしまった、汚れてしまった自分も、まず、自分自身で認めるところから始めよう。あたしも、そうするから。もう隠したり、自分を偽ったり、そういうの、やめにするから——。

岩渕が、低く唸り、銃を構え直す。

そのとき、

「ンノァァァーッ」

動いたのは、菊田だった。下から岩渕の腕に絡みついて、膝をついた、ちょっと変な体勢だったけど、右腕一本で、背負い投げみたいにして——一瞬、岩渕に踏ん張られたけど、でも、投げた。倒して、上に乗っかった。見ると、岩渕の脚にはナガセがしがみついていた。今まで、彼は死んだ振りをしていたのか。チャンスを窺っていたのか。

二人がかりで岩渕を組み伏せ、

「アァアーッ」

叫びながら、菊田が岩渕の手から拳銃を奪い取る。どこに入っていたのか、ナガセがもう一丁の拳銃も取り上げる。

ふと、ガチガチに固まっている自分に気づく——。

馬鹿ッ、どうして動けないの。二人は怪我をしてるのに、自分は無傷なのに、何をしているの。

悪鬼の形相《ぎょうそう》をした菊田が、玲子を見上げる。

「主任、茅場ッ」

そ、そうだ——。

慌てて右手に銃を振り向けると、茅場は両手を上に挙げ、泣きそうな顔をして玲子を見ていた。何やら、ゆるゆるとかぶりを振っている。

「け、刑事さん……そいつは、時生は、違うんだ。『ブルーマーダー』じゃ、ねえんだ……ま、マサの手伝いは、いろいろしたけど、でも誓って、人は一人も、殺してねえ。それは、私が、一番よく知ってる。本当なんだ。信じてくれ……」

バンザイのまま、ガニ股の両脚を震わせて、なお玲子に頭を下げようとする。

その様を、うつ伏せにされた岩渕は、放心したように見上げていた。後ろに回った手には、いつのまにか手錠がはめられている。菊田とナガセが協力して、なんとかはめたようだった。

玲子は、岩渕にいった。

「……ほら、いるじゃない。あなたにだって、あなたを思ってくれる仲間が、ちゃんと」

その言葉が、岩渕に届いたかどうかは分からない。

でも、茅場は頷いていた。

そして、玲子が茅場に手錠を掛ける。なんだか、ホームレスみたいに饐えた臭いのするオジサンだけど、悪い人ではないのかなと、ちょっと思った。

また、菊田が苦しげにいう。

「主任……確保……」

「ああ、そうだった」

慌てて玲子は引き戸を全開にし、

「確保ォーッ、全員確保ォーッ」

大声で告げた。

即座に、現場を包囲していた警察官が雪崩込んでくる。あっというまに拘束された岩渕と茅場が、現場から連れ出されていく。

出入り口に立っていた玲子は、すれ違いざま、岩渕に声をかけた。

「……ありがとう。撃たないでくれて」

それに対する岩渕の反応は、残念ながらなかった。そのまま、彼はいってしまった。

救急隊も到着しており、続けて四、五人の隊員が入れ替わるように入ってきた。

隊員たちが、菊田とナガセに様子を訊く。

二人が、小さく頷いてそれに応える。

とりあえずは、よかった――。

やるだけはやった。

二人とも無事、ではなさそうだけど、でも、生きてる。

菊田。あなたが、生きていてくれた。

そのことだけで、今、あたしは――。

終章

下井は一日中、病室の天井を睨んで過ごしていた。

木野が逮捕されたことは、聴取に訪れた捜査員から聞いていた。姫川玲子ではない、組対四課の主任警部補からだ。

木野が青い仮面をかぶり犯行に及んでいたこと。それが「ブルーマーダー」という殺人鬼の都市伝説にまでなっていたこと。凶器は、単に柄を短く切ったハンマーだったこと。最後は豊島公会堂前の公園で、三十人からの警官に囲まれ、跪いたまま確保されたこと――。

「……木野の、怪我は」

「右肩に一発喰らってますが、大したことはありません」

「供述には、応じてるか」

「それは、担当ではないので分かりません」

組対四課というだけで気に喰わなかったが、そいつの態度も大いに癇《かん》に障った。どこにでもいそうな、小役人風の私服警官だ。こんな男にヤクザ者の相手が務まるものかと、うんざりした気分になる。

聴取自体は、夕方で終わった。

「では、また伺います」

お前はもうくるな、と思ったが、じゃあ誰にきてほしいというのもなかったので、黙って帰した。

本富士署の平間が病室を訪れたのは、夕飯のあとすぐだった。

「よう。……ずいぶん、派手にやられたな」

花の類は持っていない。歪《いびつ》に膨らんだ紙袋を一つ抱えている。それをサイドワゴンの上に、無造作に置く。口が開き、中身が見えた。バナナだった。真っ黄色な、若いバナナだ。

下井は、わざと頬を歪めてみせた。

「……七年分の挨拶と考えたら、これじゃ、物足りないくらいですよ」

平間は、それに対してはなんの返答もせず、近くにあった丸椅子を引き寄せた。くたびれたベージュのコートを脱ぎもせず、ただダラリと、そこに座る。俯き加減なので、顔はよく見えない。だからといって、下井は自分で体を起こせる状態ではない。

しばらく平間は、口の中でねちゃねちゃと舌を弄んでいたが、ようやく決心がついたのか、小さな声で訊いてきた。

「木野は……何か、いってたか」

こんな体でさえなければ、すぐにでもぶん殴ってやりたいひと言だった。

「何か、俺に知られちゃ、困るようなことが、あるんですか」

「おかしな言い方するなよ。そんなんじゃないさ」

「そらぁ、いろいろ聞きましたよ。木野だけじゃない……殺される直前の、諸田からもね。面白い話が、ボロボロ出てきました」

平間が少し顔を上げる。ようやく、右目だけが見えた。

「なんだよ……なに、聞いたんだよ」

「そんなに、気になりますか」

「ま、俺だって、当時の真相は、知っておきてえからな」

叱られた子供のようだ。平間はいってすぐ、また下井から目を逸らす。下井の角度からだと、布団の陰に隠れているようにも見える。そこから、ちらちらとこっちを覗き見ている。

こんな野郎が、上司だったなんて——。

「……平間さん。俺もね、今回のこれで、当時のことを、いろいろ思い出しましたよ。木野が、Sになることを、引き受けてくれたとき、俺になんていったか。奴が、一番嫌っていたことが、なんだったか。奴が消えた当時、あの界隈で、何が起こっていたか。……そういや、諸田も死ぬ前に、それっぽいこと、いってました。ちょっと考えてみりゃ、大したカラクリじゃない。誰が裏切ったかなんて、すぐ分かることだった」

だがそこで、

「俺じゃねえッ」

平間は声を荒らげた。

ようやく、布団の陰から出てくる気になったようだ。こっちを覗き込み、視線を合わせてくる。

「下井、信じてくれ。木野を売ったのは俺じゃない。それだけは、俺じゃないんだ」

「嘘つくなよ。あんた以外に、誰がいるってんだ」

また平間は、布団の陰に隠れようとする。

下井は続けた。

「平間さん。あんたもう、充分に卑怯者だよ。木野がパクられて、身動きできなくなったから、だからようやく、話す気になったんだろう。そのために今日、ここにきたんだろう。だったらもう、みっともねえ言い訳、するなよ。俺が、木野を売ったんだって、そうひと言、正直にうたえよ」

「違う、違うんだ、下井……それだけは、違うんだって」

どこを摑んでいるのか分からないが、布団が、妙に左側に引っ張られる。

「何がだよ。何も、違わねえだろうが」

「違うんだって……確かに、俺はお前から受けた報告内容を、他の部署に流したさ。それは、悪かったと思ってる。お前に黙ってたことも、よくなかったと思ってるよ……暴力団対策課、国際捜査課、生安の銃器対策、薬物対策……使える情報は、どんどん流した」

寒気がした。怒りで、全身がぶるぶる震える。

「……なんで、そんなことを」

ハァ？　と平間は、場違いなほど高い声で訊き返した。

「そんなの、決まってるだろう。組の、生の内部情報だぞ。それを警察が取ったんだぞ。有効活用するのは当然だろう。実際、俺が流した情報で、どこの課もガサ打って、バンバン成績挙げてた。もちろん、大っぴらにできることじゃねえが、でもこれだって、手柄だぜ。実際、感謝されてたんだよ。廊下ですれ違うと、みんな、態度違ったもんな、あの頃は」

それを、木野は一番嫌っていた。自分も、それだけはしないと木野に約束し、情報を得ていた――駄目だ。怒りで頭に血が溜まって、血管が破裂しそうだ。

「……あんた、そんなに、ちやほやされたかったのか」

「馬鹿か。そんなはずねえだろう。よく思い出せよ。ときは組対設置前夜だぜ。捜査四課に暴対、国際捜査、銃器、薬物……これだけのセクションが寄せ集められて、再編成されるんだ。誰だって、新しくて立派な椅子に座りてえと思うだろう。そのためには手柄が必要だったんだよ。誰もが一目置くような、平間、あいつは切れ者だって、誰もが認めるような実績が、俺には必要だったんだ」

ふざけるな。

「あんたは当時……組対設置に、反対してたじゃねえか」

「そりゃ、ある段階まではそうだったけどよ。こりゃもう引っくり返せねえとなったら、テメェの乗った船が沈む前に、新しい船に乗り換えるしかねえじゃねえか。俺はお前みてえに、下手な意地張って飛ばされるわけにゃいかなかったんだよ。女房だって、まだ学校出てねえガキだっていた。お前みてえな、呑気にヤクザと肩組んで酒飲んでる奴とは事情が違うんだ」

下らない。下らないが、これが小役人の、一方にある本音なのだろう。

「そこまで……便利に使った、木野を……なぜ売った」

平間が、うな垂れながら深く息を吐く。

「だから……売ったのは俺じゃねえって、さっきからいってるだろう」

「だったら誰だ。誰が、木野を売った」

「知らねえよ。本当に、俺は知らねえんだ……ただ、可能性があるとしたら、あの人だろうな」

あの人? 当時の捜査四課二係長だった平間より、上の人間ということか。

平間が続ける。

「確かにさ、俺はお前から相談を受けて、木野をSに仕込むことに同意したよ。でもそんなの……俺一人の判断できることじゃねえだろう。当然、上にも相談はしたさ」

「管理官、か」

「ああ……安東さんにだけは、話を通しておいた」

現組対四課長の、安東智寛《ともひろ》警視正。彼も当時はまだ警視だった。

「最初に話したときは、多少難色を示したが、俺が説得したんだよ。この線は使えるから、下井と木野は太く繋がってるから、絶対に安全だからって……まあ、黙認ってことになるかな。積極的な後押しはなかったが、やめろともいわれなかった。本当だぜ。俺の説得で、管理官は一応、納得してたんだ」

あの、モアイ像のように長い顔が脳裏に浮かぶ。

「それにしちゃ、平間さん……あんた、組対じゃあんまり、いい椅子に、座れなかったじゃねえか」

また顔は見えなくなっていたが、頭の動きで、頷いたのは分かった。

「ああ……努力の甲斐もなく、な。組対じゃ四課には入れず、三課の情報管理に半年。その後は、所轄をドサ回りだ」

おかしい。あの頃は安東だって、組対設置に反対の立場をとっていたはずだ。同じように反対していた平間は閑職に追いやられ、しかし安東は今や、組対四課長の大任に就いている。

この違いはなんだ。

「平間さん。一つ、頼みを、聞いてくれるかい」

返事まで、たっぷり十秒は間があった。

「……なんだよ。この上俺に、何をしろってんだよ」

安心しろ。もうあんたに、そう大したことは期待しない。

「俺を、池袋署に、連れてってくれ……ご覧の通り、一人じゃ、糞もできねえ、体たらくだ。そこに、車椅子が、あるだろう。それと、着替えも、ひと揃い、ある……申し訳ねえが、まず着替えを、手伝ってくれ……それから」

「まだあんのか」

これくらいで下らない文句をいうな。

「そこに、携帯があるだろ……それ、とってくれ」

ガタリと丸椅子が鳴る。

「ああ、これか……なんだ、お前も『らくらくホン』か」

そんなことは今どうでもいい。

「どこにかけんだ。やってやるぞ」

幸い左手は無事だ。電話くらい自分でかけられる。さっさとよこせ。

止めようとする当直医や看護師を怒鳴りつけ、不本意ながら平間の手を借りてタクシーに乗り、池袋署前に着いたら料金も払ってもらい、また降ろしてもらい、運転手の手も借りて車椅子を広げてもらい、ようやくそこに収まった。

「すんませんね……平間さん、チップ、はずんでやって」

「分かってるって……はいよ、運転手さん。ご苦労さんね」

むろん、車椅子を押すのも平間だ。段々自分の立場が分かってきたのか、もう一々文句はいわなくなった。

バリアフリーというやつか、池袋署の入り口に段差はなく、車椅子でも案外入りやすかった。ここの総合受付はどういうわけか二階にあり、一階にいるのは庁舎警備の係員だけだった。

車椅子をいったん止め、平間が挨拶をする。

「本富士署の者です。ここの特捜の、勝俣主任に会いにきたんですが……こっちは、中野署の下井警部補です」

二人揃って身分証を提示する。係員は問題なく了承し、奥のエレベーターホールに通してくれた。

「何階だって」

「四階」

しかし、妙だった。ここは池袋だ。東京でも指折りの繁華街であり、池袋署はそれを管轄する大規模署だ。夜九時を過ぎているとはいえ、これではあまりにも人が少な過ぎないか。

エレベーターの中も当然のように無人だった。降りた四階の廊下、さらにデカ部屋に入っても、署員の姿は一人も見かけない。ひょっとして、また何か事件でも起こったのだろうか。庁舎警備だけを残して、全員を向かわせなければいけないような大事件が——。

「平間さん。そこ……調室の前まで、やってくれ」

「ああ」

デカ部屋の隅、白い扉の閉まった第一調室の前まで、平間に押してもらう。妙にタバコ臭いのが気になったが、あえて話題にはしなかった。

入り口に、人影が見えたからだ。

「……私を呼び出したのは、あなたということか。下井正文警部補」

少し身を屈めるようにして、デカ部屋に入ってくる。

組織犯罪対策部組織犯罪対策第四課長、安東智寛警視正。加齢で頬の肉が弛んだからか、七年前よりさらに顎が伸び、垂れ下がったように見える。

「お久しぶりです。ご多忙のところ、お呼び立てして申し訳ない」

「手短に願いたい。今この管内で立て籠もり事案が発生している。話の内容によっては、すぐに戻らせてもらう」

「あんたが正直にうたえば、大して時間はかからねえよ」

あえて挑発気味にいってはみたが、安東は眉一つ動かさない。

下井が続ける。

「……じゃあ、単刀直入に訊く。七年前、木野一政の情報を河村丈治に売ったのは、あんたか」

安東は頷きも、かぶりを振りもしない。

「売るというのが、金品を以ての取引だとするならば、それはない。断じてない」

「じゃあ、見返りはなんだったんだ」

「見返りも、ない」

「なんの見返りもなく、木野の情報を河村に流したってのか」

「その通りだ」

危うく聞き逃しそうになるくらい、あっさりとした肯定だった。

「……木野の情報を流したことは、認めるんだな」

「気が済んだのなら、もう戻らせてもらう」

いいながら、ドアロに向き直ろうとする。

「待てよ。まだ話は終わっちゃいねえ」

「手短にといったはずだ」

「だったら、訊かれなくても、理由くらい……説明しろ」

小まめに息をしないと、ちゃんと喋れないのがもどかしい。だが大きく吸うと鎖骨に響く。

安東が、ゆっくりとこっちに正面を向ける。

「……状況が変わり、潜入捜査が継続不能になった。だから関係を強制的に解消した。これで理解できるか」

「状況？　なんのことをいっている」

「組対設置のための組織再編。それにともなう捜査方針の見直し。都の条例公布によりかねてから進められてきた警視庁の情報公開。これらの状況を総合的に勘案し、私が判断した」

まったく意図が見えない。

「だったら、潜入捜査を打ち切れと、下命すれば済んだ話だろう」

「旧捜査四課に並々ならぬ思い入れを持つあなた方が、私の命令に従うという保証はない。関係を解消したとの報告を受けたところで、それを信ずるに足る情報もない。あったのは癒着に対する嫌疑と、古めかしい矜持《きょうじ》に対する嫌悪か」

体の自由が利かないことを、これほど悔しく思った瞬間はない。

「……あんただって、組対の設置には反対してただろう」

「その考えは今も変わらない。組織犯罪捜査を刑事捜査から切り離すことがすべての点において有効だとはいえない。だが、新設部署への異動を受け入れなければ、その軌道修正に加わることもできない。旧捜査四課の悪しき慣習を断つこともできない。だから私は異動を受け入れ、本部に残ることを選んだ。そこに、なんら恥ずるものはない」

ひと呼吸置き、安東が続ける。

「……下井警部補。犯罪は時代を映す鏡という。警察はそれを、常に後追いすることを求められる。先回りすることはできない。犯罪は日々進化し、警察組織もそれに合わせて変化する必要がある。時代が犯罪を生み、犯罪が警察を変え、また時代は移ろう。その移ろいの中で切り捨てられたのがあなたであり、木野一政だったということだ」

どいつもこいつも――。

「誤魔化すんじゃねえよ。時代が切り捨てたんじゃねえ。あんたが木野を、切って捨てたんだ。そして、地獄から這い上がってきた木野は、青い仮面をかぶった殺人鬼になった。あんたらが何年かかっても止められなかった、犯罪組織の、暗躍と、増殖を、奴は、一人で止めようとしたんだ。あいつは……たった一本のハンマーで、俺や、あんたや、自分を裏切った警察や、裏社会に闘いを挑んできた。そして……勝った。勝ったのは木野なんだよ、安東さん」

微かに、安東が唇を歪める。笑ったようにも見えるが、真意は読めない。

「警察官であるあなたが、それを賛美しようというのか」

馬鹿が。まだ分からないのか。

「賛美なんざしねえよ。ただ、羨ましいだけだ。腑抜けで腰抜けの、今のマル暴に、俺は何一つ、できなかったんだからな」

そこで、ガチャリとドアノブが鳴り、調室の扉が開いた。

「……もういいだろうよ、下井のとっつぁん。答えはとっくに出てるぜ」

中にいるのは勝俣だ。足で扉を押さえながら、片手で銜え夕バコに火を点ける。

机をはさんで、向かいにいるのは木野だ。三角巾で右腕を吊っているのは見えるが、手錠の有無は分からない。足は机か椅子に括りつけられているのだろう。やけに正しい姿勢で固まっている。さらに、口にはガムテープが貼られている。

「ああ……これはもういいや」

立ち上がった勝俣が、無造作にそれを剝がす。一気にやったので、木野の顔が一往復大きく振れる。だが、痛そうな顔はしない。ただじっと、こっちを睨んでいる。下井ではない。安東を、睨みつけている。

その安東が、勝俣に目を向ける。

「これは、なんの真似か」

勝俣は、不味そうにひと口煙を吐いてから答えた。

「……知らねえよ。俺は下井のとっつぁんから、木野に面白《おもしれ》え話を聞かせてやりてえから、場所を用意してくれっていわれただけだ。……ま、面白え話は俺も嫌いじゃねえんでな、乗ってやったまでよ。あとで、なんかに使えるかもしれねえしな」

いいながら、胸ポケットに手を入れる。取り出したのはＩＣレコーダーだ。録音していいとは、少なくとも下井はいっていないが。

長い沈黙が、訪れた。

五人いて、視線を交わしているのは木野と安東だけだった。

火花の散るようなそれではない。むしろ、目の前に尖った木の枝を突きつけられ、どこまで目を開けていられるか。そんな、我慢比べのような視殺戦だ。

先に口を開いたのは、木野だった。

「……あんただけは、化けてでも殺す」

瞬きもせず、安東が答える。

「望むところだ」

それだけいって、安東は去っていった。

拘束を解き、木野を椅子から立たせると、そのまま腰紐《こしひも》を持つだけで連れ歩ける状態になった。

調室を出たところで、木野は下井に頭を下げた。

「いろいろ……お世話になりました。これで、心置きなく、死ねます」

下井は、何も答えられなかった。ただ、頷くのが精一杯だった。

勝俣と、留置係員に連れ出される木野を、黙って見送る——。

そのまま帰ってもよかったのだが、なんとなくデカ部屋にいると、十分ほどで勝俣が戻ってきた。欠伸をしながら、凝りをほぐすように首を回している。

「……あんまり、面白え話でもなかったな」

こいつのいうことは、半分に聞いておくくらいでちょうどいい。それよりも。

「勝俣。こっちが頼み事しといて、いうのもなんだが、今、この管内で、立て籠もりが起こってるそうじゃねえか。お前、いかなくてよかったのか」

小蠅《こばえ》でも払うような仕草で、勝俣は手を振った。

「いいんだよ、俺は。ああいうの、あんまり興味ねえんだ。赤灯が回ってっと、目がチカチカするだろ。俺、嫌いなんだよ、あれ」

まあ、こいつは、そういう奴だ。

＊

同一事件に関わったと思われる者は同一の施設に留置しない、という原則がある。つまり岩渕時生と茅場元は、木野一政が留置されている池袋署には留置できないというわけだ。

玲子は、茅場の移送担当に手を挙げてくれた江田に頭を下げた。

「では、よろしくお願いいたします」

「了解しました。お任せください」

そのときすでに、岩渕は同じ豊島区内にある目白署に移送済み。茅場は、やはり豊島区にある巣鴨署に留置してもらうことが決まっていた。ちなみに、こういったマル被を「預けボシ」といい、逆に受け入れた側は「預かりボシ」と呼ぶ。

また、両名の確保直後に現着した捜査一課特殊班や、菊田が所属する千住署の幹部らにもある程度の説明は必要だった。

「……マル被は、かなり興奮しておりましたし、拳銃が、二丁ともマル被に渡っていることが予想されたため、その……二丁目の弾切れのタイミングを、確保の絶好の機会と捉え……」

千住署の幹部は、ただ難しい顔をしているだけだったが、さすがに、特殊班二係長の麻井《あさい》警部にはお叱りを受けた。

「姫川さんね……あなたが優秀な警察官であることは、私は、充分承知しているつもりです。でもね、立て籠もり現場に、きちんとしたバックアップ態勢もなく、しかも、防弾ベストも何も着用せず、単独で入っていくなんてのは、無茶が過ぎますよ」

拳銃は一丁隠し持っていましたが、などという余計な茶々は入れない。ただ「すみません」と頭を下げてやり過ごす。

「あなたまで殉職したらどうするんですか。あなたは、和田元一課長に、捜査一課の未来を託されたうちの一人でしょう。これはね、本部復帰への意欲の表われなんて言葉では、到底説明不能ですよ。あなたは何かと、結果オーライで通そうとするようだけど、これは、ちょっと度が過ぎています」

麻井は、いまや伝説となった「捜査一課強行犯七係和田班」の元メンバーであり、そこには今泉や勝俣、下井や、資料班の林《はやし》も在籍していたと聞いている。俗にいう「和田学校」の生徒たち。玲子にとっては、みな尊敬できる大先輩だ。約一名、反面教師にする以外何一つ学べそうにない鬼畜も交じってはいるが、今それはさて置く。

「大変、申し訳ありませんでした。以後、このようなことは……」

「そう、普通はね、そうなんですよ。普通はね、そんなに同じ一人の捜査員が、何度も何度も危険な目に遭ったり、そういうことはないはずなんです。でもどういうわけか、あなたは多過ぎる。これはね、決して偶然などではないし、ましてや周りが悪いわけでもないですよ。私はね、今まであなたとは、訓練でしかご一緒したことがなかったから、あえていいませんでしたけど、今回はいわせてもらいます。あなたは迂闊過ぎます。ご自分の持っている幸運な偶然に、頼り過ぎています」

もはや、返す言葉もない。ただただ、頭を下げ続けるのみだ。

そこに、横で聞いていた東尾が「すみません、麻井係長」と割って入った。

「今回のこれは……」

だが麻井は、それを「いいえ」と手で制した。

「分かってます。弁解でしたらけっこうです。この人が、一体どんな目で、どんな口調で自説を押し通して現場に入ったか、私にはもう、見てきたように目に浮かびます。よく知ってるんです。この人の、ここ一番というときの、押しの強さは。……大した胆力です。あとから考えると、決して辻褄は合っていないんですが、そのときは、なんとなく納得してしまうんです」

こっそり頭を上げてみると、まだ麻井は玲子を厳しい目で見下ろしていた。

「おそらく、今回のマル被もそうなんでしょう。上手く説得したのだと思います。実際、あなたが現場に入ってからは、マル被は発砲していないと聞いています。そのことは、今後の調べの結果次第では、大きく評価される点でしょう。しかしね、私はそんなことがいいたいんじゃないんですよ。あなたはね、こんなことを繰り返していたら、必ず大怪我をしますよ。下手をしたら、命を落とすことにだってなりかねない。私はね、そんなことであなたを失いたくはないんですよ。分かりますか、姫川さん」

さらに二十分ほど、麻井のお説教は続いた。

玲子はその間、ただひたすら頭を下げ続けた。

お陰で、ものすごく腰が痛くなった。

深夜二時過ぎ。一段落してデカ部屋に戻ると、まだ十人以上の刑事課係員が残っていたが、パッと見たところ勝俣の姿はない。木野の調べに使った部屋も、今は空っぽになっている。ちょうどどこかとの連絡を終え、大迫が受話器を置いたので訊いてみた。

「すみません、大迫統括。捜一の勝俣主任、見かけませんでしたか」

大迫も改めて辺りを見回す。彼も、特捜本部に係員をとられていたこの二週間、いろいろと大変だったのだろう。よく見ると目の下に隈《くま》ができている。

「ああ、あの、木野の取調官の方ですよね……いや、さっきのアレが起こるまでは、確かに調室にいらしたけど、そういえばその後は、お見かけしませんね」

「帰ってきたとき、調室にはもういませんでしたか」

「ええ。ドアは、開いてたと思います」

まったく。木野の送検用の書類を作っていたはずなのに、どこにいってしまったのだろう。仕方ない。自分からかけるのはまったく気が進まないが、足を使って捜し回るのはもっと嫌だから、かけてやろう。

携帯の電話帳、【ガンテツ】のところにカーソルを合わせ、通話ボタンを押す。だが、何度コールしても出ない。かけ直しても、出ない。留守電メッセージにも切り替わらない。

「……ったく、使えないジジイ」

思わず口に出し、だが自分でハッとし、辺りを見回した。ふいに、あの潰れたガマガエルみたいな声で「誰がジジイだって？」と訊かれるのを想像したのだが、しかし、それもなかった。

まったく、影も形もない。

一体、どこにいってしまったのだろう。

家に帰ってシャワーを浴び、一時間でもいいから仮眠をとりたいところだったけれど、結局はそれもしそびれてしまった。

明け方、五時ちょっと前になって勝俣は戻ってきた。

「……おーい、眠れぬ年増のお姫様よ。涎垂らして阿呆面晒して居眠りしてんなよ。また、十年婚期が遠退《とおの》くぞ」

そもそも、眠ってもいないのにこういうことを大声でいうところに、この男の悪意の軸足はある。

「ちょっと、どこいってたんですか。こっちはいろいろ……」

「どっかのゴリラが逃げ出したんだか捕まったんだか知らねえが、騒がしくて仕事にならねえから別んとこいってただけだよ。……ほれ、これが送致に必要な捜査書類のお手本だ。よく読んで勉強しとけ」

どこで作ってきたのかは知らないが、綺麗にプリントアウトされてクリアファイルに入れたものを机に叩きつけられる。

「……お疲れさまです。拝読しておきます」

「ああ、それからよ、木野の護送だけどな。あれ、普通に本部の、巡回護送でいいぞ」

何を今さら。

「勝俣さん、木野は何をするか分からないから、こっちで人員揃えて、留置係員に警備担当もつけて、最低六名体制で護送しろって騒いでたじゃないですか」

「おい、誰が何を騒いだって？」

「……すみません。言葉が過ぎました」

いつものように、ケッ、と唾を吐くような仕草をする。

「いいから、オメェは俺の言う通り動いてりゃいいんだよ。他にも順送するのはいるんだろ。早めに本部に連絡して、やっぱりもう一人お願いしますって連絡しとけ」

ほんと、この男だけは和田学校で何を学んできたのか、甚だ疑問でならない。

「……分かりました。そのように手配いたします」

だが、朝の八時過ぎ。確かに木野は、留置場から出されてエレベーターに乗り、署の裏口に着くまで、終始人が違ったように大人しく、また表情も穏やかだった。周りを囲む警官にも、ことあるごとに頭を下げる殊勝な一面を見せた。

玲子にも、ひと言あった。

「……姫川さん。『ブルーマーダー』は、俺一代で終わりです。あとにも先にも、俺一人です……」

それだけいって一礼し、また歩き始める。

裏口を出ればマスコミが待ち構えている。実際、木野が連れ出されると一斉にフラッシュが焚《た》かれた。濃紺の、護送用フード付きヤッケを着せられた背中が、白く点滅しながら遠ざかり、やがて護送車の中に消える。玲子はそれを、庁舎の中から見送っていた。

木野一政。「ブルーマーダー」と呼ばれ、池袋を中心とする裏社会を震撼《しんかん》させた怪物が今、玲子には、ごく普通の男に見えた。いや、闘いを終え、傷ついて、戦線を離脱する兵士といったらいいか。

彼にはまだ、訊かなければならないことが山ほどある。だがもう、何一つ訊く必要がないようにも思う。

木野の犯した罪は重い。すべての罪を挙げたら、十回死刑になってもまだ足りないかもしれない。しかし彼は、おそらく十三階段を上る前にこの世を去るだろう。

犯した罪は償わない。

今はそれすらも、彼が「ブルーマーダー」たり得た所以《ゆえん》であるように思える。

青い仮面の殺人鬼。単語を直訳しただけなら「青い殺し」。悪い奴らを、手当たり次第に殺していく。考えようによっては、これほど「青い殺し」はないかもしれない。だがそれは、完全燃焼する炎の青とも重なる。

木野一政。今、彼の心にあるのはなんなのだろう——。

「……なぁに、ぼけーっと突っ立ってんだよ、この電柱女が」

ガンテツ、いつのまに。

「あら、勝俣さん。いらしたんですか。全然気づきませんでした」

あまりにも背が低くていらっしゃるので。

「オメェ、一週間くらい風呂も入ってねえんだろ。臭うから銭湯でもいってこい」

「そんなはずないでしょう。お風呂くらい入ってます、ちゃんと」

「じゃあきちんと洗えてねえんだな。臭えからさっさとどっかいけ。木野が帰ってくるまでに、すべきことは全部済ませてこい」

それくらい、こっちだってちゃんと考えている。菊田の見舞いだって——。いや、ひょっとして、それのために勝俣は、こんな憎まれ口を叩いているのか。まさか。この男に限って、それだけはないと思いたい。

そんなことより。

「……勝俣さん。今朝の木野の態度、なんか、昨日までと全然違いませんでしたか。ひょっとして、あたしたちが立て籠もり現場にいってる間に、勝手に木野を出して取調べたりとか、してないですよね」

するると、なんだろう。勝俣はニヤリと、片頬を吊り上げてみせた。

「ほんとに、お前って奴は……ああいう輩《やから》と、とことん気が合うんだな。常々、サツカンには向かねえ野郎だと思ってたが、ここまでくるともう、笑うしかねえな」

いうだけいって、くるりと背中を向ける。

「ま、ひとつ風呂浴びて、化粧もやり直してこい。糞したら、ちゃんとケツも拭いとけよ」

木野一政よ。なぜアーバンプラザホテルの六階で、この男を撃ち殺してくれなかったのだ。

決して勝俣の指示に従ったわけではないが、いったん部屋に帰ってシャワーを浴び、ちょっと仮眠をとり、早めの昼食をとってからバッチリ化粧をし、それから出かけた。

むろん、菊田の見舞いにだ。場所は中野にある東京警察病院。部屋番号は、搬送に付き添った池袋署員からあらかじめ聞いてある。だが、どんな容体かまでは詳しく知らされていない。

現場で見せた、あの低い体勢からの背負い投げ。岩渕と絡み合うようにしてコンクリートの地面に倒れ、その後も揉み合い、最終的には手錠まで掛けていた。一連のあれで無理をして、さらに怪我がひどくなっていなければいいが。

着いてみるまで分からなかったが、菊田のいる病室は四人部屋だった。入り口にあったプレートの並び順から、なんとなく菊田は窓際の右側ではないかと見当をつける。

「……失礼します」

一つひとつ確認しながら進む。手前右側は年配男性、その向かいは留守、窓際左手は若い男性だった。

その向かい、カーテンの中を覗くと——やっぱり。

「ごめんください。お加減、いかがですか」

小柄な若い女性に付き添われ、

「あっ……主任」

頭から右目にかけて包帯を巻かれ、左肩をアメフトのプロテクターのようなものでがっちり固定された菊田がいた。今は上半身を起こした状態で座っている。隣で「えっ」と発した女性の顔があまりにも可愛らしかったので、なんだか玲子は、可笑《おか》しくなってしまった。

そっか。これが、菊田のお嫁さんなんだ——。

ほとんど左半分しか顔は見えないが、それでも菊田が慌てているのは充分分かった。

「あ、あの……すみません、こんな……ほら、アズサ、あの、こちら、姫川しゅ……じゃなくて、池袋署、強行班の、姫川係長だ」

彼女はハッとし、慌てたようにお辞儀をした。

「すみません、失礼いたしました。あの、初めまして……菊田、アズサです。お、お噂は、かねがね……やだ私、こんな……っていうか、和男さん、姫川さんが、こんな綺麗な方だなんて、一度もいってくれなかったから……」

なんとも、複雑な心境にさせる発言だった。「綺麗」といわれるのはいつだって嬉しいが、それを菊田が奥さんにいっていなかったというのは、どういう理由からなのだろう。解釈が難しい。

「菊田巡査部長。奥さまは、ずいぶんとお世辞がお上手なのね……あの、これ。よかったら、召し上がってください」

とりあえず、途中で買ってきたお気に入りのマンゴープリンを手渡す。

「ありがとうございます……どうぞ、お掛けになってください。せまいところで、申し訳ありませんけど」

確かに、その窓際のスペースはせまかった。アズサは自分の立ち位置を譲るようにして、玲子に奥に入るよう勧めてくれた。それでいて、あっ、と思い出したようにポケットをまさぐる。取り出したのは、可愛らしいパステルグリーンの名刺入れだった。

「あの……高輪署の、菊田、梓です。よろしくお願いいたします」

名前は普通に「梓」と書くようだった。名字はおそらく、直近の異動を機に「菊田」にしたのだろうが、さて、旧姓はなんだったのだろう。

「ありがとうございます。池袋署の、姫川です」

名刺交換を済ませると、梓はそのまま「ちょっと飲み物を」と出ていった。むろん玲子は遠慮したが、菊田と二人で話したいというのは、当然ある。嬉しい心遣いだった。

「……お邪魔します」

小さな丸椅子に腰掛ける。そもそも菊田は体格がいい方だが、今は包帯やらなんやらで、さらにその嵩《かさ》が増して見える。

その菊田が、詫びるように目を伏せる。

「すみません、あの……自分、結婚について、その、姫川さんに、ご報告、というか、なんというか……」

「いいわよ、もう。奥さんの、名刺ももらっちゃったし」

「いや、あの……ほんと、すみません」

「だから、いいってば」

ほとんど動けないくせに、それでも頭を下げようとする。

「本当に、ご心配おかけして、申し訳ありません……なんか、あのときの、逆みたいですね」

「あのとき？」

「『ストロベリーナイト』のあと……主任が入院してて、ほら、みんなで見舞いにいったじゃないですか」

確かに、そんなこともあった。

「ほんとだ……でもなんか、懐かしんでいいのか、微妙だね……ああ、今後、聴取の担当はあたし以外の誰かになると思うけど、怪我の具合はどう？　どれくらいかかりそう？」

「ええ……左鎖骨が、ボッキリ折れてますんで、たぶん、ボルトを入れることになると思うんですが」

もうそれだけで、全治数ヶ月の重傷だ。

「ボルトは……大事《おおごと》だね」

「いや、それでも、右はヒビで済んだんで、なんとか」

「えっ、ヒビ入ってたのに、背負い投げやったの？」

「背負い……ああ、あれですか。あれは、背負い投げっていうか、もう、ただチャンスだと思って、無我夢中で、引き倒しただけっていうか……あ、順番、逆になって、申し訳ありません……昨夜は、ありがとうございました。お陰で、命拾いしました。本当に、なんとお礼をいっていいか」

また頭を下げようとする。

「やめてよ。あたしは警察官として、当然のことをしたまでよ」

「そう、仰るだろうとは思ってましたが、でもやっぱり、嬉しかったです。防弾ベストも何もなしで、拳銃構えてる主任を見て、なんていうか……ちょっと俺、泣きそうでした。いろんな意味で、主任は、俺を助けにきてくれたんだな、って……感じました」

むろん、それはその通りだが。

「……とにかく、菊田が生きててくれてよかった。大塚のときみたいな思いは、あたしもう、死んでもしたくなかったから。だから、よかった。菊田が、ちゃんと帰ってきてくれて」

しばし、菊田は口をつぐんだ。眉間に、変に力が入っているのが分かる。あのことかな、とは思ったが、言い出す前に、こっちから「やめて」ともいいづらい。

やがて唾を飲み込み、菊田の、尖った喉仏がぐるりと上下する。

「あの……俺のために、その……すみませんでした。俺……主任のこと、今まで何も、分かってませんでした。長い付き合いだから、なんでも、分かったつもりになってて……」

玲子は、かぶりを振った。

「だから、そういうのやめてって……繰り返されたら、余計恥ずかしい」

「すみません……でも、ほんと、自分で自分が、情けなくて……主任に、あんなことまでさせて……もう、俺なんて、撃たれてもいいから、途中で動いて、終わりにしちゃおうかって……でも、なんで主任が、あんなこと現場で話し始めたのか、それ考えたら、やっぱり、迂闊には動けなくて……俺、大塚のためにも、二の舞になっちゃ駄目なんだって、冷静になれ、冷静になれ、主任の言葉を無駄にするなって、自分に言い聞かせてて……」

子供みたい――。

大きく膨らんだ雫《しずく》が、ぽろりと一つこぼれると、あとからあとから、同じものが菊田の頬を、伝い落ちていった。玲子はそれを、自分のハンカチを出して、一つひとつすくいとった。

菊田が続ける。

「すみません……でもあれ、誰にも、聞かれたくなかったです……俺の、胸の中にだけ、しまっておけたらって……」

「だから、もういいってば。菊田がこうやって、骨折で済んで、永瀬巡査部長も、命に別状はなかったんだから。それでいいの……どうってことないよ、菊田」

すると、また雫があふれ出す。

「主任……どうして主任は、そんなに強いんすか」

果たして、自分は強いのだろうか。

「んん……あたしはたぶん、強くなんてない。ただ、その命を以て、生きることの尊さを教えてくれた人たちに、報いたいだけ。大塚もそう。高校のときの事件で、あたしを立ち直らせてくれた、埼玉県警の刑事さんもそう」

その他にもいるが、まあいいだろう。

「それより、菊田……」

改めてその顔を見る。口の辺りも殴られたのか、ちょっと唇が切れて、皮膚も変色している。

「もし、もしもよ。近い将来、あたしが捜一に引っ張られて、もう一度本部に返り咲いたとしたら……そのときあたしが、再招集を掛けたら、菊田は……もう一度、姫川班にきてくれる？」

玲子は、菊田が想ってくれていることを承知の上で、牧田に走った。その結果、自分の手で姫川班を壊すことになった。いま菊田が、自分以外の女性をパートナーに選んだからといって、何一つ文句をいえる筋合いではない。だから、それはいい。それは置いておくとして、つまり、純粋に警察官として、また自分と一緒に汗を流してはもらえないかと思っている。そばにいて、助けてもらえないかと考えている。

「……どう？　菊田」

おそらく、そこが限界なのだろう。

菊田は五センチか十センチ頭を下げて、そこで止めた。

「必ず、いきます。何をさて置いても、一番に、駆けつけます」

よかった。それが聞けたら、今日はもう充分だ。

「ありがと」

玲子は椅子から立ち上がった。

「……じゃあ、まだ調べとか、いろいろあるから、いくね。若奥さまによろしく。あんまり、我儘《わがまま》いって困らせちゃ駄目よ」

窓際スペースから出て、ちょっと手を挙げて、あえてもう菊田の顔は見ないようにして廊下に出た。廊下まで出てしまえば、変な感情に左右されることはなくなる。自分の、理性のスイッチを入れることができる。

だが別の意味で、玲子はそこで感情を乱された。

梓が、すぐそこに立っていたからだ。

とりあえず、何かいわなければ——。

「あ、あの、すみません……もう、お暇しますね」

烏龍茶のボトルと紙コップを両手に持って、梓は玲子を見上げている。たぶん、身長は玲子より十センチ以上低い。

「姫川さん……」

ふと、さっきとは別人の声のように感じた。芯のある、とても強い意思のこもった声だ。

「主人を……助けていただいて、ありがとうございました」

なるほど。そういう、ある種の「宣言」というわけか。

可愛いところ、あるじゃない。

「お大事に、してあげてください。それと……ご結婚、おめでとう。お幸せに……」

それだけで、玲子は会釈をしながらすれ違った。

これでいい――。

自分と菊田は、これでいい。

今、心からそう思う。


病院を出たところで携帯が震え出した。

小窓を見ると、なんと【井岡】と出ている。無視してもいいのだが、まあ、今日はなんとなく、出てやっても差し支えない気分だ。

「……はい。もしもし」

『ああん、玲子ちゃん、訓授で聞きましたけど、ご無事で何よりでしたぁ。ホンマ、大変やったんやないですか？　どっか、小っさなお怪我でもされたんとちゃいますか？　なんでしたら、ワシが赤チン塗りにいきまっせ。どこでっか。今どこにいらっしゃいますの』

赤チンって。あれ、今でも売ってるのか。

「あー、別に怪我も何もしてないから。ご心配なく。用がないなら切るけど」

『待ってーな玲子ちゃん。……ワシね、実は、重大な秘密情報を、入手しましてん』

もう、この時点で全然期待できない。

「なぁに。一応、聞いてあげるからいってごらん」

『そんな。こんな重要情報、タダで出せまっかいな。それなりの交換条件いうもんが……いやいや、ワシがわざわざお願いせんでも、玲子ちゃんはこの情報を耳にしたら、自動的に本部復帰したときに、ワシを姫川班のメンバーに、招集したくなっちゃうかもよォ？』

分からない。なぜ今、菊田に話したばかりのことを、こいつからいわれなければならないのだ。

「ないけどね。あんただけは、絶対に呼ばないけどね。本部どころか、飲み会にも呼ばないけどね」

『あん、またそんな、つれない振りしてん……でも、人事はよう見てまっせ。ワシと玲子ちゃんの相性がバッチリなところ。こいつら組んだら、もう無敵やなァ、思ってますから。完全に』

どうしようかな。タクシー拾っちゃおうかな。

「へえ、そうなんだ……ねえ、もう切ってもいい？」

『ですから、この極秘情報はどないしますの。そんなんやったらいっそ、お宅にお伺いしましょか？　このネタを肴《さかな》に、朝まで二人で、しっぽり飲み明かしましょか？』

「ああ、どうせ、誰かの噂話とか、そんな類だ」

『はい、ピンポーンッ』

なんだ、当たりか。

『あのね……こらもうホンマ、ワシこそが、玲子ちゃんと結ばれる運命の男なんやなぁて、つくづく思いましたわ。エエですか、びっくりせんといてくださいよ。びっくりし過ぎて、そこでコケて半月板損傷とかせんといてくださいよ。エエですか』

「いいから、さっさといわないと本当に切るわよ」

『はいはい、では……ドゥルルルルルル』

「いいから、そういう安い演出は」

いいや、やっぱりタクシー拾っちゃおう。

『ジャンッ……なんと、菊やんが結婚している事実を、ワシはとうとう、突き止めたのでしたアーッ。驚かんといてくださいよ』

「うん、知ってるもん」

『そやなくて、証拠写真もあるんですから』

「ああ、さっき会ったよ、奥さんに」

『ちゃいますって。菊やんでっせ。あの元姫川班の菊田和男が、結婚してたァいう、極秘情報でっせ』

「だから、今その奥さんに会ってきたんだってば」

空車、なかなかこないな。

『……へ？』

「だから、菊田が結婚してるのも知ってるし、その奥さんともいま会ってきたばっかりだっていってんの」

あっ、ちくしょう。手前で拾われた。

『え、あの……知ってましたん？』

「だからそういってるでしょ、さっきから。これで、あなたの本部異動の夢も潰《つい》えたわね。ご愁傷さま」

ピッ、と切った途端に、またかかってくる。しつこいな、と思ったが今度は井岡ではなかった。國奥だった。まあ、似たようなもんといえばそうだが。

「……はい、もしもし」

『よお、姫ェ、知っとったか？　あの菊田のゴリ男が、結婚しとったというのは』

あーあ。もう自分の周りには、こんな男しか残っていないのだろうか。

〈参考・引用文献〉

『死刑絶対肯定論　無期懲役囚の主張』美達大和／新潮新書
『人を殺すとはどういうことか　長期ＬＢ級刑務所・殺人犯の告白』美達大和／新潮文庫
『警視庁捜査一課刑事』飯田裕久／朝日新聞出版
『君は一流の刑事《デカ》になれ』久保正行／東京法令出版
『捜査指揮―判断と決断―』岡田薫（協力 寺尾正大）／東京法令出版
『刑事《デカ》魂』萩生田勝／ちくま新書
『第一線捜査書類ハンドブック』警察実務研究会／立花書房
『取調べと供述調書の書き方』捜査実務研究会／立花書房
『新 事件送致書類作成要領　一件書類記載例中心』高森高徳／立花書房
『警視庁捜査一課殺人班』毛利文彦／角川書店
『ミステリーファンのための警察学読本』斉藤直隆／アスペクト
『検死ハンドブック　改訂２版』高津光洋／南山堂
『新宿歌舞伎町　新・マフィアの棲む街』吾妻博勝／文春文庫
『歌舞伎町　シノギの人々』家田荘子／宝島社
『警視庁組織犯罪対策部』相馬勝／文庫ぎんが堂

『現場刑事の掟』小川泰平／文庫ぎんが堂
『黒社会の正体』森田靖郎／文庫ぎんが堂
『裏社会「闇」の構図　ヤクザとカタギの黒い関係』礒野正勝／文庫ぎんが堂
『ヤクザ崩壊　侵食される六代目山口組』溝口敦／講談社＋α文庫
『暴力団』溝口敦／新潮新書
『新華僑　歌舞伎町マフィア最新ファイル』小野登志郎／太田出版
『日本人は誰も気付いていない在留中国人の実態』千葉明／彩図社
『龍宮城　歌舞伎町マフィア最新ファイル』小野登志郎／太田出版
『池袋チャイナタウン　都内最大の新華僑街の実像に迫る』山下清海／洋泉社
『たけうちマルシェ　心に届くおいしいさしいれ１０２』竹内結子／文藝春秋

解説

梅原潤一《うめはらじゅんいち》
（書店員
有隣堂ヨドバシＡＫＩＢＡ店）

まず結論を書いておく。本書『ブルーマーダー』は現在（二〇一五年五月）までに発表された『ストロベリーナイト』シリーズの中で、最も面白い一大傑作である。本篇を読まれた後にこの解説を読んでる人ならばここで大きくうなずいて頂けるかと思います。よもやそんな人は居まいとは思いますが、「『ストロベリーナイト』シリーズかあ、姫川玲子《ひめかわれいこ》も異動しちゃったし、続きを読むのどうしようかなあ」と、取り敢えず解説に目を通しているのであれば、とにかく一冊持ってレジに直行して今すぐにでも読み始めてください！　と訴えたい。「うお〜『ストロベリーナイト』シリーズやっぱ面白エ！　姫川玲子最高！　誉田哲也凄エや！」となること請け合い！　圧倒的な満足感に浸れる読書タイムをお約束します。

主人公姫川を始め、魅力的なキャラクター満載のシリーズ第一作『ストロベリーナイト』を読み終えた直後の「こいつらの活躍をもっと読みたい！」という願いが『ソウルケイジ』で叶ったときは本当に嬉しかった。しかし読者というのは貪欲なものでシリーズが続いていくと「もっと面白いヤツを！　もっと強力なヤツを！」とシリーズへの欲望を募《つの》らせていくのが常で、私も新作が出る度に貪るように読んでその都度《つど》「面白い！」と叫びながらも「でもやはり一作目の熱さには敵わないかな」なんて事を軽々しく思い、失礼にも誉田さん自身にそれを伝えたりさえしていた。で、『ストロベリーナイト』の興奮は今後も超えられまい、と心のどこかで思っていた。そんな私の浅はかな思い込みを軽々とブチ破ってみせたのがこの『ブルーマーダー』なのである。

では具体的に『ブルーマーダー』のどこがそんなに素晴らしいのか、幾つか言及していきたい。

※物語細部にふれるので本篇を未読の方はここで読むのを止めてください。

第一に様々なキャラクターの行動が重層的に語られる事で、小説としての懐の深さが増し、物語にシリーズ最大のスケール感と風格がもたらされている点を挙げたい。まずは序章で曰くありげな三人の男（オレオレ詐欺の片棒を担がされている若い男、女房子供に逃げられ借金で首の回らない町工場のオヤジ、オヤジにある取引を持ちかけるガタイのいい男）が描かれる。そして①池袋のテナントビルの一室で刑務所から出所したばかりのヤクザの組長の死体が発見される。捜査に乗り出す池袋署刑事課強行犯捜査係所属、姫川玲子、登場。②監察に呼び出され、池袋の複数の組織暴力が不活性化している事について思う事はないか問い質される、かつてのマル暴刑事、現中野警察署刑事組織犯罪対策課所属、下井《しもい》正文《まさふみ》。③事故で大破した護送車から逃げ出した岩渕《いわぶち》時生《ときお》という男を追う千住署刑組課強行犯捜査係所属、菊《きく》田和男《たかずお》。④序章で登場したオヤジ、茅場《かやば》とガタイのいい男「マサ」が何やら武器を作製し、茅場が借金をしている高利貸の元を訪ねアッという間に始末をつける。「①姫川」「②下井」「③菊田」「④犯人と思しき一味」大枠でこの四つの視点から物語は語られる。

最早、姫川班リーダーではなく、池袋署所属の姫川にはどこか孤独な翳が射し（冒頭に少しだけ、お馴染み井岡《いおか》と國奥《くにおく》とのかけあいが入り、それが却って〝あの頃には戻れない〟という郷愁を読む者に感じさせる）、自分の口利きでやくざから足を洗わせた男が所帯を持つ事になったのを我が事のように喜ぶ下井の人情味とその後に監察官に見せる熱き刑事のプライドにホロリと来て、なんと結婚している菊田に驚かされ（姫川の「菊田どうしてるかな」という思いが菊田の新婚生活へと繋がる場面転換の見事さ！）、ド悲惨な殺人を繰り広げながらもどこか牧歌的なムードで妙に笑える茅場とマサの名コンビの誕生にザワザワとした胸騒ぎを覚える。この四つの視点が絶妙に絡み合い、反応しあって、少しずつ関係性が見えてくる辺りの凝った語り口は「熱き思いで一直線！」という色の強かったシリーズ初の味わいと言えよう。で、そんな様々なキャラの様々なエピソードの関係を一気に近づけ、一気にヒートアップさせるのが我らがガンテツ（何と中盤過ぎまで姿を現しません、が、初登場シーンいきなりムチャクチャ恰好良い！　登場以降は一気に主役級の活躍を見せます。姫川とのカラミでカマす相変わらずの毒舌ぶりが小気味いい！）こと勝俣健作《かつまたけんさく》である事がガンテツファンとしてはなんともウレしい。

そして通読して気付く事だが「犯人と思しき一味」のエピソードのみ、暫くの間時制をズラして語られている（他のエピソードよりも過去の事）のが心憎い。茅場、マサ、そして後から転がり込んでくる「トキオ」という三人がチームになっていく様が、茅場による回想で、輝かしき日々だったかのように語られる。やってる事は殺人という許しがたい行為なのだが何だか匠とその弟子の修業風景のような清冽さと、殺害シーンの職人技のような手際のよさがユーモアを生み出し、どこか気持ちよく描かれていて、殺人集団ではあるが「悪い奴ら」を処分している事と相俟って妙に共感を覚え、応援してしまう。それによってクライマックスが姫川達警察側にも犯人側にも肩入れしてしまう熱いものになっているのだ。

実はこの殺人チームには元ネタのバンドが存在し、そのバンド名が「ブルーマーダー」なのだそう（著者談）。御存知の方はニヤリとして頂き、興味を持たれた方はネットetc.でお調べください。複数の視点と複数の時制により物語に厚みを与える、著者の小説技法の熟達ぶりに惚れ惚れする。

そしてよりリアルに正確になった警察組織の描写、警察小説としての骨格の太さも特筆モノだ。例えば警視庁本部から所轄へと配属換えとなった姫川の仕事ぶりを語るシーン、さりげないけれど二つの部署の違いが読む側にスッと伝わる。又、犯罪の細分化に合わせ一般的な殺人を扱う捜査一課と暴力団犯罪捜査専門部署に細分化された警察機構の現状と問題点を随所に練り込ませる辺り、まさに「現在の警察小説」を感じさせるライブ感に満ちている。

そういったリアルな細部に拘ったからこそ、不意に挿入される劇画的な演出、例えば、姫川の前に急に現れて「あなた、『ブルーマーダー』を知ってる?」と問い質すロクサーヌというフィリピン系のホステスの言葉一つで池袋という都市が恐怖に支配されつつある事を示すシーンなどが作り事めいたりせず、リアルな実感を伴って成立するのだ。小説、ドラマを問わず、殆どの警察モノで「ホルスター」と表現されるアイテムを「拳銃サック」と表現し、「だって警察の人がそう言うんだもの。『「ホルスター」?　いや呼ばねえよ、あれは「拳銃サック」だよ』って」と酒の席で語っていた誉田さんのリアルへの拘りがこの作品で開花、見事に効果を上げている。

そして一番重要な点であるが『ストロベリーナイト』で始まったこのシリーズ、世間的には姫川班解体というエンディングの『インビジブルレイン』が一つの区切りと目されているが、実はこの『ブルーマーダー』こそが大きな節目の一作と言える重要作なのである。『ストロベリーナイト』で語られる、暴行事件の被害者であるという過去、部下であった大塚《おおつか》の死、『インビジブルレイン』で語られる、愛した男、牧田《まきた》の死、そして菊田との男と女としての関係。ブルーマーダー事件を追ううち、姫川玲子という人間を形成してきたあらゆる悔恨が姫川の胸に去来し、再び対峙せねばならなくなる。事件の解決が単なる事件の解決ではなく姫川が抱えてきた様々なトラウマの浄化と結びついているからこそ、クライマックスで只ならぬ感動を覚えるのだ。

緊迫感に溢れた本篇から解き放たれ、エピローグでの井岡と國奥とのやりとりで漸く読む者をホッとさせてくれる、この緩急のつけ方も実に巧みだ。オープニングとの円環ぶりも美しいが、コメディリリーフのこの二人を冒頭と終幕にしか出さなかった事もシリーズものにつきものの馴れ合いを排した緊密な小説世界の構築に一役買っていると言えよう。

過去の自分と完全に向き合い、数々のトラウマを乗り越える事を強《し》いられた姫川玲子の活躍は今後も勿論続いていく。『ブルーマーダー』以降に発表された短篇集『インデックス』のラストでは遂に！　というファン待望の事が起こる。そして二〇一五年末〜二〇一六年春には、シリーズ最大のイベントが勃発する筈である（長年に亘って読み継がれる文庫の解説の特性にはそぐわないかもしれないが、これはどうしても記しておきたかった。それ以降にこの件《くだり》を読まれた方は「はは〜ん、あの事ね」と笑ってください）。

最後に『ストロベリーナイト』解説でもやらせて頂いたキャスティングのお遊びを少し（各登場人物に実在の役者を割り振ってみる遊びです。実際に映像化されているシリーズなのでチトやりにくくなってしまいましたが……）。梓《あずさ》＝貫地谷《かんじや》しほり（著者談）、下井＝竜《りゅう》雷太《らいた》（このキャラは映画版で「片山《かたやま》」という名で柴俊夫《しばとしお》さんが演られていますがここは「太陽にほえろ！」リスペクトで）、大竹《おおたけ》＝原田泰造《はらだたいぞう》、江田《えだ》＝池松壮亮《いけまつそうすけ》、木野《きの》＝伊藤英明《いとうひであき》（最近のこの人のゴリマッチョぶりがハマるかと）、茅場＝でんでん、トキオ＝柄本佑《えもとたすく》、そして今回の陰の主役と言うべき、警察組織の暗部を一手に引き受けている感のある安東智寛《あんどうともひろ》警視正＝嶋田久作《しまだきゅうさく》（著者談。いやこれ井岡＝生瀬勝久《なませかつひさ》以来のアテ書きでしょ！　誉田さん「なんの因果だろう……」とノリノリの物真似披露付きで教えてくれました！）。

開幕から九年、『ストロベリーナイト』シリーズの躍進はまだまだ続きます！　一ファンとして、そして一書店員として、ますます目が離せません！　誉田さん、期待しています！

二〇一二年一一月　光文社刊

光文社文庫

ブルーマーダー

著者　誉《ほん》田《だ》哲《てつ》也《や》

2015年6月20日　初版1刷発行

発行者　鈴木広和
印刷　萩原印刷
製本　ナショナル製本

発行所　株式会社 光文社
〒112-8011　東京都文京区音羽1-16-6
電話（03）5395-8149　編集部
8116　書籍販売部
8125　業務部

落丁本・乱丁本は業務部にご連絡くだされば、お取替えいたします。
ISBN978-4-334-76918-5　Printed in Japan

組版　萩原印刷

お願い　光文社文庫をお読みになって、いかがでございましたか。「読後の感想」を編集部あてに、ぜひお送りください。
　このほか光文社文庫では、どんな本をお読みになりましたか。これから、どういう本をご希望ですか。どの本も、誤植がないようつとめていますが、もしお気づきの点がございましたら、お教えください。ご職業、ご年齢などもお書きそえいただければ幸いです。当社の規定により本来の目的以外に使用せず、大切に扱わせていただきます。

光文社文庫編集部